改訂第2版

英語の超人になる!
アルク学参シリーズ

1カ月で攻略!

ONE MONTH

大学入学 共通テスト

英語 リスニング

聴く型と解く型で得点力アップ!

武田塾英語課課長/
Morite2 English Channel
監修者 森田鉄也

元 駿台予備学校講師/
PHOTOGLISH
著者 岡崎修平

はじめに

解法とリスニング力を身に付けて周りに差をつけろ！

2021年センター試験から共通テストに変更され、英語の試験は大きく変わりました。リスニングは配点が50点から100点になり、1回だけしか音声が読まれない大問も出現し難易度が上がりました。共通テストは過去問がたくさんあるわけではなく、対策を不安視している受験生は多いです。そんな人たちのために作られたのが本書です。実際、この４年で実施された問題からさまざまな傾向と対策が見えてきました。

まず、過去問を使い、目の付け所を知ります。設問のどういったところに注目すればいいのか、どういった手順を踏んで取り組めばいいのかが書かれています。さらに、リスニングをするうえで欠かせないのが英語を聴き取る力です。本書では解説中に、英語の発音の特徴について詳細に説明しています。これにより聞こえなかった音が聞こえるようになってきます。最後にはオリジナルの模試もついています。学んだことの総仕上げに活用してください。

このように、本書は共通テスト英語リスニングを攻略するうえで欠かせない攻略法とリスニング力を皆さんに提供するものです。多くの受験生がどう効率よく対策していいのかわからないままがむしゃらに勉強し、試験本番に臨む中、本書を使い21日間しっかりと鍛錬して周りに差をつけましょう！

森田鉄也

“変化”に対応できるリスニング力を体得する

リスニング対策はどうしても後回しになりがちです。この本を手に取ったあなたも、「とりあえずたくさん聴く」「とりあえず過去問を解いてみる」といった「とりあえず」の対策しか行えていないまま試験本番の日が近づいているのではないでしょうか。

「どうすれば聴けるようになるのかわからない」

「本番まで時間がない」

「効率よく対策したい」

そういった声にお答えして、この本では**英語が聴けるようになるためのポイント・「先読み」の具体的なステップ**を**「聴く型」**として、**問題を解く際の頭の働かせ方**を**「解く型」**としてまとめました。

同じ形式の問題を連続で演習する中でそれぞれの形式に対応した「型」を身に付けていく、最も効率のよい形で対策を行います。

もちろん、形式が変わる可能性はゼロではありません。
僕は普段の授業でも「形式にとらわれない英語力」を重視して指導しています。

今回示した「型」はあくまで共通テストの形式に合わせていますが、ある程度の変化には対応できる、**汎用性の高い型**を意識して作りました。

特に「音声のポイント」では、**頻出の音声変化のパターン**を網羅しているので、毎日練習すれば確実に聴き取れるようになっていきます。

今回の改訂版では、問題を最新版にアップデートしています。最新の問題で「型」を反復し、全ての極意を骨の髄までたたき込みましょう。

岡﨑修平

学習カレンダー

《大学入学共通テストとは》

「大学入学センター試験」に代わり、2021年1月からスタートした。全問マーク式でリーディング（80分）とリスニング（30分）の試験がある。配点は各100点。センター試験のリーディング200点、リスニング50点と比べると、リーディング：リスニングが4：1から1：1になり、リスニングの比重がかなり大きくなっている。2025年から、新形式の問題が出題されることが予想されている。

本書の特長と使い方

リスニングの点数を上げたいが、ゆっくり対策している時間がない……。
本書ではそんな受験生のために、１カ月前でも間に合うよう21日間完成でプログラムしました。英語が聴けるようになるための「聴く型」と、出題ポイントを攻略するための「解く型」、大きく分けて２つの型を習得していきます。奇数 Day には共通テストの2023年の過去問を使い「聴く型」の、偶数 Day には2024年の過去問を使い「解く型」の演習を行います。通常の問題集のように第１問から第６問まで順番に解くのではなく、同形式の大問（※）に連続して取り組むことで、効率よく各形式の対策を行うことができます。
順番に解く形の演習は「模擬試験」で行います。各 Day でそれぞれの型をマスターし、模擬試験で実戦レベルに昇華させましょう。

※本書では、「第１問 A」などを「大問」もしくは「問題」、それらの中の「問１」などを「設問」と呼びます。

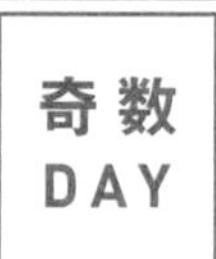

STEP 1
効率よく「先読み」する「聴く型」をインストールする

共通テストのリスニングではイラスト、グラフ、図表、複数の話者など、さまざまなタイプの問題が出題されます。Day 03以降の奇数 Day の最初の２ページでは、「先読み」の際の目線の動かし方、注意して聴くべきポイントをまとめています。問題ごとの最適な取り組み方をマスターしましょう。
（Day 01と02では、聴き取れるようになるための「発音のルール」を扱います）

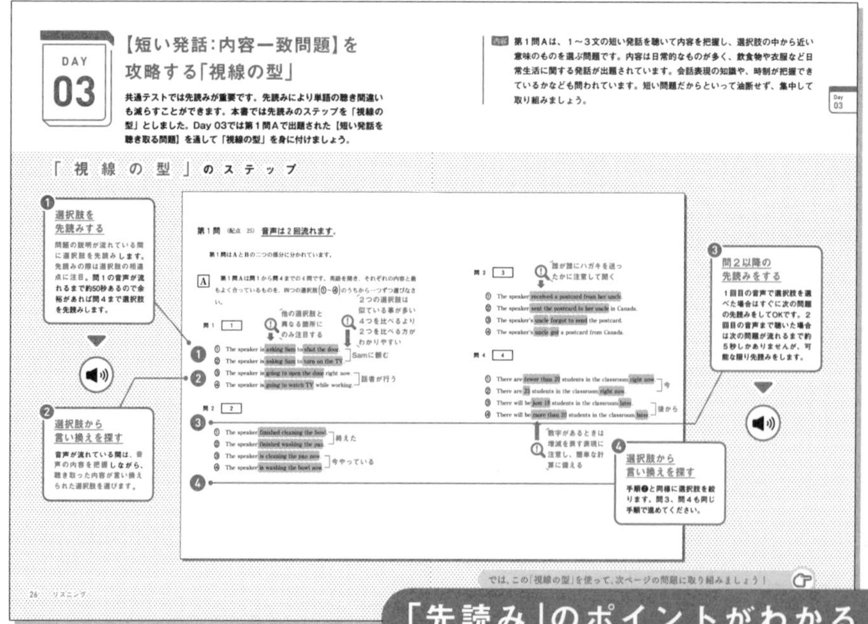
DAY 03

【短い発話：内容一致問題】を攻略する「視線の型」

共通テストでは先読みが重要です。先読みにより単語の聴き間違いも減らすことができます。本書では先読みのステップを「視線の型」としました。Day 03では第１問Aで出題された【短い発話を聴き取る問題】を通して「視線の型」を身に付けましょう。

内容 第１問Aは、１～３文の短い発話を聴いて内容を把握し、選択肢の中から近い意味のものを選ぶ問題です。内容は日常的なものが多く、飲食物や衣服など日常生活に関する発話が出題されています。会話表現の知識や、時制が把握できているかなども問われています。短い問題だからといって油断せず、集中して取り組みましょう。

「視線の型」のステップ

❶ 選択肢を先読みする
問題の説明が流れている間に選択肢を先読みします。先読みの際は選択肢の相違点に注目。問１の音声が流れるまで約50秒あるので余裕があれば問４まで選択肢を先読みします。

❷ 選択肢から言い換えを探す
音声が流れている間は、音声の内容を把握しながら、聴き取った内容が言い換えられた選択肢を選びます。

第１問（配点 25）音声は２回流れます。

第１問はAとBの二つの部分に分かれています。

A 第１問Aは問１から問４までの４問です。英語を聞き、それぞれの内容と最もよく合っているものを、四つの選択肢（①～④）のうちから一つずつ選びなさい。

問１ 1
他の選択肢と異なる箇所にのみ注目する
２つの選択肢は似ている事が多い ４つを比べるより２つを比べる方がわかりやすい
① The speaker is asking Sam to shut the door.
② The speaker is asking Sam to turn on the TV.
（Samに頼む）
③ The speaker is going to open the door right now.
④ The speaker is going to watch TV while working.
（話者が行う）

問２ 2
① The speaker finished cleaning the bowl.
② The speaker finished washing the pan.
（終えた）
③ The speaker is cleaning the pan now.
④ The speaker is washing the bowl now.
（今やっている）

問３ 3
誰が誰にハガキを送ったかに注意して聞く
① The speaker received a postcard from her uncle.
② The speaker sent the postcard to her uncle in Canada.
③ The speaker's uncle forgot to send the postcard.
④ The speaker's uncle got a postcard from Canada.

問４ 4
① There are fewer than 20 students in the classroom right now.
② There are 22 students in the classroom right now.
（今）
③ There will be just 18 students in the classroom later.
④ There will be more than 20 students in the classroom later.
（後から）
数字があるときは増減を表す表現に注意し、簡単な計算に備える

❸ 問２以降の先読みをする
１回目の音声で選択肢を選べた場合はすぐに次の問題の先読みをしてOKです。２回目の音声まで聴いた場合は次の問題が流れるまで約５秒しかありませんが、可能な限り先読みをします。

❹ 選択肢から言い換えを探す
手順❷と同様に選択肢を絞ります。問３、問４も同じ手順で進めてください。

では、この「視線の型」を使って、次ページの問題に取り組みましょう！

26 リスニング

Day 03

「先読み」のポイントがわかる！

STEP 2

「聴く型」を使って過去問にチャレンジする

学んだ「型」を使って、共通テストの過去問に挑戦しましょう。「例題」と「練習問題」の２題用意しています。「例題」は2023年1月14日実施の本試験、「練習問題」は1月28日実施の追試験の問題です。実際に出題された過去問を解く以上の対策はありません。本番のつもりで取り組みましょう。

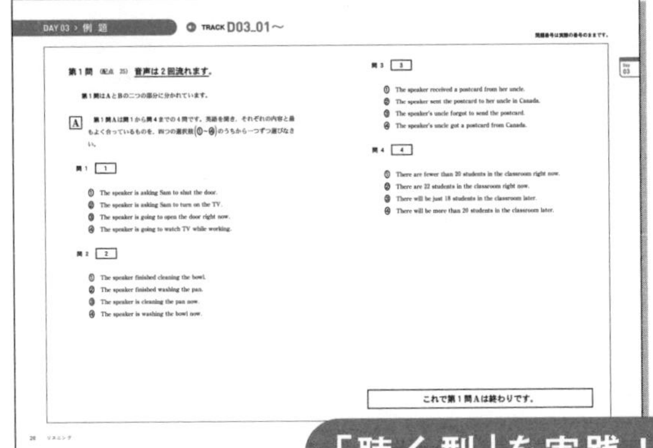
DAY 03 > 例 題　TRACK D03_01～

第１問（配点 25）音声は２回流れます。

第１問はＡとＢの二つの部分に分かれています。

A　第１問Ａは問１から問４までの４問です。英語を聞き，それぞれの内容と最もよく合っているものを，四つの選択肢（①～④）のうちから一つずつ選びなさい。

問１ 1

① The speaker is asking Sam to shut the door.
② The speaker is asking Sam to turn on the TV.
③ The speaker is going to open the door right now.
④ The speaker is going to watch TV while working.

問２ 2

① The speaker finished cleaning the bowl.
② The speaker finished washing the pan.
③ The speaker is cleaning the pan now.
④ The speaker is washing the bowl now.

問３ 3

① The speaker received a postcard from her uncle.
② The speaker sent the postcard to her uncle in Canada.
③ The speaker's uncle forgot to send the postcard.
④ The speaker's uncle got a postcard from Canada.

問４ 4

① There are fewer than 20 students in the classroom right now.
② There are 22 students in the classroom right now.
③ There will be just 18 students in the classroom later.
④ There will be more than 20 students in the classroom later.

これで第１問Ａは終わりです。

「聴く型」を実践！

STEP 3

「音声のポイント」を押さえ、「型」を定着させる

「例題」と「練習問題」に取り組んだ後は、「解説」のページを読み込みましょう。正解できた問題も、思考の流れを確認するため、解説は読むようにしてください。また、各問題のスクリプトに「音声のポイント」をつけています。Day 01と02で扱うルールや、注意しておきたい単語を中心に取り上げています。直接解答に関わらない箇所もありますが、本番で確実に聴き取るために、音声を真似するように声に出して練習しましょう。自分でも言えるようになるまで練習することで「聴き取れない音」が無くなっていきます。

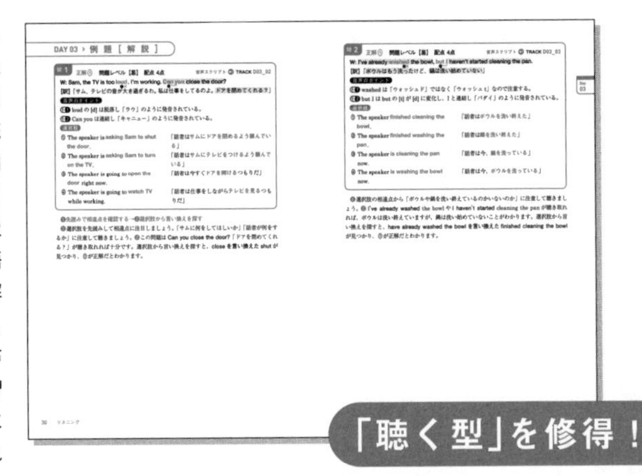
DAY 03 > 例 題［解 説］

問１　正解①　問題レベル【易】　配点 4点　音声スクリプト TRACK D03_02

W: Sam, the TV is too loud. I'm working. Can you close the door?

［訳］「サム、テレビの音が大き過ぎるわ。私は仕事をしてるのよ。ドアを閉めてくれる？」

loud の [d] は脱落し「ラウ」のように発音されている。
Can you は連結し「キャニュー」のように発音されている。

① The speaker is asking Sam to shut the door.	「話者はサムにドアを閉めるよう頼んでいる」
② The speaker is asking Sam to turn on the TV.	「話者はサムにテレビをつけるよう頼んでいる」
③ The speaker is going to open the door right now.	「話者は今すぐドアを開けるつもりだ」
④ The speaker is going to watch TV while working.	「話者は仕事をしながらテレビを見るつもりだ」

選択肢を先読みして相違点に注目しましょう。「サムに何をしてほしいか」「話者が何をするか」に注意して聴きましょう。この問題は Can you close the door?「ドアを閉めてくれる？」が聴き取れれば十分です。選択肢から言い換えを探すと、close を言い換えた shut が見つかり、①が正解だとわかります。

問２　正解①　問題レベル【易】　配点 4点　音声スクリプト TRACK D03_03

W: I've already washed the bowl, but I haven't started cleaning the pan.

［訳］「ボウルはもう洗ったけど、鍋は洗い始めていない」

washed は「ウォッシュド」ではなく「ウォッシュt」なので注意する。
but I は but の [t] が [d] に変化し、I と連結し「バダイ」のように発音されている。

① The speaker finished cleaning the bowl.	「話者はボウルを洗い終えた」
② The speaker finished washing the pan.	「話者は鍋を洗い終えた」
③ The speaker is cleaning the pan now.	「話者は今、鍋を洗っている」
④ The speaker is washing the bowl now.	「話者は今、ボウルを洗っている」

選択肢の相違点から「ボウルや鍋を洗い終えているのかいないのか」に注意して聴きましょう。I've already washed the bowl や I haven't started cleaning the pan が聴き取れれば、ボウルは洗い終えていますが、鍋は洗い始めていないことがわかります。選択肢から言い換えを探すと、have already washed the bowl を言い換えた finished cleaning the bowl が見つかり、①が正解だとわかります。

「聴く型」を修得！

「聴く型」から「解く型」へ

偶数DAY

STEP 1
速く正確に正答を導く「解く型」をインストールする

さまざまなタイプの問題が出題される共通テストのリスニング。そこで最も必要な力は「思考の瞬発力」です。Day 04以降の偶数Dayの最初の2ページでは、「言い換え」の探し方や情報処理の方法をまとめています。各大問を効率よく解くための型を身に付け、「思考の瞬発力」を鍛えましょう。

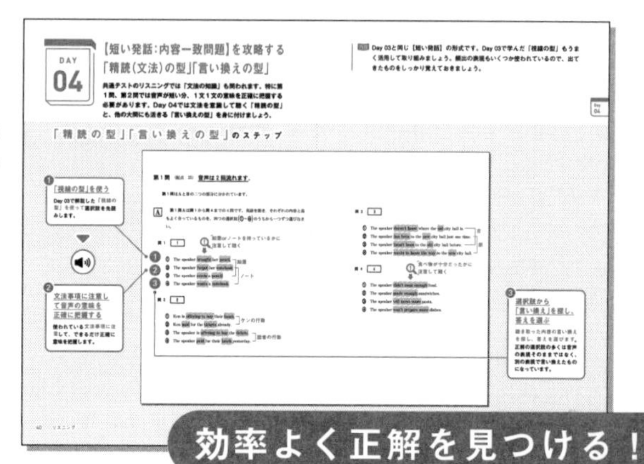

STEP 2
「解く型」を使って過去問にチャレンジする

学んだ「型」を使って、問題に挑戦しましょう。奇数Day同様「例題」と「練習問題」の2題用意しています。「例題」は2024年1月13日実施の本試験、「練習問題」は1月27日実施の追試験の問題です。本番のつもりで取り組みましょう。

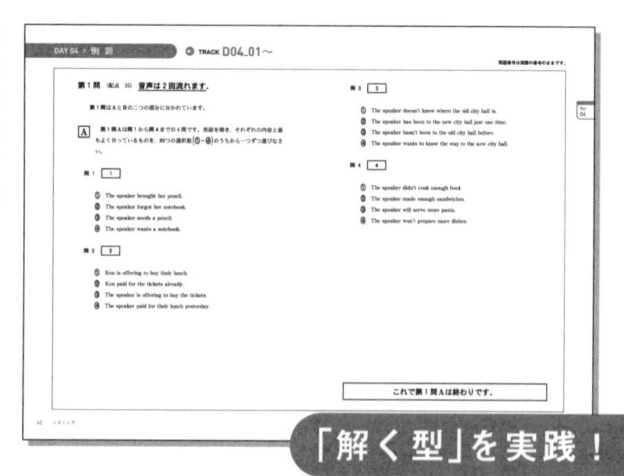

STEP 3

「解く型」の理解を深め、しっかり定着させる

基本的な使い方は奇数 Day と同じです。「音声のポイント」を押さえ、知らなかった語句を覚えましょう。偶数 Day では特に「解く時の思考の流れ」を意識して解説しているので、間違えた問題だけでなく正解した問題も、効率よく正解にたどり着くための流れを確認するようにしてください。

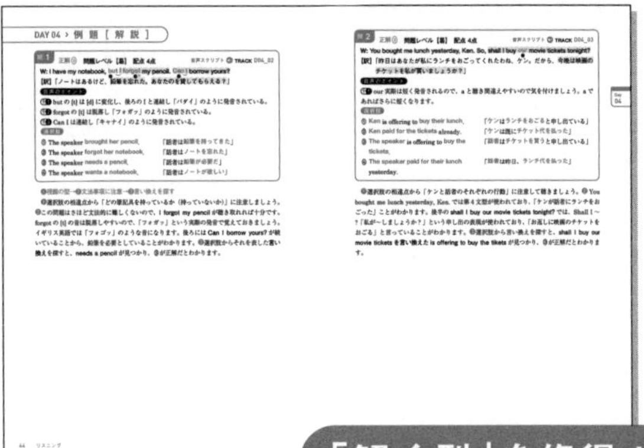
DAY 04 > 例 題［解 説］

問1 問題レベル【易】 配点 4点 TRACK D04_02

W: I have my notebook, but I forgot my pencil. Can I borrow yours?

［訳］「ノートはあるけど、鉛筆を忘れた。あなたのを貸してもらえる？」

but の [t] は [d] に変化し、後ろの I と連結し「バダイ」のように発音されている。
forgot の [t] は脱落し「フォガッ」のように発音されている。
Can I は連結し「キャナイ」のように発音されている。

① The speaker brought her pencil. 「話者は鉛筆を持ってきた」
② The speaker forgot her notebook. 「話者はノートを忘れた」
③ The speaker needs a pencil. 「話者は鉛筆が必要だ」
④ The speaker wants a notebook. 「話者はノートが欲しい」

問2 問題レベル【易】 配点 4点 TRACK D04_03

W: You bought me lunch yesterday, Ken. So, shall I buy our movie tickets tonight?

① Ken is offering to buy their lunch. 「ケンはランチをおごると申し出ている」
② Ken paid for the tickets already. 「ケンは既にチケット代を払った」
③ The speaker is offering to buy the tickets. 「話者はチケットを買うと申し出ている」
④ The speaker paid for their lunch yesterday. 「話者は昨日、ランチ代を払った」

「解く型」を修得！

21日間プログラムの総仕上げ

THE LAST STEP

別冊「実戦模擬試験」で仕上げる！

学習音声ダウンロード(無料)

本書の学習音声は、パソコンやスマートフォンに無料でダウンロードできます。

● PC の場合

以下の URL から本書の商品コード7024031で検索してください。
アルクのダウンロードセンター　https://portal-dlc.alc.co.jp

●スマホの場合

英語学習 booco【無料】
アルクが無料提供する語学学習用アプリで、Android、iOS に対応しています。再生スピードの変更や、数秒の巻き戻し・早送りなど、便利な機能を活用して学習に役立ててください。

それでは、「学習カレンダー」に日付を書き込み、共通テスト攻略のための学習をスタートしましょう！

聴き取るための発音記号

母音（Vowels） TRACK 001

[iː]	seat	口角を左右に引き「イー」
[i]	bit	軽く口を開けて「イ」
[e]	set	ほぼ日本語の「エ」
[æ]	cat	「ア」と「エ」の中間
[ɑː]	cart	口を大きく開けて「アー」
[ʌ]	cut	口を中くらいに開けはっきり「ア」
[ɔː]	all	口を大きく開けて「オー」
[u]	foot	唇をまるめて「ウ」
[uː]	food	唇をまるめて舌に力をいれて「ウー」
[ə]	about	口を半開きにして力を抜いて「ア」
[ər]	heard	口を半開きにして力を抜いて「アー」
[ai]	ice	「ア」から弱めの「ィ」に移る

子音（Consonants） TRACK 002

[p]	pep	パ行から母音を除いた音
[b]	bulb	バ行から母音を除いた音
[t]	test	[タ・テ・ト] から母音を除いた音
[d]	dad	[ダ・デ・ド] から母音を除いた音
[k]	kick	カ行から母音を除いた音
[g]	gag	ガ行から母音を除いた音
[f]	fan	下唇を上の前歯に軽く当て息を出す

発音記号はいわば漢字の「ふりがな」です。難しい漢字はふりがなが無いと正しく読むことはできません。逆にふりがながあれば、正しい音が頭に浮かびます。
今回は正しく聴き取るために特に注意したい音に絞りました。最低限、以下のリストの発音の仕方は、音声を聴き、自分でも発音して練習しましょう。
※発音記号は日本の多くの英語辞典で採用されているものです。英和辞書などを使用する際にも役立ちます。

[v]	voice	[f] の口で喉を震わせ息を出す
[θ]	thick	舌先を上の前歯に軽く当て息を出す
[ð]	smooth	[θ] の口で喉を震わせ息を出す
[s]	see	「サ・スィ・ス・セ・ソ」から母音を除いた音
[z]	zoo	「ザ・ズィ・ズ・ゼ・ゾ」から母音を除いた音
[ʃ]	she	「シ」から母音を除いた音
[ʒ]	rouge	「ジ」から母音を除いた音
[tʃ]	cheese	「チ」から母音を除いた音
[dʒ]	just	ヂャ行から母音を除いた音
[h]	hat	「ハ」行から母音を除いた音
[l]	life	舌先を上の歯茎に押し付けたままラ行
[r]	rule	舌先はどこにもつけず唇をすぼめてラ行
[w]	week	唇をすぼめて短く「ウ」
[j]	year	舌を押し上げて短く「イ」
[m]	them	唇を閉じ鼻から息をもらしてマ行
[n]	then	舌を歯茎に当て鼻から息をもらしてナ行
[ŋ]	ring	「ング」から「グ」を除いた音

【本書の発音表記ルール】

・本書では、母音が入らず子音だけの発音になることを意識するため、want「ウォン t」のように表記しています。

DAY 01

「聴き取れない！」を攻略する その①
脱落と弱形

大学入学共通テスト英語のリスニング問題に取り組む前に、英語の聴き取りを楽にする発音の４つの“ルール”を身に付けておきましょう。４つのルールとは「脱落」「弱形」「連結」「変化」です。発音のルールは多数ありますが、この４つのルールを押さえることで、共通テストのリスニングで得点しやすくなります。まずは、「脱落」「弱形」から。自分でも口に出して発音することで、ルールを体得していきましょう。

リスニングを苦手とする多くの人が、「単語の意味も発音も知っているのに聴き取れない」といった悩みを抱えています。

その理由は単純で、**「習った発音」と「実際の発音」は異なる**からです。

例えば、Good bye. は「グッド バイ」ではなく「グッバイ」、rock and roll は「ロック アンド ロール」ではなく「ロックンロール」と言ったりしますよね。

good は d の音が消えて「グッ」と発音され、rock and roll の and はもはや「ン」しか発音されていないことになります。

知っている発音と実際の発音とのギャップがあると、なかなか聴き取れるようになりません。まずは知識として Day 01と Day 02で取り上げる４つのルールを覚えることで、効率よくリスニング力をアップさせましょう。

Day 01では、**音が発音されない「脱落」と短く弱く発音される「弱形」**を扱います。実際に過去の試行調査と共通テストで使用された音声を使って基本を習得していきましょう。

脱落＝消える音・聞こえにくくなる音

① 語末の破裂音の脱落

音声を聴いて、自分でも発音してみましょう。

例 1　音声スクリプト TRACK D01_01

I get that. 「それはわかるよ」

こんな発音になります

アイ ゲット ザット → アイ ゲッ ザッ

［2018年度：試行調査問題　第6問 A］

脱落で最も多いのが [t] と [d] の**脱落**です。**単語の最後の [t] [d] の音はほぼ消える**と考えても問題ありません。自分で発音する時のポイントは、[t] の音を完全に発音しないというわけではなく、最後の口の形は [t] の形にすることです。口の形は [t] の形にしますが、息は出ないようにしてせき止めるようにするときれいに発音できます。

例 2　　音声スクリプト TRACK D01_02

What's up? 「どうしたの？」

ワッツ アップ → ワッツ アッ

[2021年度：共通テスト二次日程　第6問 B]

[p] や [b] の音も同様に**脱落**しやすい音になります。こちらも口の形は [p] の形にしますが、息は出ないように発音してみてください。

【自分でも発音することの大切さ】

以上のポイントに従って練習すると、かすかに [t] や [p] の音が出ることに気付くと思います。実際の音声でも、日本語の「ト」や「プ」のようにハッキリとは聞こえませんが、かすかに音が出ています。完全に消えてしまうこともありますが、自分でも発音できるようになると、こうしたかすかな音も聴き取れるようになります。しっかりと口を動かして練習しておきましょう。

② 連続する子音の脱落

音声を聴いて、自分でも発音してみましょう。

例 1　　音声スクリプト TRACK D01_03

Are you all right, Sho? 「ショウ、大丈夫？」

オール ライト → オゥライ

[2021年度：共通テスト一次日程　第6問 A]

子音が連続する場合、前の子音が発音されなくなることがあります。ここでは [l] と [r] の音が連続しているため、[l] の音が脱落しています。

例 2　　音声スクリプト TRACK D01_04

Who's the boy with the dog, Ayaka? 「アヤカ、犬を抱いている男の子は誰？」

ウィズ ザ → ウィッザ

[2021年度：共通テスト二次日程　第2問]

[ð] と [ð] の音が**連続**しているので、前の [ð] が脱落しています。

DAY 01 ＞ チャレンジ問題 1

音声を聴いて英語を書き取りましょう。単語やスペルがわからない場合は、カタカナでも大丈夫です。何か聴き取れるまで繰り返し聴いてください。

1）The woman has ______________ the bus.　［2017年度：試行調査問題　第1問 B］

2）______________ tea ______ be nice.　［2018年度：試行調査問題　第1問 A］

3）Jane knew ______________ be ______ today.
［2017年度：試行調査問題　第1問 B］

4）This sign says you ______ swim here, but you ______________ or barbecue.
［2021年度：共通テスト二次日程　第1問 B］

5）______, you ______________ pretty dirty.
［2021年度：共通テスト一次日程　第2問］

チャレンジ問題 1［解答・解説］

1）正解　The woman has just missed the bus.「女性はちょうどバスを逃した」

just の [t] の音が**脱落**し、「ジャス」のように発音されています。missed は本来「ミス t [míst]」と発音されますが、こちらも [t] の音が**脱落**し、「ミス」のように発音されています。今回は直前に has just があるので現在完了形だと予測し、過去分詞の missed だと判断することもできます。文法的な知識からも聞こえない音を補いましょう。

2）正解　Some more tea would be nice.「もっと紅茶があったらいいな」

some more は [m] の音が連続するため、前の [m] の音が飲み込まれ「サモア」のように発音されています。would は [d] の音が**脱落**し、「ウッ」のように発音されています。「ウッ」と聞こえたら would と思うようにしましょう。

3）正解　Jane knew it wouldn't be cold today.
「ジェーンは今日寒くならないことを知っていた」

it の [t] は**脱落**し、「イッ」のように発音されています。wouldn't は [t] が**脱落**し「ウドゥン」のように発音されています。would との区別をつけるため、最後の [n] の音を聴き逃さないようにしましょう。cold は [d] の音が**脱落**し「コウル」のように発音されています。

4）**正解**　**This sign says you can swim here, but you can't camp or barbecue.**
「この標識によると、ここで泳いでもいいが、キャンプやバーベキューはできない」

canは「クン［kn］」に近い音で発音されています。can'tは[t]の音が**脱落**し、「キャン」のように発音されています。canとcan'tの聴き分けは難しいですが、「クン」と聞こえたらcan、「キャン」と聞こえたらまずはcan'tを考えるようにしましょう。campの[p]もやや**脱落**しpの音が弱くなっています。

5）**正解**　**Right, you could get pretty dirty.「そうだね。かなり汚れるかもしれないね」**

rightの[t]が脱落し「ライ」のように発音されています。couldは[d]が**脱落**し「クッ」のように発音されています。getは[t]の音が**脱落**し「ゲッ」のように発音されています。

弱形＝短く弱く発音される

まずはこちらの英文を聴いてみましょう。

例　音声スクリプト **TRACK D01_06**

Maybe it doesn't matter if my roommate is a native speaker or not.

•　•　•　●　•　•　●　•　•　●　●　•　●

「僕のルームメイトがネイティブスピーカーかどうかは問題じゃないかもしれないね」

［2021年度：共通テスト一次日程　第6問A］

•と●で示したように、文の中に強弱のリズムがあるのがわかったでしょうか。この弱い部分が**「習った発音」と異なる**ため聴き取りにくくなります。

特にifが聴き取りにくかったと思いますが、ifは「イフ」ではなく、ほぼ[f]の音のみが発音されています。「聴き取れない」のではなく、そもそも発音していないので聴き取れるはずがないんです。

こうした音を聴き取れるようにするために、英語には「内容語」と「機能語」があることを理解しておきましょう。

① 内容語＝意味内容を多く含む語（それだけ言っても意味が通じる語）
動詞、名詞、形容詞など

② 機能語＝意味内容が少なく文法の機能として必要な語（それだけでは意味が通じない語）
人称代名詞、前置詞、助動詞、冠詞、接続詞

内容語はたいてい強く発音されますが、機能語は弱く発音されることがあります。通常どおり読まれる時の発音が**「強形（きょうけい）」**、弱く読まれる時の発音が**「弱形（じゃっけい）」**と呼ばれます（辞書の発音記号の欄に「強」「弱」と書いてあります）。

この弱形の発音を知らないことが、英語が聴き取れない理由の一つです。まずは知識として押さえて、自分でも発音して覚えることが聴き取りのカギとなります。

次のページで弱形で発音されるものを一覧にしました。音声を聴いて確認しておきましょう。

弱形一覧

人称代名詞（Personal Pronouns） TRACK D01_06A

	強形	弱形
me	[míː]	[mi]
you	[júː]	[ju]
your	[júər]	[jər]
he	[híː]	[(h)i]
his	[híz]	[(h)iz]
him	[hím]	[(h)im]
she	[ʃíː]	[ʃi]
her	[hə́ːr]	[(h)ər]
we	[wíː]	[wi]
our	[áuər]	[ɑːr]
us	[ʌ́s]	[əs]
them	[ðém]	[(ð)əm]
their	[ðéər]	[ðər]
they	[ðéi]	[ðe]

前置詞（Prepositions） TRACK D01_06B

	強形	弱形
at	[ǽt]	[ət]
for	[fɔ́ːr]	[fər]
from	[frʌ́m]	[frəm]
of	[ʌ́v]	[əv]
to	[túː]	[tu][tə]

助動詞（Auxiliary Verbs） TRACK D01_06C

	強形	弱形
am	[ǽm]	[əm][m]
are	[ɑːr]	[ər]
is	[iz]	[z][s]
was	[wʌ́z]	[wəz]
were	[wə́ːr]	[wər]
be	[bíː]	[bi]
been	[bíːn]	[bin]
have	[hǽv]	[həv][əv][v]
has	[hǽz]	[həz][əz][z][s]
had	[hǽd]	[həd][ed][d]
do	[dúː]	[du][də]
does	[dʌ́z]	[dəz]
can	[kǽn]	[kən][kn]
could	[kúd]	[kəd]
must	[mʌ́st]	[məst][məst]
shall	[ʃǽl]	[ʃ(ə)l]
should	[ʃúd]	[ʃ(ə)d]
will	[wíl]	[l][wəl][əl]
would	[wúd]	[wəd][əd][d]

冠詞・接続詞・関係詞など（Others） TRACK D01_06D

	強形	弱形
an	[ǽn]	[ən]
some	[sʌ́m]	[s(ə)m]
and	[ǽnd]	[ənd][ən][n][nd]
but	[bʌ́t]	[bət]
if	[ɪf]	[(ə)f]
as	[ǽz]	[əz]
than	[ðǽn]	[ðən]
there	[ðéər]	[ðər]
who	[húː]	[hu][u]
that	[ðǽt]	[ðət]

音声を聴いて英語を書き取りましょう。単語やスペルがわからない場合は、カタカナでも大丈夫です。何か聴き取れるまで繰り返し聴いてください。

1）Maybe I __________________ magazine!　［2021年度：共通テスト二次日程　第３問］

2）I __________________ people __________________ me.　［2021年度：共通テスト二次日程　第３問］

3）I __________________ the wrong person.　［2021年度：共通テスト一次日程　第３問］

4）I _________ give David any more ice cream today. I _________ some after lunch.　［2021年度：共通テスト一次日程　第１問Ａ］

5）You _________ try the shop __________________ cellphone shop, next to the café.　［2017年度：試行調査問題　第２問］

チャレンジ問題２［解答・解説］

1）正解　Maybe I can work for a magazine!「雑誌の仕事ができるかも！」
　can は**弱形**で弱く短く「カン／クン」のように発音されるので can't との区別に注意しましょう。can't の場合は、よりハッキリと「キャン」と発音されます（p.14　チャレンジ問題４ TRACK D01_05C4でも扱いました）。

2）正解　I don't want people to see that photo of me.
「僕のあの写真、人に見られたくないよ」
　don't、want、that の最後の [t] は**脱落**しています。to が**弱形**で短く弱く「トゥ」のように発音されています。of も**弱形**で [v] の音がかなり弱く発音されています。

3）正解　I must have sent it to the wrong person.「きっと送る相手を間違えちゃったんだ」
　have は**弱形**で [h] の音が弱くなっています。it は [t] が**脱落**し、to は**弱形**で短く弱く「トゥ」のように発音されています。下線部は「マスタｖセンティットゥ」のように発音されています。

4）正解　I won't give David any more ice cream today. I gave him some after lunch.
「今日はデイビッドにはもうアイスクリームはあげない。昼食の後にあげたんだ」
　won't の [t] は**脱落**して「ウォウｎ」のように発音されています。him は**弱形**で「ィｍ」のように発音されています。代名詞の his、him、her などの [h] の音はほとんど聞こえなくなることもあるので注意しましょう。

5）正解　You could try the shop across from the cellphone shop, next to the café.
「携帯電話ショップの向かい側の、カフェに隣接している店に行ってみてください」

could は短く「クッ」のように発音されています。across from は短く一息で発音されています。from は意外と聴き取りにくいので**弱形**の音をしっかり覚えておきましょう。

DAY 02

「聴き取れない！」を攻略する　その②
連結と変化

英語の聴き取りをラクにする発音の４つの“ルール”「脱落」「弱形」「連結」「変化」。Day 02では「連結」と「変化」を扱います。

Come on. は「カ**ム**オン」ではなく「カ**モ**ン」、Nice to meet you. は「ナイストゥミー**トユー**」ではなく「ナイストゥミー**チュー**」と発音されるのを耳にしたことがあると思います。

Come on. では m と o の音が**連結**し、「モ」と発音されます。Nice to meet you. では隣り合う t と y の音が混ざって**変化**し、「チュ」と発音されます。

変化にはさまざまなルールがありますが、本書では「混ざって変化」「ら行に変化」「アメリカ英語・イギリス英語に特有の変化」を扱います。

実際に過去の試行調査、共通テストで使用された音声を例として取り上げますが、イギリス英語はまだ本番での例が少ないためオリジナルの音声も使用しています。

連結＝つながる音

① 音声の連結

音声を聴いて、自分でも発音してみましょう。

例　　音声スクリプト TRACK D02_01

Hello. Can you hear me?　「こんにちは、聞こえますか」

キャン ユー → キャ ニュ ー

［2018年度：試行調査問題　第６問 B］

単語の最後の子音と、次の単語の最初の母音はつながって発音されやすくなります。上の例では、Can の最後の [n] の音と you の最初の [ju] の音が**連結**して「ニュ」と発音されています。比較的イメージしやすいルールですね。

TRACK D02_02C1～

音声を聴いて英語を書き取りましょう。単語やスペルがわからない場合は、カタカナでも大丈夫です。何か聴き取れるまで繰り返し聴いてください。

1）__________ tower! ［2017年度：試行調査問題　第2問］

2）How __________ class, then? ［2017年度：試行調査問題　第2問］

3）The park is __________ the station as the café is.
［2021年度：共通テスト二次日程　第1問 B］

4）__________ today, so I should take this, too.
［2021年度：共通テスト一次日程　第2問］

5）Oh, _____ neighbor gave us _____ lettuce __________ garden, so how about a salad _____ soup? ［2018年度：試行調査問題　第3問］

チャレンジ問題 1［解答・解説］

1）正解　Look at that tower!「あのタワーを見て！」

at は「アッ」、that は「ザッ」のように発音されています。それぞれ**連結**することで全体は「ルッカッザ」のように発音されています。

2）正解　How will I take notes in class, then?
「では、授業中、どうやってノートを取ったらいいんでしょうか？」

will I は**連結**し「ウィライ」のように発音されています。notes in は**連結**し「ノウツィン」のように発音されています。

3）正解　The park is not as far from the station as the café is.
「公園はカフェほど駅から遠くはない」

not as は**連結**して「ノッタ z」のように発音されています。from は**弱形**で「フ rm」のように発音されています。

4）正解　And it's sunny today, so I should take this, too.
「それと、今日は晴れているから、これも持って行くべきね」

And は**弱形**で「アン」のように発音され、[n] の音が it's と**連結**し「アニッツ」のように発音されています。

5）正解　Oh, but the neighbor gave us lots of lettuce and tomatoes from her garden, so how about a salad instead of soup?「あ、でも、お隣さんが庭のレタスやトマトをたくさんくれたから、スープの代わりにサラダはどう？」

but the は but の [t] が**脱落**し「バッザ」のように発音されています。and は**弱形**で「アン」、from は**弱形**で「フ rm」、her は**弱形**で短めに発音されています。instead of は**連結**して「インステダ v」のように発音されています。

変化＝隣り合う音の影響を受けて変化する音

① 混ざって変化

まずはこちらの英文を聴いてみましょう。

> 例 1　音声スクリプト TRACK D02_03
> You're Mike Smith, aren't you?「あなたはマイク・スミスよね？」
> [2021年度：共通テスト二次日程　第3問]

aren't の [t] の音が you の [j] の音と混ざり、「チュ［tʃ］」に**変化**します。

> 例 2　音声スクリプト TRACK D02_04
> What would you like to do after graduation?「卒業後は何をしたい？」
> [2021年度：共通テスト二次日程　第3問]

would の [d] の音が you の [j] の音と混ざり、「ヂュ［dʒ］」に**変化**します。

② ら行に変化

まずはこちらの英文を聴いてみましょう。

> 例　音声スクリプト TRACK D02_05
> I got it from Peter.「それはピーターにもらったんだ」
> ガティ　➔　ガリッ
> [2021年度：共通テスト二次日程　第3問]

[t] や [d] の音が母音に挟まれると「ら行」に近い音に変化します。上の例では got の t が「リ」に**変化**しています。

③ アメリカ英語・イギリス英語に特有の変化

まずはこちらの英文を聴いてみましょう。

例　音声スクリプト TRACK D02_06

I did, but I couldn't find any. 「そうしました、でも見つかりませんでした」

バットアイ → バダイ

[2017年度試行調査B 第2問]

but I は「バライ」のように「ら行変化」することもありますが、アメリカ英語では [t] の音が **[d] に近い音で発音**されることがあります。

センター試験はアメリカ英語で出題されていましたが、共通テストはイギリス英語でも出題されます。

ここで**アメリカ英語とイギリス英語で発音が異なる**ものを交互に聴き、本番で出題されても対応できるように両方の発音を頭に入れておきましょう。

TRACK D02_06A1～

		アメリカ英語	イギリス英語
[ɑː] vs [ɔ]	hot	[hɑ́ːt]「ハーット」	[hɔ́t]「ハォト」
	god	[gɑ́ːd]「ガーッド」	[gɔ́d]「ガォド」
	shop	[ʃɑ́ːp]「シャープ」	[ʃɔ́p]「ショップ」
	bomb	[bɑ́ːm]「バーム」	[bɔ́m]「ボム」
[æ] vs [ɑː]	can't	[kǽnt]「キャント」	[kɑ́ːnt]「カーント」
	half	[hǽf]「ハアフ」	[hɑ́ːf]「ハーフ」
	dance	[dǽns]「ダァンス」	[dɑ́ːns]「ダーンス」
	rather	[rǽðər]「ラザー」	[rɑ́ːðə]「ラーザ」
[d] vs [t]	better	[bétər]「ベター」 ※米英語では「ベダー」のように聞こえる	[bétə]「ベタ」
	party	[pɑ́ːrti]「パーティ」 ※米英語では「パーディ」のように聞こえる	[pɑ́ːti]「パーティ」
	writing	[ráitiŋ]「ライティング」 ※米英語では「ライディング」のように聞こえる	[ráitiŋ]「ライティング」
	latter	[lǽtər]「ラター」 ※米英語では「ラダー」のように聞こえる	[lǽtə]「ラタ」

		アメリカ英語	イギリス英語
[u:] vs [ju:] ※イタリック体のjは省略可能であることを示しています。	assume	[əsú:m]「アスーム」	[əˈsjú:m]「アシューム」
	tune	[tjú:n]「トゥーン」	[tjú:n]「テューン」
	due	[djú:]「ドゥー」	[djú:]「デュー」
	pursue	[pərsú:]「パースー」	[pəsjú:]「パーシュー」
[hw] vs [w] ※イギリス英語では各単語冒頭の [h] が弱く発音され、「ウィッチ」のように聞こえる。	which	[hwitʃ]「フィッチ」	[witʃ]「ウィッチ」
	what	[hwʌt]「ファット」	[wɔt]「ウォット」
	where	[hwέər]「ホエア」	[wéə]「ウエア」
	while	[hwáil]「ホワイル」	[wáil]「ワイル」
アクセントが異なるもの	café	[kæféi]「カフェイ」	[kǽfei]「カフェイ」
	brochure	[brouʃúər] 「ブロウシュアー」	[bróuʃə] 「ブロウシャ」
	salon	[səlán]「サラン」	[sǽlɔn]「サロン」
	margarine	[má:rdʒərin] 「マージャリン」	[mà:dʒərí:n] 「マージャリーン」
発音が異なるもの	leisure	[lí:ʒər]「リージャー」	[léʒə]「レジャ」
	tomato	[təméitou] 「トメイトゥ」	[təmá:tou] 「トマートゥ」
	schedule	[skédʒu:l] 「スケジュール」	[ʃédju:l] 「シェジュール」
	either	[í:ðər]「イーザー」	[áiðə]「アイザ」
	thorough	[θə́rou]「サロウ」	[θʌ́rə]「サラ」
	missile	[mísəl]「ミサル」	[mísail]「ミサイル」
	herb	[ə́:rb]「アーブ」	[hə́:b]「ハーブ」
	privacy	[práivəsi] 「プライヴァシ」	[prívəsi][práivəsi] 「プリヴァシ」
	Asia	[éiʒə]「エイジャ」	[éiʃə]「エイシャ」

DAY 02 > チャレンジ問題２

TRACK D02_07C1～

音声を聴いて英語を書き取りましょう。単語やスペルがわからない場合は、カタカナでも大丈夫です。何か聴き取れるまで繰り返し聴いてください。

1）＿＿＿＿＿＿＿ this animal one?　［2021年度：共通テスト一次日程　第2問］

2）I think the other corner ＿＿＿＿＿＿＿＿＿＿. ［2018年度：試行調査問題　第2問］

3）I ordered ＿＿＿＿＿＿＿＿＿＿, but this is a mushroom omelet. ［2017年度：試行調査問題　第3問］

4）I'll be ＿＿＿＿＿＿＿＿＿＿＿＿ the traffic accident. ［オリジナル］

5）I ＿＿＿＿＿＿＿＿＿＿＿＿＿＿＿＿＿＿＿＿. ［オリジナル］

チャレンジ問題２［解答・解説］

1）正解　What about this animal one?「この動物のものはどう？」

Whatの[t]が「ら行」に**変化**し「ワラバウ」のように発音されています。

2）正解　I think the other corner would be better.「反対側の角の方がいいと思うわ」

wouldは**短く**「ウッ」のように発音されています。betterの[t]は[d]に**変化**し「ベダー」のように発音されています。「ら行」に**変化**し「ベラー」となることもあります。

3）正解　I ordered a tomato omelet, but this is a mushroom omelet.
「私が注文したのはトマトのオムレツですが、これはマッシュルームのオムレツです」

イギリス英語です。tomatoは「トメイトゥ」ではなく「トマートゥ」と発音されています。

4）正解　I'll be half an hour late due to the traffic accident.
「交通事故のせいで30分遅れます」

イギリス英語です。イントネーションの違いや、half、dueなどがアメリカ英語の発音とは異なることに注意しておきましょう。halfはアメリカ英語より長く「ハーf」、dueは「ドゥー」ではなく「デュー」に近い音で発音されます。

5）正解　I can't check the schedule, either.「私もスケジュールを確認できません」

イギリス英語です。can'tはアメリカ英語より長く「カーン（t）」のように発音されます。scheduleは「シェジュール[ʃédju:l]」、eitherは「アイザー[áiðə]」のように発音されます。

DAY 03

【短い発話:内容一致問題】を攻略する「視線の型」

共通テストでは先読みが重要です。先読みにより単語の聴き間違いも減らすことができます。本書では先読みのステップを「視線の型」としました。Day 03では第1問Aで出題された【短い発話を聴き取る問題】を通して「視線の型」を身に付けましょう。

「視線の型」のステップ

1 選択肢を先読みする

問題の説明が流れている間に選択肢を先読みします。先読みの際は選択肢の相違点に注目。問1の音声が流れるまで約50秒あるので余裕があれば問4まで選択肢を先読みします。

2 選択肢から言い換えを探す

音声が流れている間は、音声の内容を把握しながら、聴き取った内容が言い換えられた選択肢を選びます。

第1問 (配点 25) 音声は2回流れます。

第1問はAとBの二つの部分に分かれています。

A 第1問Aは問1から問4までの4問です。英語を聞き，それぞれの内容と最もよく合っているものを，四つの選択肢(①～④)のうちから一つずつ選びなさい。

問1 [1]

他の選択肢と異なる箇所にのみ注目する

2つの選択肢は似ている事が多い 4つを比べるより2つを比べる方がわかりやすい

① The speaker is asking Sam to shut the door.
② The speaker is asking Sam to turn on the TV.
(Samに頼む)
③ The speaker is going to open the door right now.
④ The speaker is going to watch TV while working.
(話者が行う)

問2 [2]

① The speaker finished cleaning the bowl.
② The speaker finished washing the pan.
(終えた)
③ The speaker is cleaning the pan now.
④ The speaker is washing the bowl now.
(今やっている)

内容 第１問Ａは、１～３文の短い発話を聴いて内容を把握し、選択肢の中から近い意味のものを選ぶ問題です。内容は日常的なものが多く、飲食物や衣服など日常生活に関する発話が出題されています。会話表現の知識や、時制が把握できているかなども問われています。短い問題だからといって油断せず、集中して取り組みましょう。

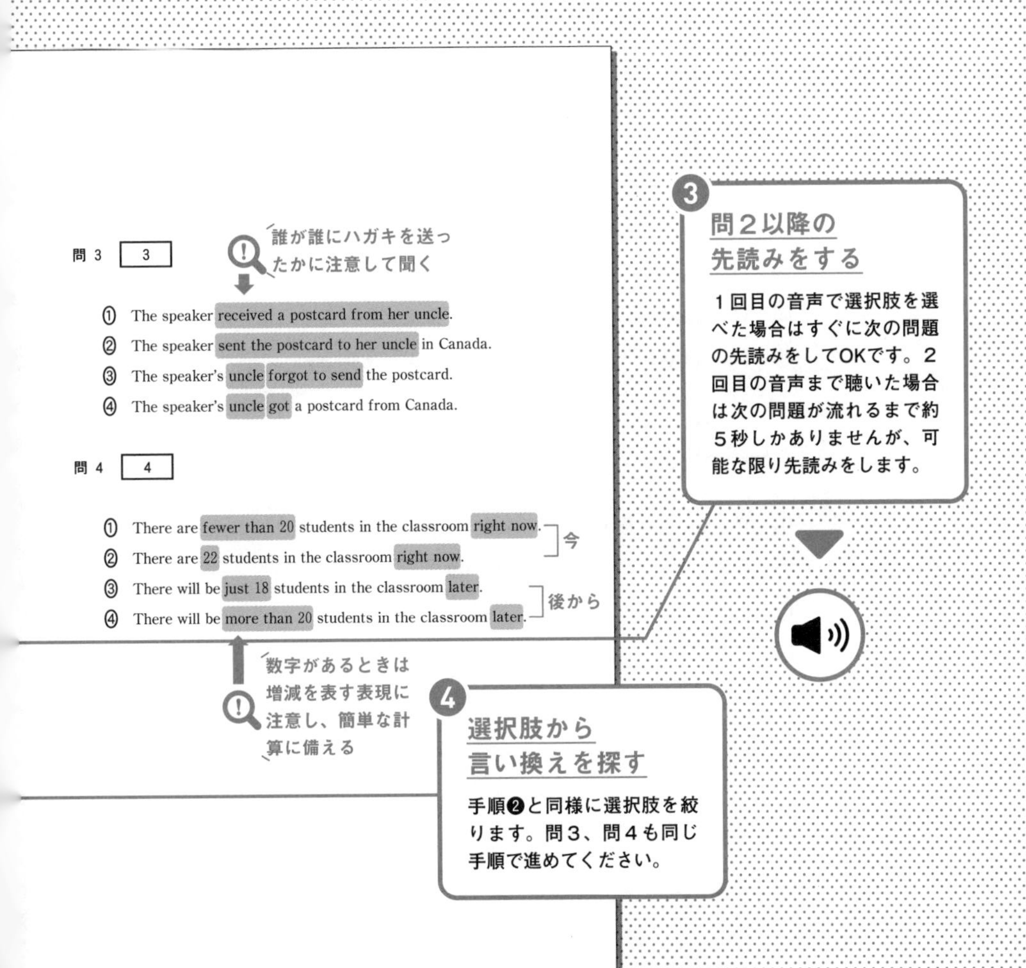

では、この「視線の型」を使って、次ページの問題に取り組みましょう！

第１問 （配点　25） 音声は２回流れます。

第１問はＡとＢの二つの部分に分かれています。

A　第１問Ａは問１から問４までの４問です。英語を聞き，それぞれの内容と最もよく合っているものを，四つの選択肢（①～④）のうちから一つずつ選びなさい。

問１　[1]

① The speaker is asking Sam to shut the door.
② The speaker is asking Sam to turn on the TV.
③ The speaker is going to open the door right now.
④ The speaker is going to watch TV while working.

問２　[2]

① The speaker finished cleaning the bowl.
② The speaker finished washing the pan.
③ The speaker is cleaning the pan now.
④ The speaker is washing the bowl now.

問 3 [3]

① The speaker received a postcard from her uncle.

② The speaker sent the postcard to her uncle in Canada.

③ The speaker's uncle forgot to send the postcard.

④ The speaker's uncle got a postcard from Canada.

問 4 [4]

① There are fewer than 20 students in the classroom right now.

② There are 22 students in the classroom right now.

③ There will be just 18 students in the classroom later.

④ There will be more than 20 students in the classroom later.

これで第 1 問 A は終わりです。

問 1 正解① 問題レベル【易】 配点 4点 音声スクリプト TRACK D03_02

W: Sam, the TV is too loud. I'm working. Can you close the door?

【訳】「サム、テレビの音が大き過ぎるわ。私は仕事をしてるのよ。ドアを閉めてくれる？」

音声のポイント

❶ loud の [d] は脱落し「ラウ」のように発音されている。

❷ Can you は連結し「キャニュー」のように発音されている。

選択肢

① The speaker is **asking Sam to shut the door.**	「話者はサムにドアを閉めるよう頼んでいる」
② The speaker is **asking Sam to turn on the TV.**	「話者はサムにテレビをつけるよう頼んでいる」
③ The speaker is going to **open the door** right now.	「話者は今すぐドアを開けるつもりだ」
④ The speaker is going to **watch TV** while working.	「話者は仕事をしながらテレビを見るつもりだ」

❶先読みで相違点を確認する→❷選択肢から言い換えを探す

❶選択肢を先読みして相違点に注目しましょう。「サムに何をしてほしいか」「話者が何をするか」に注意して聴きましょう。❷この問題は **Can you close the door?**「ドアを閉めてくれる？」が聴き取れれば十分です。選択肢から言い換えを探すと、**close を言い換えた shut** が見つかり、①が正解だとわかります。

問 2　正解①　問題レベル【易】　配点 4点　　音声スクリプト TRACK D03_03

W: I've already washed the bowl, but I haven't started cleaning the pan.

【訳】「ボウルはもう洗ったけど、鍋は洗い始めていない」

音声のポイント

❶ washed は「ウォッシュド」ではなく「ウォッシュ t」なので注意する。

❷ but I は but の [t] が [d] に変化し、I と連結し「バダイ」のように発音されている。

選択肢

① The speaker **finished cleaning the bowl.**　「話者はボウルを洗い終えた」

② The speaker **finished washing the pan.**　「話者は鍋を洗い終えた」

③ The speaker **is cleaning the pan** now.　「話者は今、鍋を洗っている」

④ The speaker **is washing the bowl** now.　「話者は今、ボウルを洗っている」

❶選択肢の相違点から「ボウルや鍋を洗い終えているのかいないのか」に注意して聴きましょう。❷ **I've already washed** the bowl や **I haven't started** cleaning the pan が聴き取れれば、ボウルは洗い終えていますが、鍋は洗い始めていないことがわかります。選択肢から言い換えを探すと、**have already washed the bowl を言い換えた finished cleaning the bowl** が見つかり、①が正解だとわかります。

問 3 正解① **問題レベル【普通】 配点 4点** 音声スクリプト TRACK D03_04

W: Look at this postcard my uncle sent me from Canada.

【訳】「叔父がカナダから私に送ってくれたこのハガキを見てよ」

音声のポイント

❶ Look at this は連結と脱落により「ルッカッディ s」のように発音されている。

❷ sent は [t] の音が脱落し「セン」のように発音されている。

選択肢

① The speaker **received a postcard from her uncle.**	「話者は**叔父からハガキを受け取った**」
② The speaker **sent the postcard to her uncle** in Canada.	「話者はカナダにいる**叔父にハガキを送った**」
③ The speaker's **uncle forgot to send the postcard.**	「話者の**叔父はハガキを送るのを忘れた**」
④ The speaker's **uncle got a postcard** from Canada.	「話者の**叔父は**カナダからの**ハガキを受け取った**」

❶選択肢の相違点から「誰が誰にハガキを送ったか」に注意して聴きましょう。❷ postcard と my uncle が聴き取れれば全体像がわかります。sent がやや聴き取りにくいですが、from Canada などから「送る」という意味は予測できるでしょう。選択肢から「叔父が私にハガキを送った」という内容の言い換えを探すと、**received a postcard from her uncle**「叔父からハガキを受け取った」が見つかり、①が正解だとわかります。主語と目的語を入れ替え、send を receive など逆の意味の単語に言い換えるのは、定番の言い換えパターンです。

問 4　正解④　**問題レベル【普通】　配点 4点**　音声スクリプト TRACK D03_05

W: There are twenty students in the classroom, and❶× two more will come after lunch.

【訳】「教室には生徒が 20 人いる、そして昼食後にもう２人来るだろう」

音声のポイント

❶ and の [d] の音は脱落し「アン」のように発音されている。

選択肢

① There are **fewer than 20 students** in the classroom **right now.**	「今、教室にいる生徒は20人より少ない」
② There are **22 students** in the classroom **right now.**	「今、教室にいる生徒は22人だ」
③ There will be **just 18 students** in the classroom **later.**	「後になると、教室にいる生徒はちょうど 18 人になるだろう」
④ There will be **more than 20 students** in the classroom **later.**	「後になると、教室にいる生徒は20人より多くなるだろう」

❶どの選択肢にも数字があります。数字系の問題は簡単な計算を含むものが多いので注意しましょう。また、right now と later があることから、「今」なのか「後で」なのかに注意して聴きましょう。❷ **There are twenty students** から「20人」いて、**two more will come after lunch** から「後でもう２人来る」ことがわかります。「後で22人になる」ことを頭に入れ、選択肢から言い換えを探すと **more than 20 ～ later** が見つかり、④が正解だとわかります。

数字関連の表現

The team gained three new members.	チームに新しいメンバーが３人加わった。
Our class has increased by four students.	私たちのクラスは４人の学生が増えた。
The price of gasoline went up by ten cents.	ガソリンの価格が10セント上がった。
Three participants called off their attendance last minute.	３人の参加者が直前に出席をキャンセルした。

第 1 問 (配点　25)　音声は 2 回流れます。

第 1 問は A と B の二つの部分に分かれています。

A　第 1 問 A は問 1 から問 4 までの 4 問です。英語を聞き，それぞれの内容と最もよく合っているものを，四つの選択肢(①～④)のうちから一つずつ選びなさい。

問 1　[1]

① The speaker admires Jennifer's sweater.
② The speaker is asking about the sweater.
③ The speaker is looking for a sweater.
④ The speaker wants to see Jennifer's sweater.

問 2　[2]

① The speaker doesn't enjoy playing tennis.
② The speaker doesn't want to play any sports now.
③ The speaker thinks badminton is the most fun.
④ The speaker thinks tennis is better than bowling.

問 3 [3]

① The speaker doesn't want to eat steak.
② The speaker hasn't eaten dinner yet.
③ The speaker is eating steak now.
④ The speaker wants to eat dinner alone.

問 4 [4]

① The speaker is talking to the dentist.
② The speaker is telling Diana the time.
③ The speaker wants to call Diana.
④ The speaker wants to go to the dentist.

これで第１問Aは終わりです。

問 1　正解①　**問題レベル【普通】　配点 4点**　音声スクリプト TRACK D03_08

M: What a beautiful sweater! It looks really nice on you, Jennifer.
❶　❷[l]

【訳】「なんてきれいなセーターだ！　君に本当に似合っているよ、ジェニファー」

音声のポイント

❶ What a は [t] の音が [l] に変化し、a と連結して「ワラ」のように発音されている。
❷ sweater は [t] の音が [l] に変化し「スウェラー」のように発音されている。

選択肢

① The speaker **admires Jennifer's sweater.**　「話者はジェニファーのセーターを称賛している」
② The speaker **is asking about the sweater.**　「話者はセーターについて質問している」
③ The speaker **is looking for a sweater.**　「話者はセーターを探している」
④ The speaker **wants to see Jennifer's sweater.**　「話者はジェニファーのセーターを見たがっている」

語句　admire ～ 他 ～を称賛する

❶視線の型→❷選択肢から言い換えを探す

❶選択肢の相違点から「話者がセーターをどうするのか」に注意して聴きましょう。❷ What a beautiful sweater! は〈What ＋ a ＋形容詞＋名詞！〉の感嘆文です。また It looks nice on you も「似合っている」と相手の服などをほめる表現です。「セーターをほめている」という内容を頭に入れて、選択肢から言い換えを探すと admires が見つかり、①が正解だとわかります。どちらの表現も重要なので覚えておきましょう。

洋服をほめる表現

That suits you well.	それ、よく似合ってるね。
You look great in that.	それ、とても似合ってるね。
You look sharp.	かっこいいね。
Look at you!	わあ、すてきだね！

問 2　正解④　**問題レベル【普通】　配点 4点**　音声スクリプト TRACK D03_09

M: Bowling is more fun than badminton, but❶× tennis is the best. Let's play that❷×.

【訳】「ボウリングはバドミントンより楽しいけれど、テニスが一番だよ。それをプレーしよう」

音声のポイント

❶ but の [t] は脱落し「バッ」のように発音されている。

❷ that の [t] は脱落し「ザッ」のように発音されている。

選択肢

① The speaker **doesn't enjoy playing tennis.**　「話者はテニスをして楽しまない」

② The speaker **doesn't want to play any sports** now.　「話者は今、スポーツは何もしたくない」

③ The speaker **thinks badminton is the most fun.**　「話者はバドミントンが一番楽しいと思っている」

④ The speaker **thinks tennis is better than bowling.**　「話者はテニスのほうがボウリングよりもいいと思っている」

❶選択肢の相違点から「テニスやバドミントンなどスポーツを比較する内容」を予想しましょう。❷ Bowling is **more fun than** badminton から話者は「バドミントンよりボウリングが楽しい」と考えているとわかります。さらに tennis is **the best** から「テニスが一番楽しい」と思っていることがわかります。言い換えを探しながら選択肢を確認していきましょう。①は tennis is the best に矛盾するため不正解です。②は Let's play that. に矛盾するため不正解です。③は tennis is the best に矛盾するため不正解です。「テニスが一番」ということは、テニスはボウリングよりも楽しいということなので、④が正解となります。このように、発言の内容をしっかり理解した上で、同様の趣旨を述べている選択肢を探すことが大切です。

問 3　正解②　**問題レベル【普通】　配点 4点**　　音声スクリプト TRACK D03_10

M: We should go somewhere to eat dinner. How about a steak restaurant?

【訳】「僕らは夕食を食べにどこかに行くべきだよ。ステーキ・レストランはどうだい？」

音声のポイント

❶ should の [d] は脱落し「シュ」のように発音されている。

❷ eat の [t] は脱落し「イー」のように発音されている。

❸ about a は [t] が [d] に変化し、a と連結して「アバウダ」のように発音されている。

❹ steak は「ステーキ」ではなく「ステイ k」[stéik] なので注意する。

選択肢

① The speaker **doesn't want to eat steak.**	「話者は**ステーキを食べたくない**」
② The speaker **hasn't eaten dinner yet.**	「話者は**まだ夕食を食べていない**」
③ The speaker **is eating steak now.**	「話者は**今、ステーキを食べている**」
④ The speaker **wants to eat dinner alone.**	「話者は**一人で夕食を食べたいと思っている**」

❶選択肢の相違点から「ステーキか夕食を食べたかどうか」に注意して聴きましょう。❷ We should go somewhere to eat dinner. から「夕食を食べに行きたいと考えている」ことがわかります。また、**How about** a steak restaurant? の How about ～? は「～はどう？」という勧誘表現です。言い換えを探しながら選択肢を確認していきましょう。①は How about a steak restaurant? に矛盾するため不正解です。「夕食を食べに行くべき」ということは、まだ夕食を食べていないということなので、②が正解となります。このように、明言されていなくても、状況を推測することが正解のカギです。③は should go ～や How about a steak restaurant? に矛盾するため不正解です。④は We should で「私たち」と言っていることや、How about ～? で相手を誘っていることに矛盾するため不正解です。

食事に誘う表現

Would you like to go to a steak restaurant with me?	私とステーキ・レストランに行きませんか？
Let's try that new steak restaurant downtown.	新しくオープンしたダウンタウンのステーキ・レストランに行ってみましょう。
Are you in the mood for steak? There's a great place I know.	ステーキの気分ですか？　いい所を知っています。

問4　正解④　問題レベル【普通】　配点 4点　音声スクリプト TRACK D03_11

M: Diana, do you know what time the dentist will open? My tooth really hurts.

【訳】「ダイアナ、君は歯医者さんが何時に開くか知ってる？　歯がとても痛むんだ」

選択肢

① The speaker is talking to the dentist.　「話者は歯科医と話している」

② The speaker is telling Diana the time.　「話者はダイアナに時間を教えている」

③ The speaker wants to call Diana.　「話者はダイアナに電話をしたいと思っている」

④ The speaker wants to go to the dentist.　「話者は歯科医に行きたいと思っている」

❶選択肢の相違点から「話者が何をしているか」「話者が何をしたいか」に注意して聴きましょう。❷ Diana, do you know what time the dentist will open? から「話者はダイアナに歯科医が何時に開くか尋ねている」ことがわかります。My tooth really hurts. の My ～ hurts は「～が痛む」という定番の表現なので覚えておきましょう。言い換えを探しながら選択肢を確認していきましょう。①は、ダイアナは歯科医ではないので不正解です。②は、話者はダイアナに今何時か伝えているわけではないため不正解です。③は、話者が今ダイアナと話していることに矛盾するため不正解です。残った④が正解です。「歯科医が何時に開くか尋ねていること」から、歯科医に行きたいことがわかります。問３と同様に、ここでも発言の背景を推測しましょう。

「～が痛む」の表現

I have a headache.	頭痛がします。
My stomach aches.	お腹が痛いです。
I have a sore throat.	喉が痛いです。
My knee is really sore.	ひざが本当に痛いです。

DAY 04

【短い発話：内容一致問題】を攻略する「精読（文法）の型」「言い換えの型」

共通テストのリスニングでは「文法の知識」も問われます。特に第1問、第2問では音声が短い分、1文1文の意味を正確に把握する必要があります。Day 04では文法を意識して聴く「精読の型」と、他の大問にも活きる「言い換えの型」を身に付けましょう。

「精読の型」「言い換えの型」のステップ

1 「視線の型」を使う

Day 03で解説した「視線の型」を使って選択肢を先読みします。

2 文法事項に注意して音声の意味を正確に把握する

使われている文法事項に注意して、できるだけ正確に意味を把握します。

第1問 (配点 25) 音声は2回流れます。

第1問はAとBの二つの部分に分かれています。

A 第1問Aは問1から問4までの4問です。英語を聞き，それぞれの内容と最もよく合っているものを，四つの選択肢（①～④）のうちから一つずつ選びなさい。

問1 [1]

鉛筆orノートを持っているかに注意して聴く

① The speaker brought her pencil.
② The speaker forgot her notebook.
③ The speaker needs a pencil.
④ The speaker wants a notebook.

（①③：鉛筆　②④：ノート）

問2 [2]

① Ken is offering to buy their lunch.
② Ken paid for the tickets already.
③ The speaker is offering to buy the tickets.
④ The speaker paid for their lunch yesterday.

（①②：ケンの行動　③④：話者の行動）

内容 Day 03と同じ【短い発話】の形式です。Day 03で学んだ「視線の型」もうまく活用して取り組みましょう。頻出の表現もいくつか使われているので、出てきたものをしっかり覚えておきましょう。

問 3 [3]

① The speaker doesn't know where the old city hall is.
② The speaker has been to the new city hall just one time.
③ The speaker hasn't been to the old city hall before.
④ The speaker wants to know the way to the new city hall.

古 (①③)　新 (②④)

問 4 [4]

食べ物が十分だったかに注意して聴く

① The speaker didn't cook enough food.
② The speaker made enough sandwiches.
③ The speaker will serve more pasta.
④ The speaker won't prepare more dishes.

3 選択肢から「言い換え」を探し、答えを選ぶ

聴き取った内容の言い換えを探し、答えを選びます。正解の選択肢の多くは音声の表現そのままではなく、別の表現で言い換えたものになっています。

では、「視線の型」を活かしつつ、「精読の型」「言い換えの型」を使って、次ページの問題に取り組みましょう！

第1問 （配点　25） 音声は2回流れます。

第1問はAとBの二つの部分に分かれています。

A　第1問Aは問1から問4までの4問です。英語を聞き，それぞれの内容と最もよく合っているものを，四つの選択肢（①～④）のうちから一つずつ選びなさい。

問1　[1]

① The speaker brought her pencil.
② The speaker forgot her notebook.
③ The speaker needs a pencil.
④ The speaker wants a notebook.

問2　[2]

① Ken is offering to buy their lunch.
② Ken paid for the tickets already.
③ The speaker is offering to buy the tickets.
④ The speaker paid for their lunch yesterday.

問 3 [3]

① The speaker doesn't know where the old city hall is.
② The speaker has been to the new city hall just one time.
③ The speaker hasn't been to the old city hall before.
④ The speaker wants to know the way to the new city hall.

問 4 [4]

① The speaker didn't cook enough food.
② The speaker made enough sandwiches.
③ The speaker will serve more pasta.
④ The speaker won't prepare more dishes.

これで第１問Aは終わりです。

問1 正解③ **問題レベル【易】 配点 4点** 音声スクリプト TRACK D04_02

W: I have my notebook, but I forgot my pencil. Can I borrow yours?

【訳】「ノートはあるけど、鉛筆を忘れた。あなたのを貸してもらえる？」

音声のポイント

❶ but の [t] は [d] に変化し、後ろの I と連結し「バダイ」のように発音されている。

❷ forgot の [t] は脱落し「フォガッ」のように発音されている。

❸ Can I は連結し「キャナイ」のように発音されている。

選択肢

① The speaker **brought her pencil.** 「話者は鉛筆を持ってきた」

② The speaker **forgot her notebook.** 「話者はノートを忘れた」

③ The speaker **needs a pencil.** 「話者は鉛筆が必要だ」

④ The speaker **wants a notebook.** 「話者はノートが欲しい」

❶視線の型→❷文法事項に注意→❸言い換えを探す

❶選択肢の相違点から「どの筆記具を持っているか（持っていないか）」に注意しましょう。❷この問題はさほど文法的に難しくないので、I forgot my pencil が聴き取れれば十分です。forgot の [t] の音は脱落しやすいので、「フォガッ」という実際の発音で覚えておきましょう。イギリス英語では「フォゴッ」のような音になります。後ろには Can I borrow yours? が続いていることから、鉛筆を必要としていることがわかります。❸選択肢からそれを表した**言い換え**を探すと、needs a pencil が見つかり、③が正解だとわかります。

問 2　正解③　**問題レベル【易】　配点 4点**　音声スクリプト TRACK D04_03

W: You bought me lunch yesterday, Ken. So, shall I buy our❶ movie tickets tonight?

【訳】「昨日はあなたが私にランチをおごってくれたわね、ケン。だから、今晩は映画のチケットを私が買いましょうか？」

音声のポイント

❶ our 実際は短く発音されるので、a と聴き間違えやすいので気を付けましょう。a であればさらに短くなります。

選択肢

① **Ken** is offering to **buy their lunch.**　「ケンはランチをおごると申し出ている」
② **Ken paid for the tickets** already.　「ケンは既にチケット代を払った」
③ **The speaker** is offering to **buy the tickets.**　「話者はチケットを買うと申し出ている」
④ **The speaker paid for their lunch** yesterday.　「話者は昨日、ランチ代を払った」

❶選択肢の相違点から「ケンと話者のそれぞれの行動」に注意して聴きましょう。❷ You bought me lunch yesterday, Ken. では第 4 文型が使われており、「ケンが話者にランチをおごった」ことがわかります。後半の **shall I buy our movie tickets tonight?** では、Shall I ～?「私が～しましょうか？」という申し出の表現が使われており、「お返しに映画のチケットをおごる」と言っていることがわかります。❸選択肢から言い換えを探すと、**shall I buy our movie tickets を言い換えた is offering to buy the tickets** が見つかり、③が正解だとわかります。

問 3　正解④　問題レベル【普通】　配点 4点　　音声スクリプト TRACK D04_04

W: Do you know how to get to the new city hall? I've only been to the old one.

❶[d] × [ə] ❷ ❸

【訳】「新しい市役所までの行き方を知ってますか？　私は古い市役所にしか行ったことがないんです」

音声のポイント

❶ to の [t] の音は [d] に変化し、to 自体も弱形でやや短くなります。

❷ been は「ビーン」ではなく短く「ビン」と発音されます。

❸ the は後ろに母音が続く場合は「ジ」のように発音されることが多いです。

選択肢

① The speaker **doesn't know where the old city hall is.**　「話者は古い市役所がどこにあるか知らない」

② The speaker **has been to the new city hall** just one time.　「話者は新しい市役所に1回だけ行ったことがある」

③ The speaker **hasn't been to the old city hall** before.　「話者はこれまで古い市役所に行ったことがない」

④ The speaker **wants to know the way to the new city hall.**　「話者は新しい市役所までの道を知りたがっている」

語句 city hall 名 市役所

❶選択肢の相違点から「話者が新しい、あるいは古い市役所に行ったことがあるかどうか」に注意して聴きましょう。❷ Do you know how to get to the new city hall? から、新しい市役所の場所を知らないことがわかります。後半の I've only been to the old one. からは、古いほうにしか行ったことがないことがわかります。現在完了形の定番の表現 have been to ～「～に行ったことがある」が使われています。また代名詞の one は city hall を指しています。❸選択肢を確認していくと、①は古い市役所に行ったことがあることに矛盾します。②は古い市役所にしか行ったことがないことに矛盾します。③も古い市役所に行ったことがあることに矛盾します。④は話者が新しい市役所までの行き方を尋ねていることから自然な内容となります。how to get to が the way to に言い換えられています。

問4　正解①　問題レベル【普通】　配点 4点　　音声スクリプト TRACK D04_05

W: This pasta I made isn't❶× enough for five people. So, I'll make sandwiches and❷× salad❸×, too.

【訳】「私が作ったこのパスタは５人には足りない。だから、サンドイッチとサラダも作ろう」

音声のポイント

❶ isn't の [t] は [n] のような音に変化し、「イズンヌ」のように発音されている。

❷ and は弱形で「ン」になり、前の sandwiches と合わせて「サンドウィッチィズン」のように発音されている。

❸ salad の [d] の音は脱落し、「サラッ」のように発音されている。

選択肢

① The speaker **didn't cook enough food.**　「話者は**十分な食べ物を作らなかった**」
② The speaker **made enough sandwiches.**　「話者は**十分なサンドイッチを作った**」
③ The speaker **will serve more pasta.**　「話者は**もっとパスタを出すだろう**」
④ The speaker **won't prepare more dishes.**　「話者は**これ以上料理を作らないだろう**」

語句　dish 名（一品の）料理

❶選択肢から、「サンドイッチやパスタなどの食べ物が十分であったか」に注意して聴きましょう。❷最初の **This pasta I made isn't enough for five people.** がやや混乱するかもしれません。This pasta という名詞の後ろに I made という SV が続き、関係代名詞が省略され、「私が作ったパスタ」という意味になります。isn't がやや聴き取りにくいですが、enough は聴き取れるはずです。後半の I'll make sandwiches and salad, too. では、サンドイッチとサラダも作ると言っているため、isn't が聴き取れなかったとしても、食べ物が足りていないと考えられるでしょう。isn't や wouldn't などは肯定か否定かの聴き分けが難しいですが、is や would の音の後ろにわずかにでも [n] の音や間（ま）を感じたら isn't、wouldn't と考えましょう。[t] の音はたいてい脱落するので聞こえると思ってはいけません。❸選択肢から**言い換え**を探すと、足りないことを **didn't cook enough food**「十分な食べ物を作らなかった」と表した①が正解です。

第1問 (配点　25) 音声は2回流れます。

第1問はAとBの二つの部分に分かれています。

A 第1問Aは問1から問4までの4問です。英語を聞き，それぞれの内容と最もよく合っているものを，四つの選択肢(①〜④)のうちから一つずつ選びなさい。

問1 [1]

① Sally doesn't like to eat sweet foods.
② Sally doesn't want to have anything.
③ The speaker is advising Sally to have a banana.
④ The speaker is asking Sally to eat some candy.

問2 [2]

① The speaker can talk on the phone now.
② The speaker has time to talk after 2 p.m.
③ The speaker's meeting starts at 2 p.m.
④ The speaker's meeting will finish now.

問 3 [3]

① The speaker has been waiting to go home.
② The speaker is staying at home now.
③ The weather has been clear all day today.
④ The weather is becoming worse now.

問 4 [4]

① Laura found someone's bicycle this morning.
② Laura's bicycle is still missing right now.
③ Someone took Laura's bicycle last week.
④ The speaker heard that Laura stole a bicycle.

これで第１問Aは終わりです。

問1 正解③ **問題レベル【易】 配点 4点** 音声スクリプト TRACK D04_08

M: Sally, since you want something sweet, eat a banana instead of candy.

【訳】「サリー、何か甘いものが食べたいなら、キャンディではなくバナナを食べなよ」

音声のポイント

❶ eat a は [t] の音が [d] に変化し、a と連結することで「イーダ」のように発音されている。

❷ instead of は連結し、「インステダ v」のように発音されている。

選択肢

① Sally **doesn't like to eat sweet foods.**	「サリーは甘い食べ物を食べるのが好きではない」
② Sally **doesn't want to have anything.**	「サリーは何も食べたくない」
③ The speaker is **advising Sally to have a banana.**	「話者はサリーにバナナを食べるようアドバイスしている」
④ The speaker is **asking Sally to eat some candy.**	「話者はサリーにキャンディを食べるよう頼んでいる」

❶視線の型→❷文法事項に注意→❸言い換えを探す

❶選択肢の相違点から「サリーが何を食べたくないか、何を食べるべきか」に注意して聴きましょう。❷ since you want something sweet の since は「理由」を表し「何か甘いものが食べたいなら」という意味になっています。後半の **eat a banana instead of candy** で、バナナを食べるように言っています。instead of ～は「～の代わりに」ですが、of の後ろに来るものは否定され「～ではなく」のように使われていると捉えましょう。つまりキャンディではなく、バナナを食べるように言っているのです。❸選択肢から**言い換え**を探すと、**advising Sally to have a banana** が見つかり、③が正解となります。

問 2　正解②　問題レベル【普通】　配点 4点　　音声スクリプト TRACK D04_09

M: My meeting's starting now. It finishes at 2 p.m. Is it possible for you to call me after that?

【訳】「私の会議が今から始まります。午後2時に終わります。その後にお電話してもらうことは可能ですか？」

音声のポイント

❶ meeting の [t] は [d] に変化して「ミーディング」のように発音されています。

❷ starting の2番目の [t] は [d] に変化して「スターディング」のように発音されています。

❸ at は弱形で短く弱く発音されています。

選択肢

① The speaker **can talk on the phone now.**	「話者は今、電話で話すことができる」
② The speaker **has time to talk after 2 p.m.**	「話者は午後2時以降なら話す時間がある」
③ The speaker's **meeting starts at 2 p.m.**	「話者の会議は午後2時に始まる」
④ The speaker's **meeting will finish now.**	「話者の会議はすぐに終わるだろう」

❶選択肢の相違点から「2時に何があるか」「会議がどうなるか」などに注意して聴きましょう。❷My meeting's starting now. **It finishes at 2 p.m.** から、2時に会議が終わることがわかります。後半の **Is it possible for you to call me after that?** では、不定詞の意味上の主語〈for O to do〉を使い、会議の後に電話をかけるように相手に頼んでいます。❸選択肢を確認すると、①は今から会議が始まるという点に矛盾します。②は2時以降に電話するように頼んでいることから自然な内容となります。よってこれが正解です。③は2時に終わるという点に矛盾します。④はすぐ終わるかどうかは発言からはわかりません。

問 3　正解 ①　**問題レベル【易】　配点 4点**　　音声スクリプト TRACK D04_10

M: Look! The sky is getting clear! We can finally go home.

❶[d]　❷[ə]

【訳】「見て！　空が晴れてきた！　やっと家に帰れるよ」

音声のポイント

❶ getting の [t] は [d] に変化し、「ゲッディン」のように発音されています。

❷ can は、はっきりした「キャン」よりも、弱形の「クン」に近い音で発音されるので注意しましょう。

選択肢

① The speaker has been waiting to go home.　「話者は家に帰るのを待っていた」

② The speaker is staying at home now.　「今、話者は家にいる」

③ The weather has been clear all day today.　「今日は天気は一日中晴れていた」

④ The weather is becoming worse now.　「今、天気はますます悪くなってきている」

❶選択肢の相違点から「話者の今の状況」「天気」に注意して聴きましょう。❷ The sky is getting clear! から天気は「晴れてきた」ことがわかります。We can finally go home. では finally「やっと」が使われているため、帰ることを待ちわびていたことがわかります。❸選択肢から**言い換え**を探すと、has been waiting to go home が見つかり、①が正解となります。

問4 正解③ **問題レベル【普通】 配点 4点** 音声スクリプト TRACK D04_11

M: Did you hear? Laura's bicycle was stolen last week. Luckily, it was found this morning.

【訳】「聞いた？ ローラの自転車が先週、盗まれたんだよ。幸い、今朝見つかったんだ」

選択肢

① **Laura found someone's bicycle** this morning.	「今朝、**ローラは誰かの自転車を見つけた**」
② **Laura's bicycle is still missing** right now.	「今のところ、**ローラの自転車はまだ行方不明だ**」
③ **Someone took Laura's bicycle** last week.	「先週、**誰かがローラの自転車を盗んだ**」
④ The speaker heard that **Laura stole a bicycle.**	「話者は**ローラが自転車を盗んだ**と聞いた」

❶選択肢の相違点から「ローラの自転車がどうなったか」に注意して聴きましょう。❷ **Laura's bicycle was stolen last week.** から、先週ローラの自転車が盗まれたことがわかります。**Luckily, it was found this morning.** とありますが、Luckily「幸運にも」の時点で、見つかったことが予測できますね。❸選択肢を確認すると、①は「誰かの自転車」という記述が不適切です。②は自転車が見つかったことに矛盾します。③は **Laura's bicycle was stolen** が **Someone took Laura's bicycle に言い換え**られており、同じ意味になるため、正解です。④はローラが自転車を盗んだわけではないので不適切です。

luckilyのような、文の流れを整える役割をもつ副詞などをディスコースマーカーと呼びます。リスニングの際のヒントになることが多いので、以下のものを覚えておきましょう。

ディスコースマーカーの例

luckily	幸運にも
unfortunately	残念ながら
obviously	明らかに
indeed	実際
however	しかし
therefore	それゆえ
moreover	そのうえ
furthermore	さらに
consequently	その結果
instead	代わりに

DAY 05

【短い発話：イラスト選択問題】を攻略する「聴き取りの型」

今日は第1問Bで出題された【イラスト選択問題】です。第1問A同様、短い文ですが、決して簡単ではないので先読みの技術が必要となります。「どこに注目すればいいか」「どう予測すればいいか」に焦点を合わせる「聴き取りの型」を身に付けましょう。

「聴き取りの型」のステップ

❶ 選択肢のイラストを先読みする

先読みの際は選択肢（人物、行動、物などのイラスト）の相違点に注目。個々のイラストを一つ一つ見るよりも、複数のイラストを全体的に眺めたほうが相違点に気が付きやすいです。

❷ 内容を予測する

イラストから「どういった内容になるのか」と「どういった単語が使われるか」を予測します。

❸ 選択肢を絞る

音声を聴き、内容に相当するイラストを選びます。

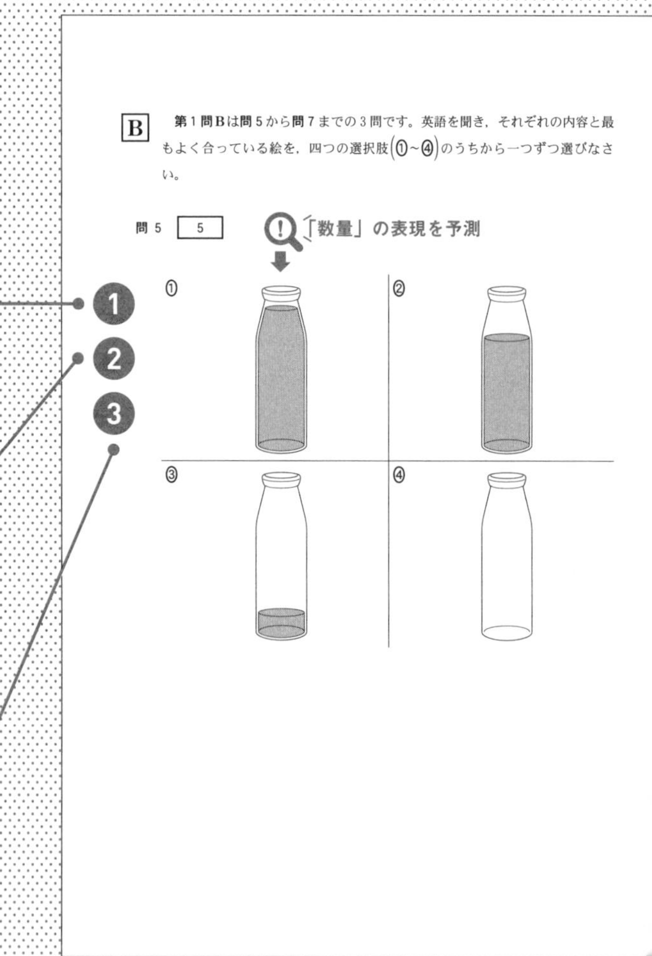
B　第1問Bは問5から問7までの3問です。英語を聞き，それぞれの内容と最もよく合っている絵を，四つの選択肢（①～④）のうちから一つずつ選びなさい。

問5　5

内容 第１問Ｂは１、２文の短い発話を聴いて、その状況に合うイラストを選ぶ問題です。英文の内容は職場での会話や、友人との会話など日常的なものが出題されています。「発話から状況や出来事の内容を把握する力」や「文法の知識」の他、聴き間違えやすい語句も使われているため「音声の知識」も問われます。音声のポイントを活用し、今後に活きるよう、自分でも必ず発音して練習するようにしましょう。

※第１問Bでは、問５、６、７はイラストが複数ある同じパターンなので、以下の図では問７を省略しています。

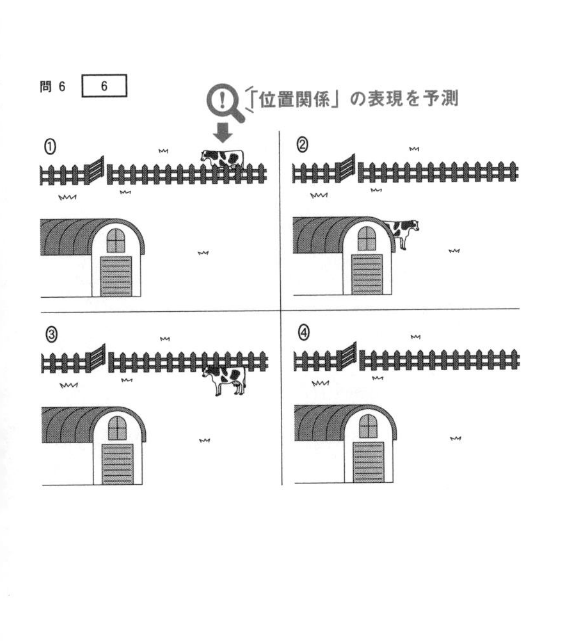

では、この「聴き取りの型」を使って、次ページの問題に取り組みましょう！

B **第1問B**は**問5**から**問7**までの3問です。英語を聞き，それぞれの内容と最もよく合っている絵を，四つの選択肢(①～④)のうちから一つずつ選びなさい。

問5 5

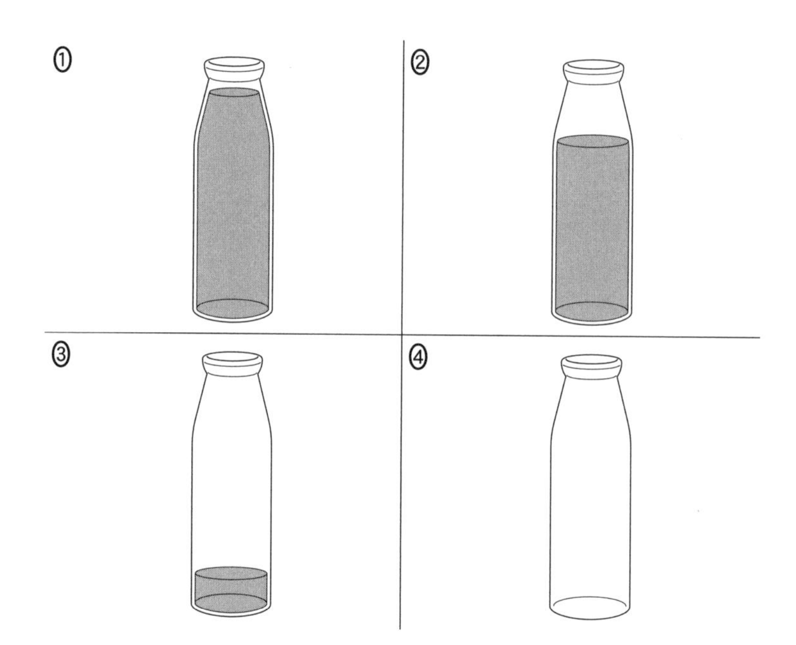

問 6 [6]

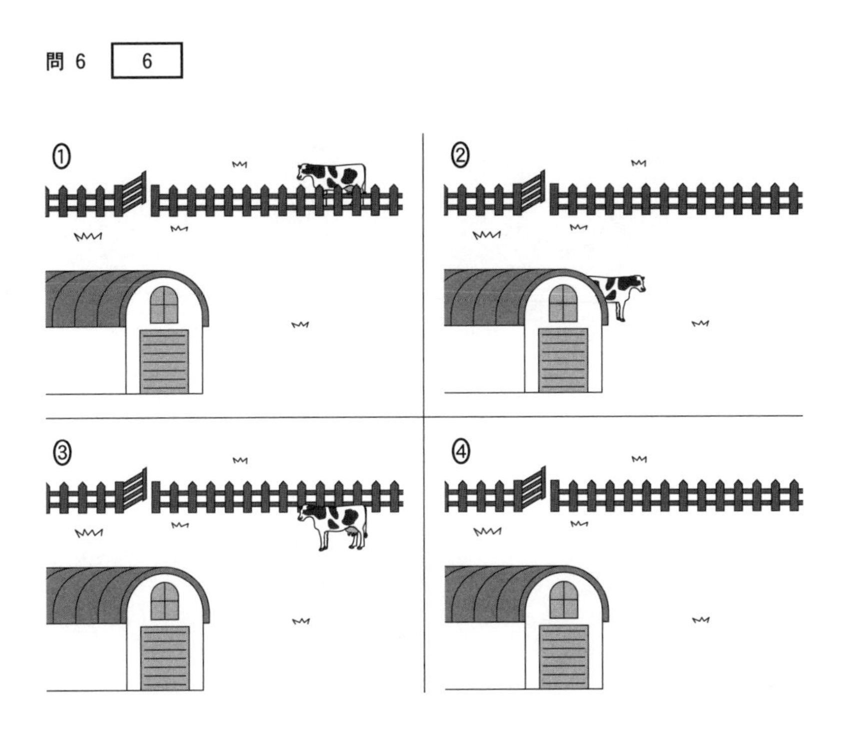

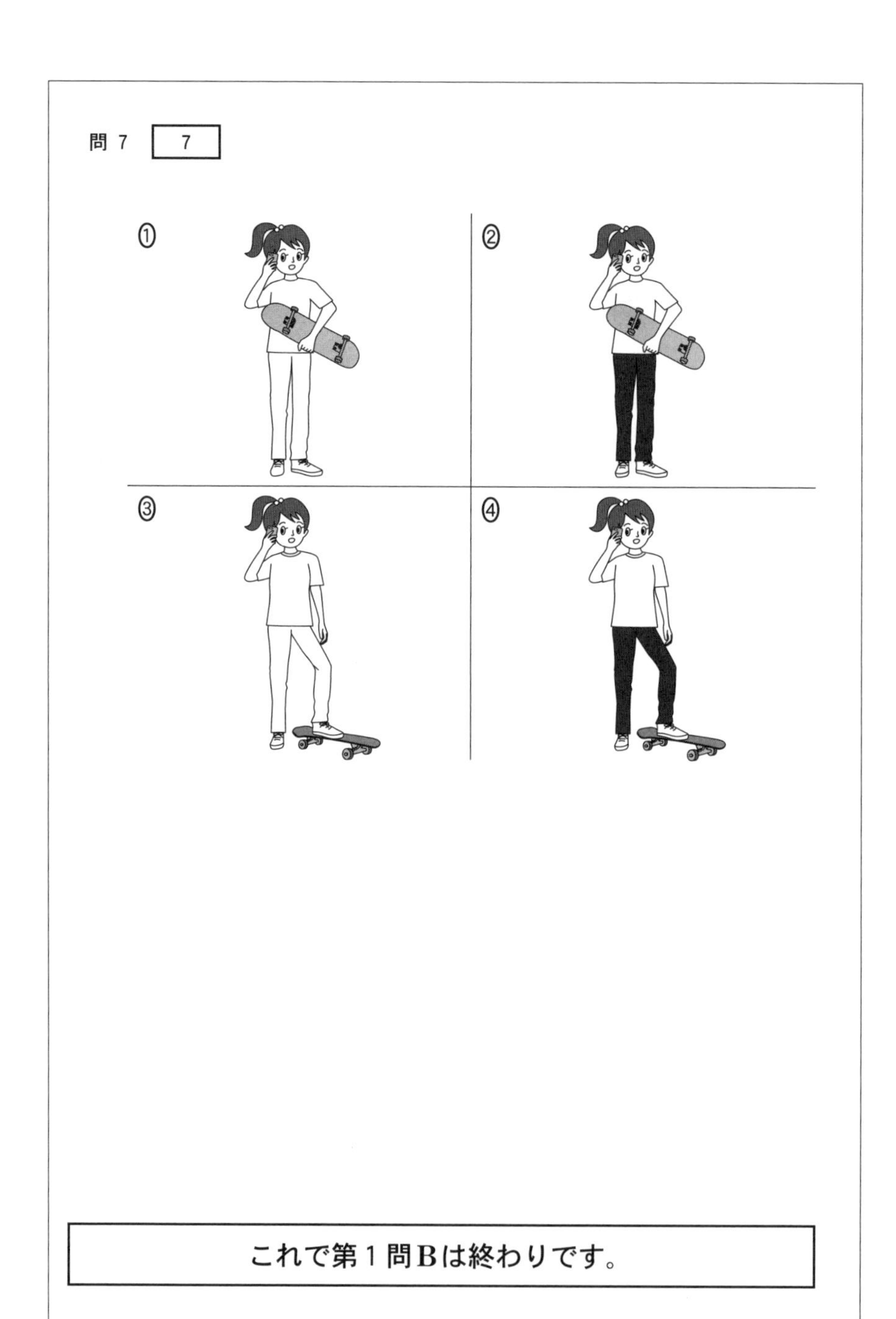
問7 7
①
②
③
④
これで第1問Bは終わりです。

DAY 05 › 例 題 ［ 解 説 ］

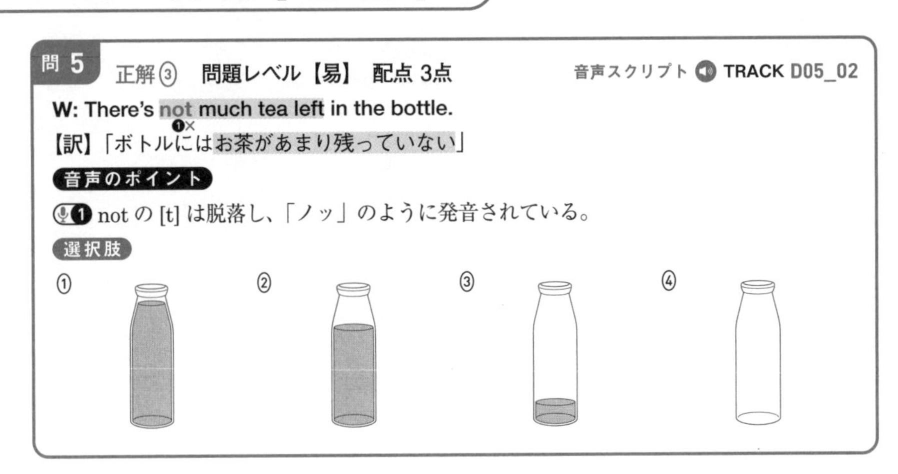

問 5 正解③ **問題レベル【易】 配点 3点** 音声スクリプト **TRACK D05_02**

W: There's not much tea left in the bottle.

【訳】「ボトルにはお茶があまり残っていない」

音声のポイント

❶ not の [t] は脱落し、「ノッ」のように発音されている。

選択肢

❶イラストを先読み→❷内容を予測→❸選択肢を絞る

❶イラストでは、「お茶がどのくらい残っているか」が異なります。❷「数量」を表す表現が使われると予測できます。❸「数量」に関する表現は not much「あまり～ない」が使われています。left は過去分詞の形容詞的用法で、left in the bottle は tea を修飾して「ボトルの中に残っている」という意味になります。「お茶があまり残っていないもの」を選べばよいので③が正解です。

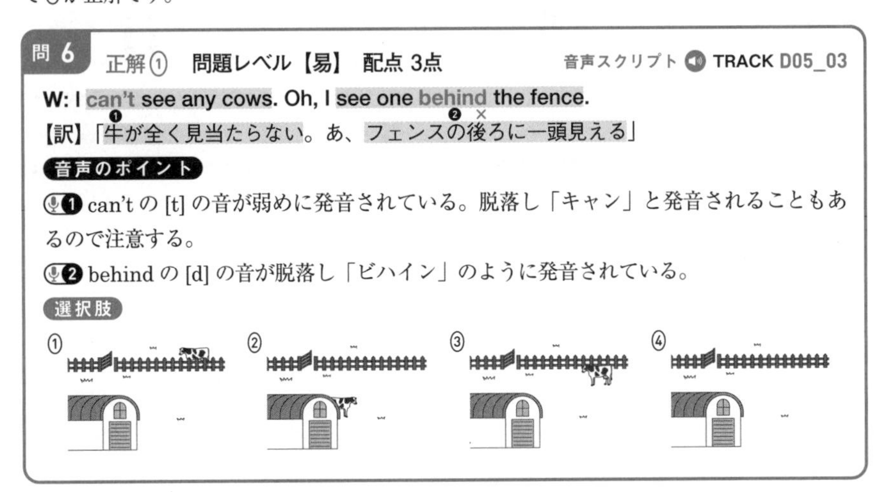

問 6 正解① **問題レベル【易】 配点 3点** 音声スクリプト **TRACK D05_03**

W: I can't see any cows. Oh, I see one behind the fence.

【訳】「牛が全く見当たらない。あ、フェンスの後ろに一頭見える」

音声のポイント

❶ can't の [t] の音が弱めに発音されている。脱落し「キャン」と発音されることもあるので注意する。

❷ behind の [d] の音が脱落し「ビハイン」のように発音されている。

選択肢

❶イラストでは、「牛の位置」が異なっています。❷「位置関係」に関する表現（次ページ）が使われると予測できます。❸最初に can't see any cows「牛が全く見当たらない」と言っていますが、その後に see one **behind** the fence と言い直しています。「フェンスの後ろに牛がいるもの」を選べばよいので①が正解です。

位置関係の表現

behind ～	～の後ろに	far from ～	～の遠くに
in front of ～	～の前に	to the left of ～	～の左側に
next to ～ / beside ～	～の隣に	to the right of ～	～の右側に
between ～	～の間に	across from ～	～の向かいに
above ～	～の上に	along ～	～に沿って
below / beneath	下に	around ～	～の周りに
inside ～	～の中に	toward(s) ～	～の方向に
outside ～	～の外に	away from ～	～から離れて
near ～	～の近くに		

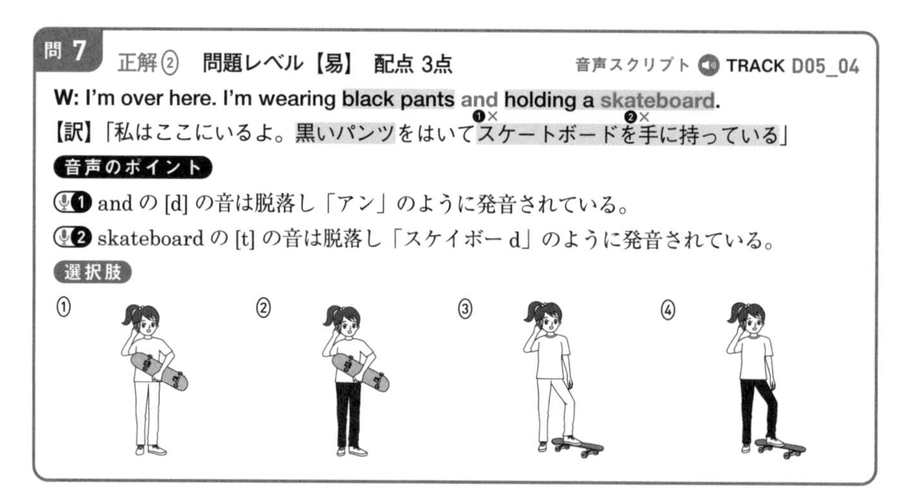

問 7　正解②　**問題レベル【易】　配点 3点**　音声スクリプト **TRACK D05_04**

W: I'm over here. I'm wearing black pants and holding a skateboard.

【訳】「私はここにいるよ。黒いパンツをはいてスケートボードを手に持っている」

音声のポイント

❶ and の [d] の音は脱落し「アン」のように発音されている。

❷ skateboard の [t] の音は脱落し「スケイボー d」のように発音されている。

選択肢

① ② ③ ④

❶イラストでは「スケートボードの位置」と「パンツの色」が異なっています。❷ hold、carry、on a skateboard といった表現や色の表現が使われると予測できます。❸ **black pants** と **holding a skateboard** が聴き取れれば十分です。「黒いパンツ」で「スケートボードを持っている」ものを選べばよいので②が正解です。

B 　**第1問B**は**問5**から**問7**までの3問です。英語を聞き，それぞれの内容と最もよく合っている絵を，四つの選択肢（①～④）のうちから一つずつ選びなさい。

問5　5

①
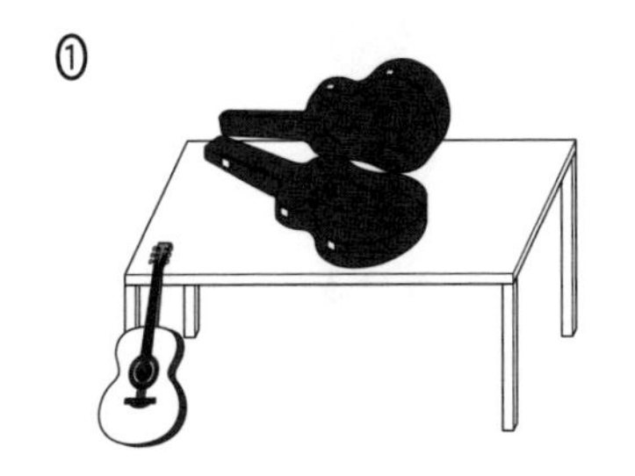

②

③
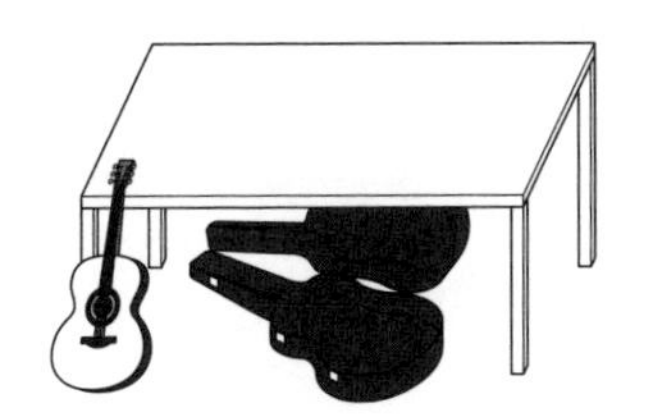

④
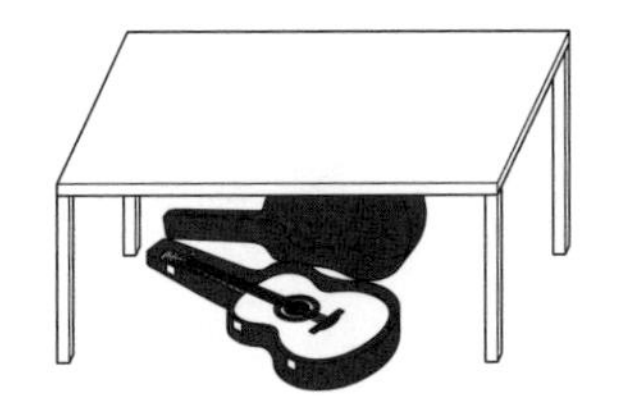

問 6
6

①
②
③
④

問 7 [7]

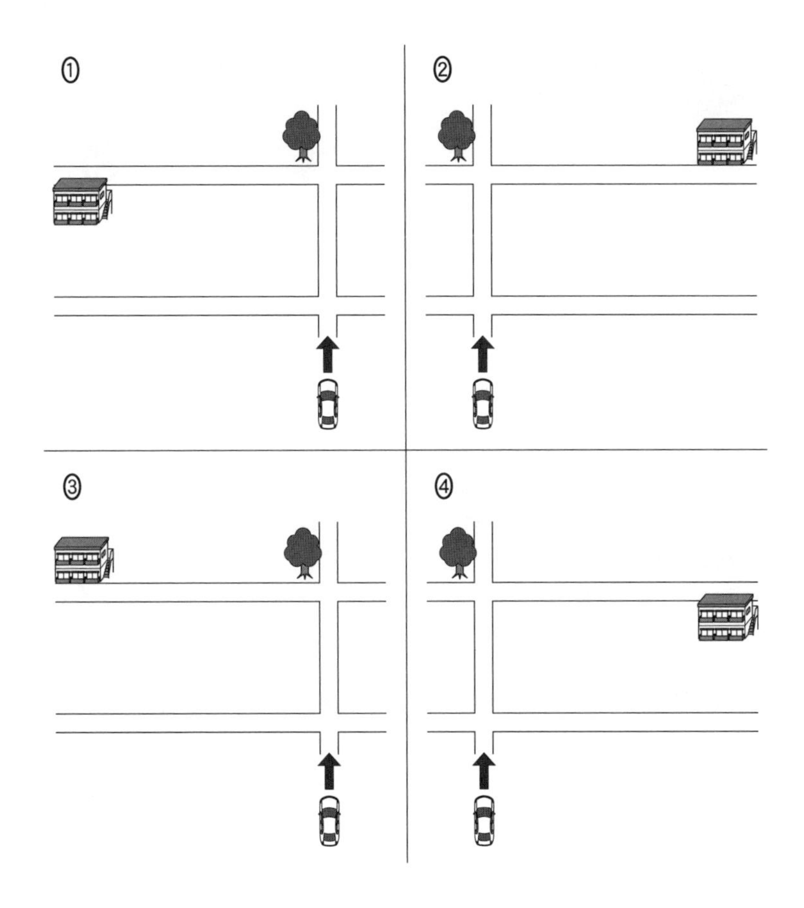

これで第１問Bは終わりです。

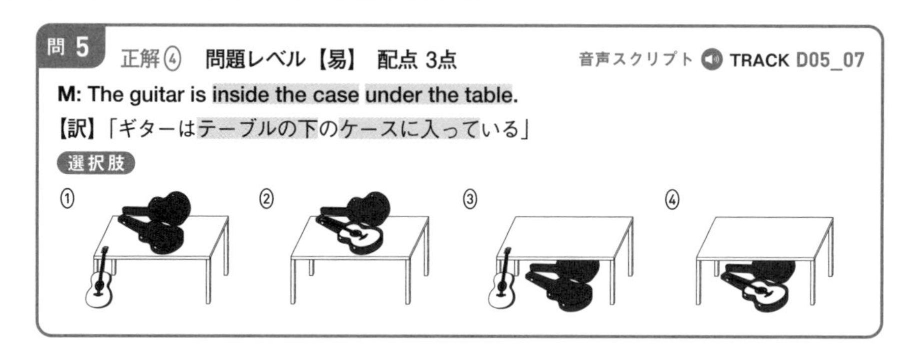

問5　正解④　**問題レベル【易】　配点 3点**　音声スクリプト　TRACK D05_07

M: The guitar is inside the case under the table.

【訳】「ギターはテーブルの下のケースに入っている」

選択肢

①　②　③　④

❶イラストを先読み→❷内容を予測→❸選択肢を絞る

❶イラストでは、「ギターの位置」が異なっています。❷ on the table、in the case、under the table などの位置関係に関する表現を予測しましょう。❸ inside the case と under the table が聴き取れれば十分です。「ギターがケースの中にあり、テーブルの下にある」ものを選べばよいので④が正解です。

問6　正解①　**問題レベル【普通】　配点 3点**　音声スクリプト　TRACK D05_08

M: These spoons are dirty, but there's another in the drawer.

【訳】「これらのスプーンは汚れているけれど、引き出しにもう1本入っている」

音声のポイント

❶ These の [z] の音は飲み込まれ、spoons と連結して「ズィースプーン z」のように発音されている。

❷ but の [t] の音は脱落し「バッ」のように発音されている。

❸ another はアクセントが o の位置にあるため、最初の「ア」の音が聴き取りにくいので注意する。

選択肢

①　②　③　④

❶イラストでは、「流しにあるスプーンが1本か2本か」、「引き出しにスプーンがあるかないか」が異なっています。❷複数形かどうかは聴き分けが難しいので前後の表現も利用して判断しましょう。❸ spoons の [z] の音が聴き取りにくいですが、These の「ズィー」の音や、後ろに続く are から複数形であると判断しましょう。**dirty**「汚れている」と言っているので「流しに2本ある」①か②に絞れます。また、**another in the drawer** から「引き出しにはスプーンがあること」がわかります。「流しにスプーンが複数あり、引き出しにスプーンがある」ものを選べばよいので①が正解です。

問 7　正解③　問題レベル【易】　配点 3点　　音声スクリプト TRACK D05_09

M: Turn left at the tree and go straight. The apartment building will be on the right.

【訳】「木の所で左折してから直進してください。アパートの建物は右側にあります」

音声のポイント

❶ left の [t] の音は脱落し「レフ」のように発音されている。

❷ at the の at の [t] の音は脱落し「アッザ」のように発音されている。

❸ and の [d] の音は脱落し「アン」のように発音されている。

選択肢

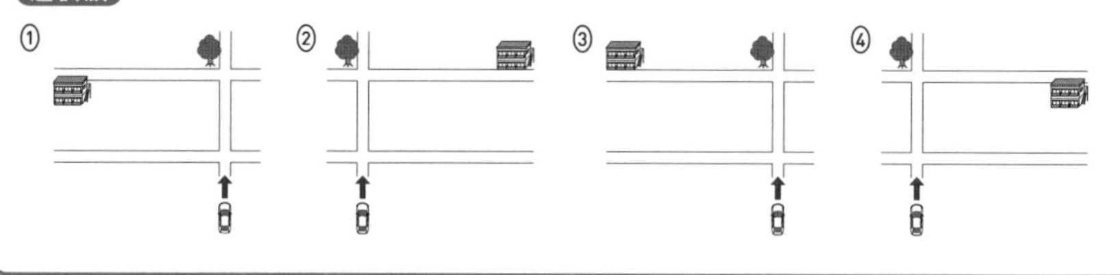

❶イラストから「地図問題」だとわかります。❷「地図問題」では、目印になりそうな単語を予測しておきましょう。今回は tree「木」が予測できれば十分ですが、traffic light「信号機」を単に light と言って、right と間違えさせる問題が出されることもあるため注意しておきましょう。light と right の聴き分けは難しいため、at the light「信号の所で」のようにフレーズで覚え、前後の表現で判断しましょう。❸ Turn left at the tree が聴き取れれば「木のところで左に曲がる」ことがわかります。また、will be on the right が聴き取れれば「右手にある」ことがわかります。「木のところで左に曲がり、建物が右手にある」ものを選べばよいので③が正解です。

地図問題で使われる表現

turn left	左に曲がる	at the intersection	交差点で
turn right	右に曲がる	make a U-turn at ～	～でUターンをする
go straight	まっすぐ行く		
be on the left	左側にある	be across from ～	～の向かいにある
be on the right	右側にある		
take the second left	２番目の角を左に曲がる	be located between A and B	AとBの間に位置している
cross	～を渡る		
pass	～を通り過ぎる		

DAY 06

【短い発話：イラスト選択問題】を攻略する「精読(文法)の型」

Day 05と同様の短い発話のイラスト問題です。「地図問題」や「数量表現の知識」が問われる問題が定番ですが、Day 06で扱う2024年の問題では物の形や色、登場人物の行動を問うものが出題されています。

「精読の型」のステップ

① 「聴き取りの型」を使う

Day 05で解説した「聴き取りの型」を使って取り組みます。

② 色、形の表現に注意する

使われている色や形などを表す表現に注意して音声を聴きます。

③ 条件を満たす選択肢を選ぶ

聴き取った条件に当てはまる選択肢を選びます。

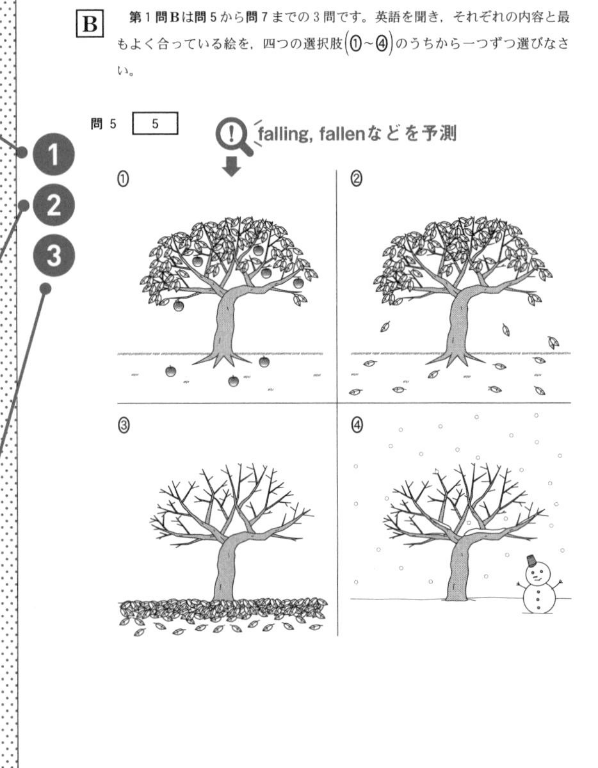

B 第1問Bは問5から問7までの3問です。英語を聞き，それぞれの内容と最もよく合っている絵を，四つの選択肢(①～④)のうちから一つずつ選びなさい。

問5 5

内容 2024年度の第１問Bの問題は易しいので全問正解を目指しましょう。余裕があれば音声を１回聴いただけで解く練習もしてみてください。また、今後は難しい問題が出題される可能性もあるため、問題のパターンはしっかり覚えておきましょう。

※第１問Bでは、問5、6、7はイラストが複数ある同じパターンなので、以下の図では問7を省略しています。

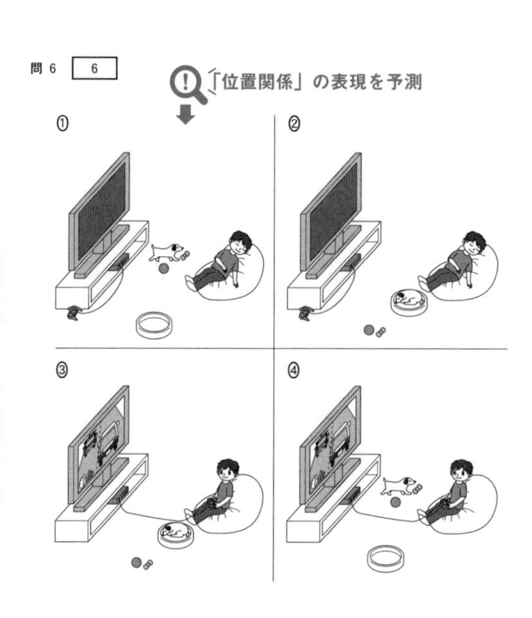

では、「聴き取りの型」を活かしつつ、「精読の型」を使って、次ページの問題に取り組みましょう！

B　**第1問B**は**問5**から**問7**までの3問です。英語を聞き，それぞれの内容と最もよく合っている絵を，四つの選択肢(①〜④)のうちから一つずつ選びなさい。

問5　5

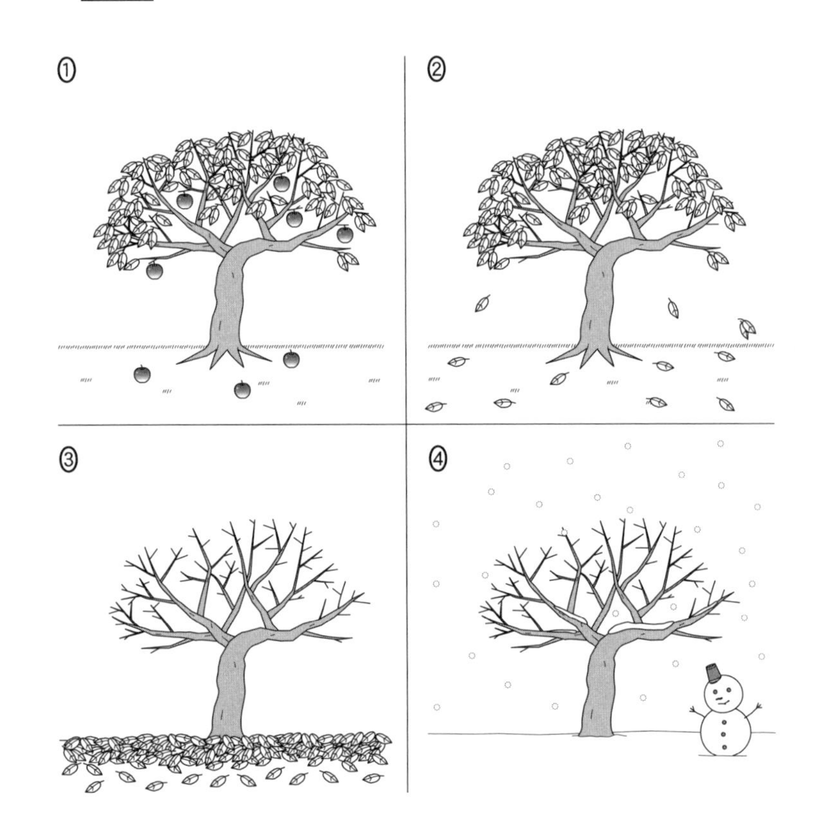

問 6 | 6 |

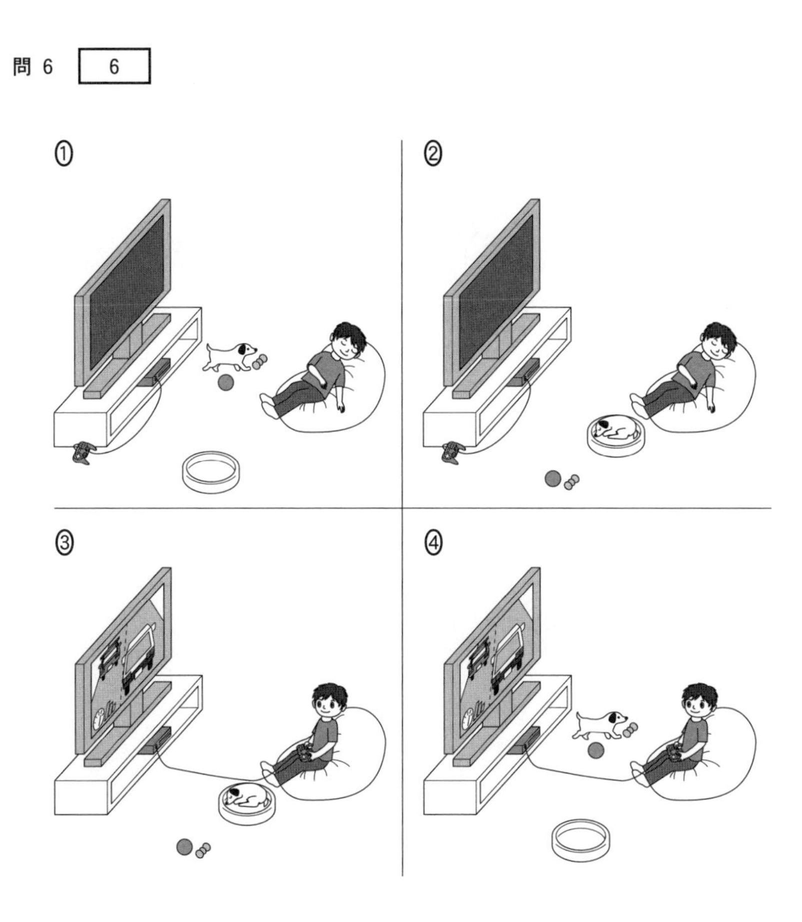

問 7 [7]

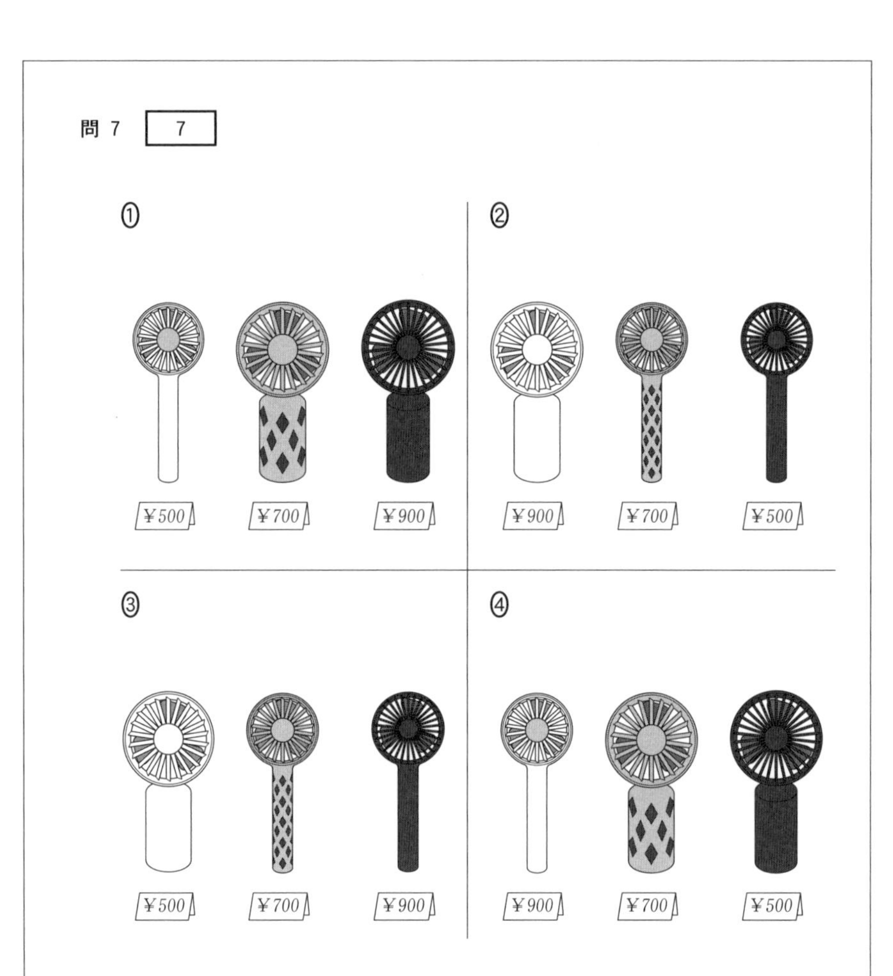

これで第1問Bは終わりです。

問 5　正解②　問題レベル【易】　配点 3点　音声スクリプト TRACK D06_02

W: The season's changing. See, the leaves are❶ falling.

【訳】「季節が変わろうとしている。ほら、葉が落ちていっているよ」

音声のポイント

❶ are は思ったより短く発音されるので注意しましょう。

選択肢

①
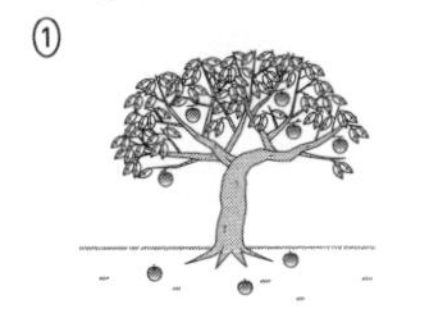
②

③

④

❶ 聴き取りの型→❷ 色、形の表現に注意→❸ 条件を満たす選択肢を選ぶ

❶イラストの相違点から、「木の葉がどうなっているか」に注意して聴きましょう。❷ the leaves are falling で現在進行形が使われています。この部分は聴き取りも問題ないでしょう。❸「葉が落ちていっている」ものを選べばよいので②が正解です。

問 6　正解③　問題レベル【易】　配点 3点　音声スクリプト TRACK D06_03

W: Our dog always sleeps by my brother while❶ he❷ plays video games. It's so cute.

【訳】「うちの犬はいつも、弟がテレビゲームをしているあいだ、彼のそばで寝るの。すごくかわいい」

音声のポイント

❶ while は短く「ワイ l」のように発音されている。

❷ he は思ったより短く発音されるので注意しましょう。

選択肢

①
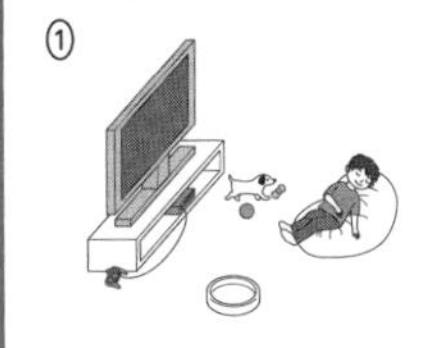
②

③

④

❶イラストの相違点から、「犬の位置と様子」「男の子（弟）の様子」に注意して聴きましょう。❷ Our dog always sleeps **by** my brother から、犬は弟の近くで眠るとわかります。後半の while he plays video games から、弟はテレビゲームをしていることがわかります。❸これらの条件に当てはまる③が正解です。

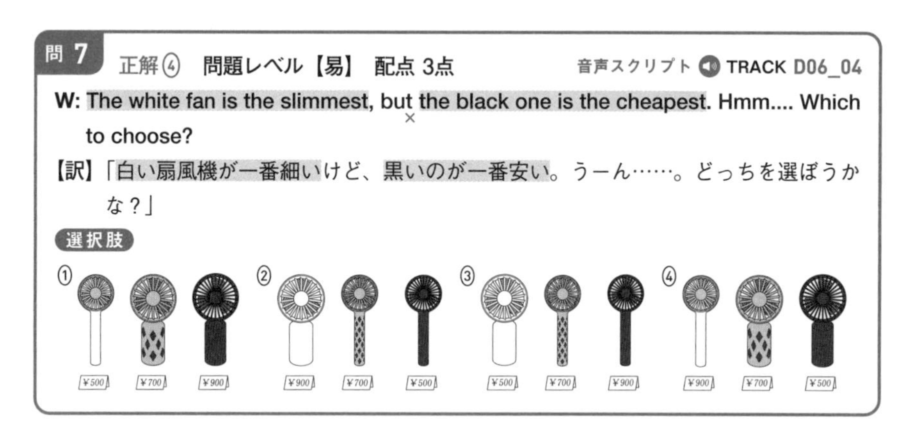

問 7　正解④　問題レベル【易】　配点 3点　　音声スクリプト TRACK D06_04

W: The white fan is the slimmest, but the black one is the cheapest. Hmm.... Which to choose?

【訳】「白い扇風機が一番細いけど、黒いのが一番安い。うーん……。どっちを選ぼうかな？」

選択肢

❶イラストの相違点から、「扇風機の形・色・柄・値段」に注意して聴きましょう。❷ The white fan is the slimmest から、白が一番細いとわかります。the black one is the cheapest から、黒が一番安いことがわかります。❸これらの条件に当てはまる④が正解です。

問題番号は実際の番号のままです。

B 第1問Bは問5から問7までの3問です。英語を聞き，それぞれの内容と最もよく合っている絵を，四つの選択肢(①～④)のうちから一つずつ選びなさい。

問5 [5]

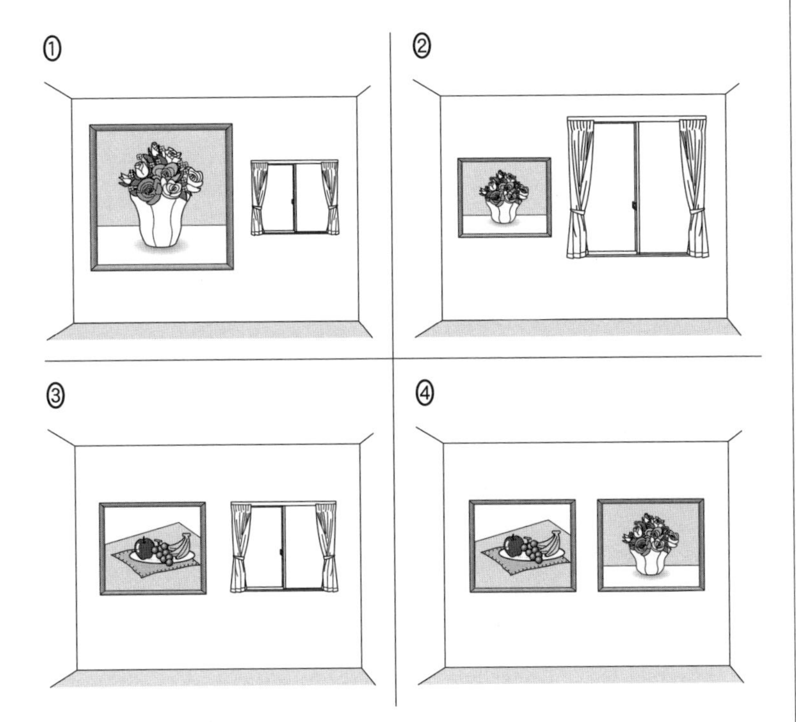

問 6 [6]

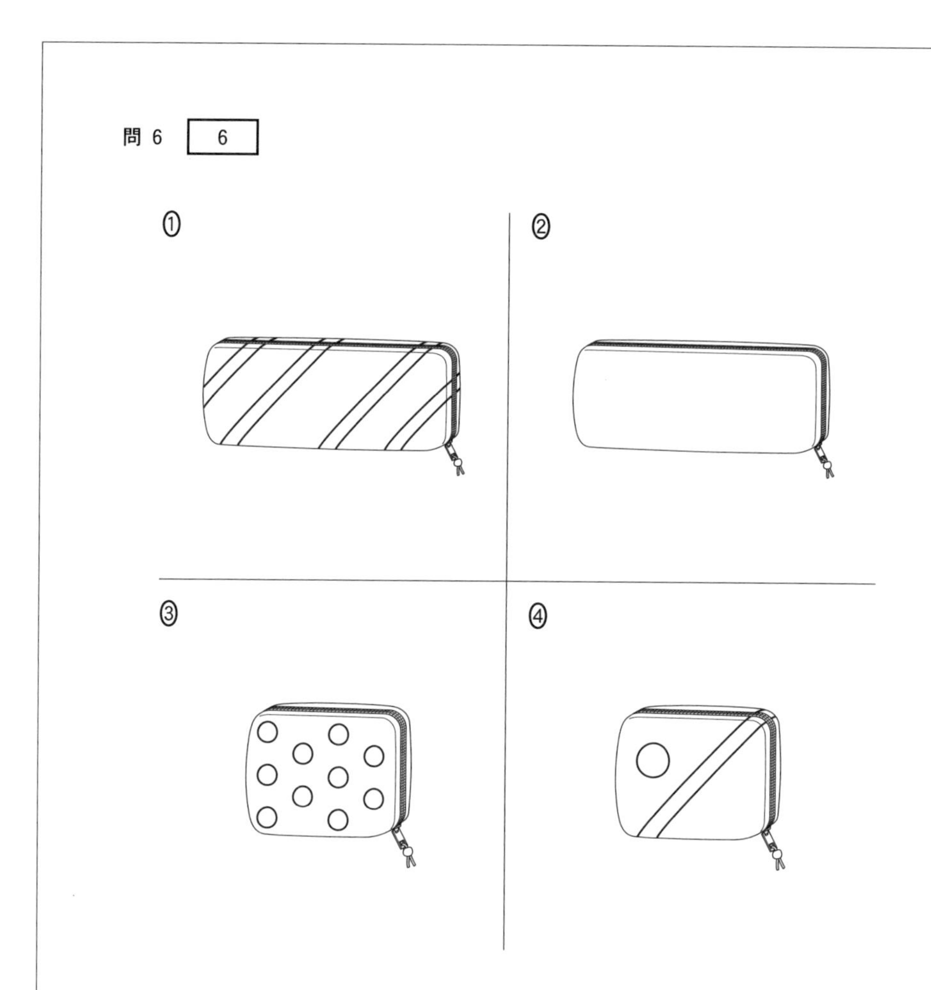

問 7 [7]

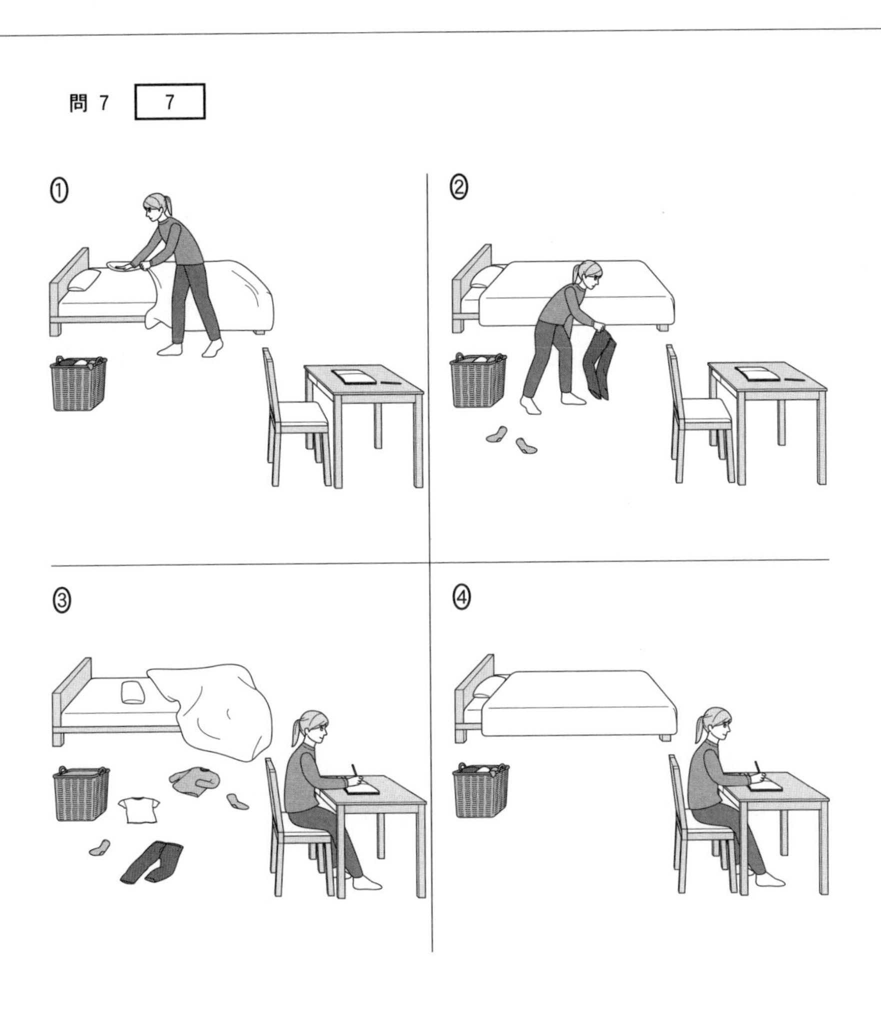

これで第 1 問 B は終わりです。

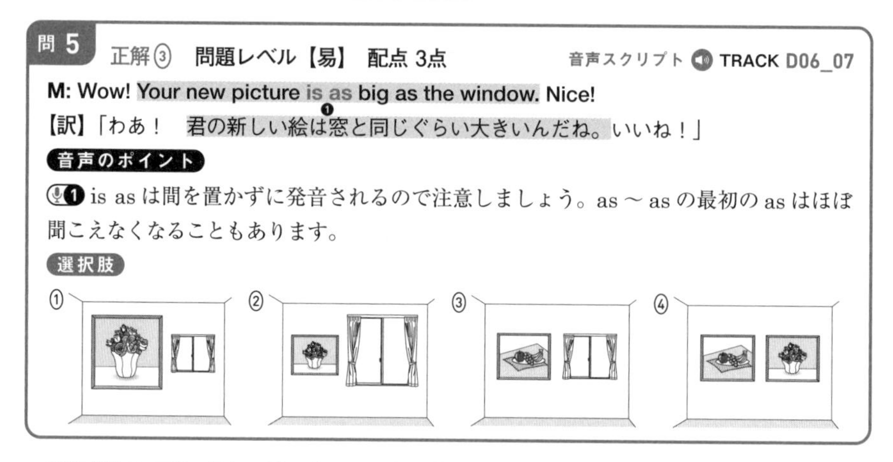

問5 正解③　問題レベル【易】　配点 3点　　音声スクリプト TRACK D06_07

M: Wow! Your new picture is as big as the window. Nice!

【訳】「わあ！　君の新しい絵は窓と同じぐらい大きいんだね。いいね！」

音声のポイント

❶ is as は間を置かずに発音されるので注意しましょう。as ～ as の最初の as はほぼ聞こえなくなることもあります。

選択肢

①　②　③　④

❶聴き取りの型→❷色、形の表現に注意→❸条件を満たす選択肢を選ぶ

❶イラストの相違点から、「絵の大きさ」「窓の有無」に注意して聴きましょう。❷ Your new picture is as big as the window. が聴き取れれば十分です。❸「絵と窓が同じ大きさ」のものを選べばよいので③が正解です。

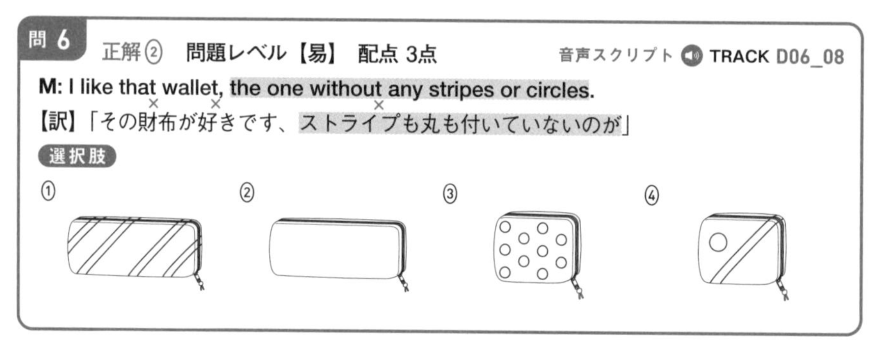

問6 正解②　問題レベル【易】　配点 3点　　音声スクリプト TRACK D06_08

M: I like that wallet, the one without any stripes or circles.

【訳】「その財布が好きです、ストライプも丸も付いていないのが」

選択肢

①　②　③　④

❶イラストの相違点から「財布の柄と形」に注意して聴きましょう。❷ the one without any stripes or circles もはっきり発音されているので問題ないでしょう。❸「ストライプも丸もない」ものを選べばよいので②が正解です。

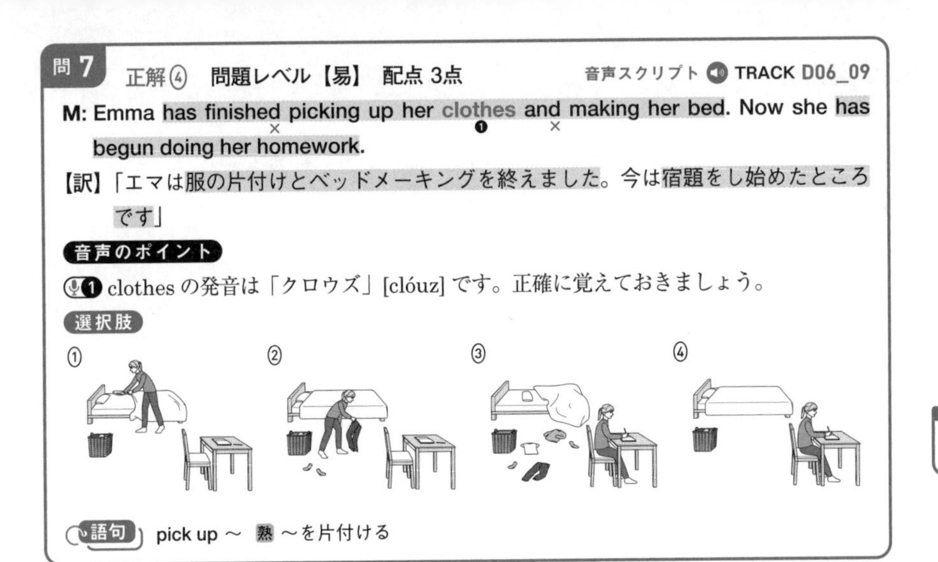

問 7　正解④　問題レベル【易】　配点 3点　　音声スクリプト TRACK D06_09

M: Emma has finished picking up her clothes and making her bed. Now she has begun doing her homework.

【訳】「エマは服の片付けとベッドメーキングを終えました。今は宿題をし始めたところです」

音声のポイント

❶ clothes の発音は「クロウズ」[clóuz] です。正確に覚えておきましょう。

選択肢

① ② ③ ④

語句 pick up ～ 熟 ～を片付ける

❶イラストから「部屋の様子」と「女性の様子」に注意して聴きましょう。❷やや情報量が多くなりますが、聴き取りは問題ないでしょう。Emma **has finished picking up her clothes and making her bed.** から、服の片付け、ベッドメーキングは終わっていることがわかります。後半の Now she **has begun doing her homework.** から、今は宿題をしていることがわかります。❸これらの条件に当てはまる④が正解です。

DAY 07

【短い対話：イラスト選択問題】を攻略する「聴き取りの型」

第２問のイラスト問題では、場所を問う問題や、持ち物を問う問題、説明された特徴を満たすイラストを選ぶ問題などが出題されています。場所を問う問題では、前置詞を使った位置関係の表現を覚えることが効果的な対策になります。

「聴き取りの型」のステップ

❶ 選択肢のイラストを先読みする

問題の説明が流れている間に選択肢を先読みします。先読みの際は選択肢の相違点に注目しましょう。

❷ 内容を予想する

イラストからどういった内容の音声になるのか予想します。イラストに描かれているもの、イラストの中で対比されている（相違点がある）物や人物、行動に注意して聴きましょう。

第２問　(配点　16)　音声は２回流れます。

第２問は問８から問 11 までの４問です。それぞれの問いについて，対話の場面が日本語で書かれています。対話とそれについての問いを聞き，その答えとして最も適切なものを，四つの選択肢（①～④）のうちから一つずつ選びなさい。

問８　バーチャルイベントで，友人同士のプロフィール画像(avatar)を当てあっています。　8

① 

② 

③ 

④

内容 第2問は、2人の短い会話（発言は男女2回ずつ）を聴いて、設問に合うイラストを選ぶ問題です。部屋の様子、物や人物の特徴、地図を用いた場所の説明など、テーマは日常的です。

※第2問では、問8、9、10、11はイラストが複数ある同じパターンなので、以下の図では問10、11を省略しています。

問9 ホームパーティーの後で，ゴミの分別をしています。 9

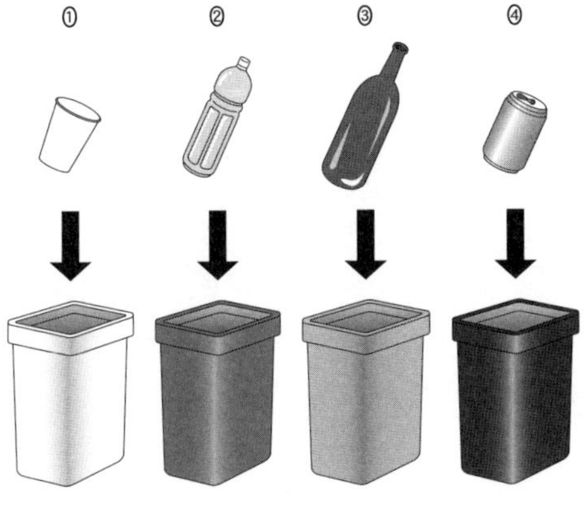

①

②

③

④

paper, plastic, glass, canなどを予測

3 選択肢を絞る

音声を聴き、聴き取った内容に相当するイラストを選びます。

では、この「聴き取りの型」を使って、次ページの問題に取り組みましょう！

第 2 問 (配点 16) 音声は 2 回流れます。

第 2 問は問 8 から問 11 までの 4 問です。それぞれの問いについて，対話の場面が日本語で書かれています。対話とそれについての問いを聞き，その答えとして最も適切なものを，四つの選択肢(①～④)のうちから一つずつ選びなさい。

問 8　バーチャルイベントで，友人同士のプロフィール画像(avatar)を当てあっています。 [8]

①

②

③

④

問 9 ホームパーティーの後で，ゴミの分別をしています。 9

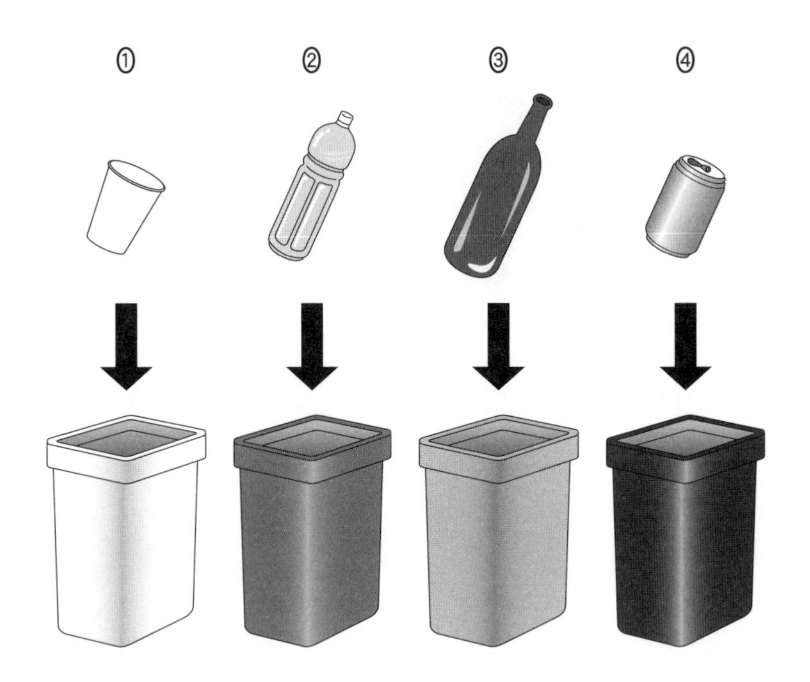

問10　靴屋で，店員と客が会話をしています。 10

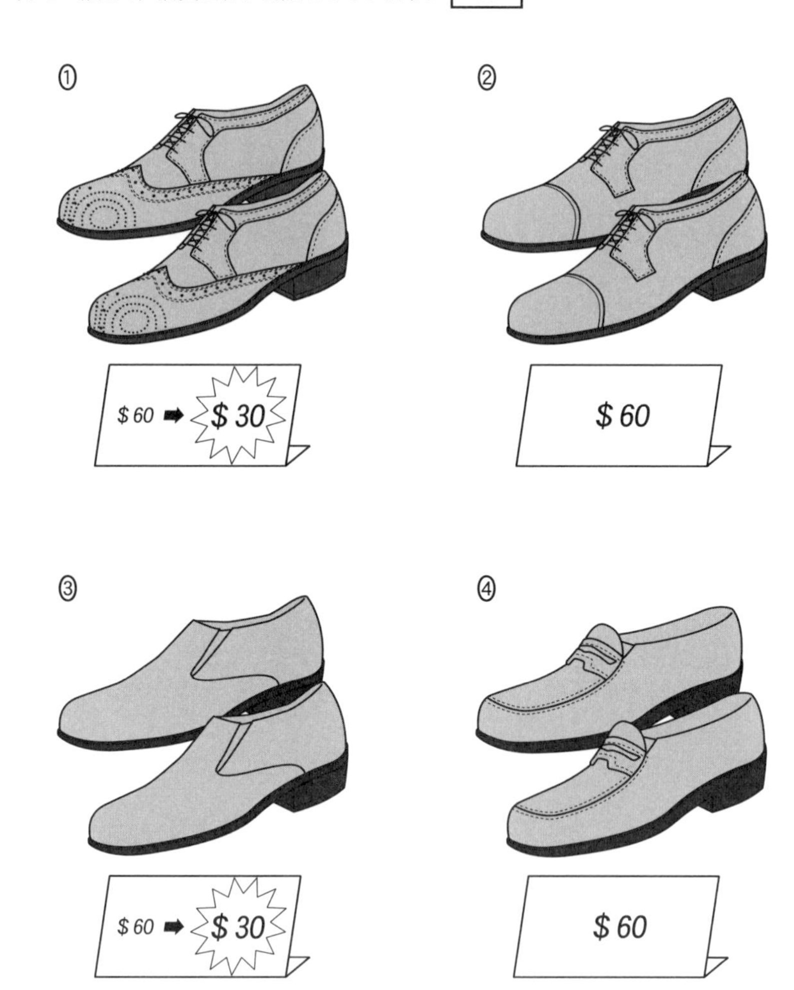

問11　友人同士が，野球場の案内図を見ながら，待ち合わせ場所を決めています。

11

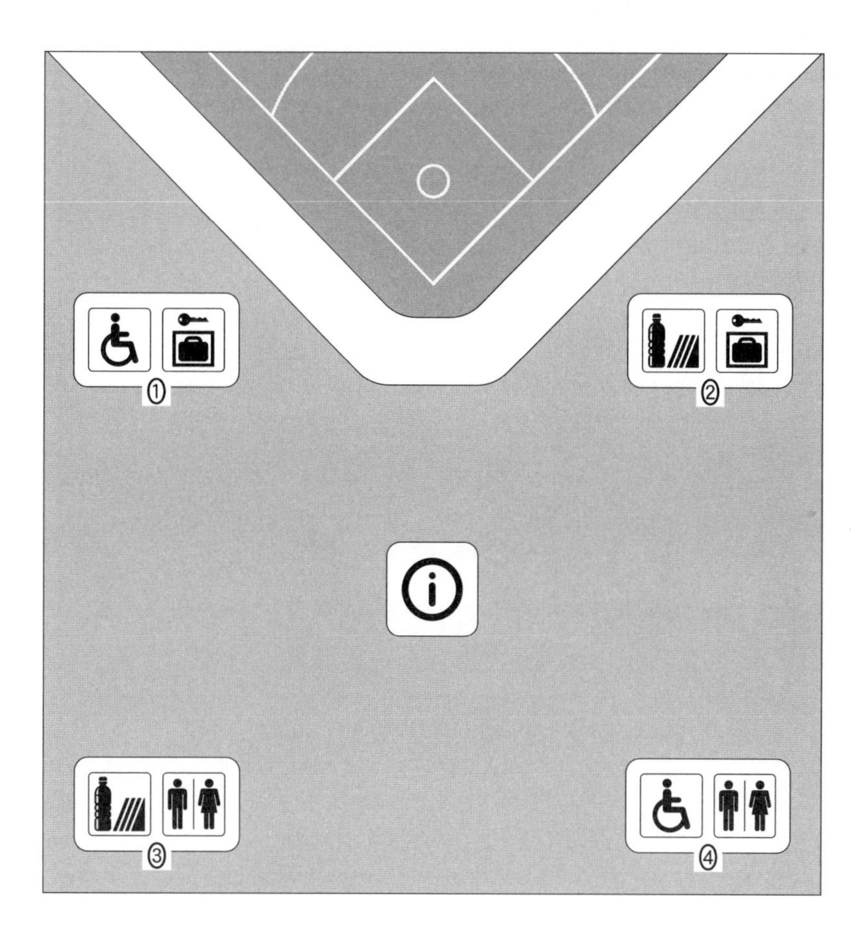

これで第２問は終わりです。

DAY 07 ＞ 例題［解説］

問 8　正解④　**問題レベル【普通】　配点 4点**　　音声スクリプト TRACK D07_02

M①: This avatar with the glasses must be you!
　　　　　　　　　❶　　　　　　　❷×
W①: Why, because I'm holding my favorite drink?
M②: Of course! And you always have your computer with you.
　　　　　　　　　　❸×
W②: You're right!
　　　　　　　❹×
Question: Which avatar is the woman's?

【訳】男性①：このメガネをかけたアバターがきっと君だね！
　　女性①：なぜ？　私がお気に入りのドリンクを持っているから？
　　男性②：もちろんさ！　それに君はいつもコンピューターを持ち歩いているし。
　　女性②：そのとおり！
　　質問：どのアバターが女性のものか。

音声のポイント

❶ with the は with が弱形で「ウィ」と発音され、連結して「ウィッザ」のように発音されている。

❷ must の [t] は脱落し「マス」のように発音されている。

❸ And you は and の [d] が脱落し、連結して「アンニュ」のように発音されている。

❹ right の [t] は脱落し「ライ」のように発音されている。

選択肢

①

②

③

④

❶イラストを先読み→❷内容を予想する→❸選択肢を絞る

❶イラストでは、「メガネの有無」「髪型」「服の色」「持ち物」が異なっています。❷glasses「メガネ」、laptop「ノートパソコン」などの単語を予測しておきましょう。❸glasses を含む発言に対し、Why「なぜ？」と答えています。because 以下も特にメガネをかけていることを否定していないので、メガネをかけていない②は不正解です。また、because I'm holding my favorite drink? という問いに対して Of course! と答えていることから、飲み物を持っていない③は不正解です。さらに、you always have your computer with you に対して You're right! と言っているので、コンピューターを持っている④が正解となります。

問 9　正解④　問題レベル【難】　配点 4点　　音声スクリプト TRACK D07_03

M①: Plastic bottles go in here, and paper cups here.
W①: How about this, then? Should I put this in here?
M②: No, that one is for glass. Put it over here.
W②: OK.
Question: Which item is the woman holding?

【訳】男性①：ペットボトルはここに入って、紙コップはここだよ。
女性①：じゃあ、これはどうなの？ これはここに入れればいいの？
男性②：いや、それはガラスを入れる所だ。それはこっちに入れて。
女性②：わかった。
質問：女性が持っている物はどれか。

音声のポイント

❶ put this の put の [t] の音は脱落し「プッディ s」のように発音されている。

❷ that one is の that の [t] は脱落し、one の [n] と is の [i] が連結し「ザッワニ z」のように発音されている。

❸ Put it は連結し「プティ t」のように発音されている。

選択肢

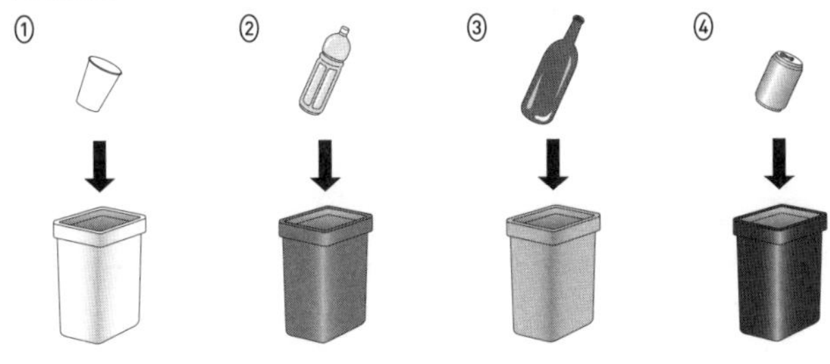

語句　plastic bottle 名 ペットボトル　item 名 品、物

❶イラストでは、「ゴミの種類」が異なっています。❷ paper cup「紙コップ」、plastic bottle「ペットボトル」、glass bottle「ガラス瓶」、can「缶」などを予測しましょう。❸この問題は1回目の音声では、何が問われるのか予測するのが難しいので、質問の Which item is the woman holding? を聞いた後の2回目で解答できればOKです。まず Plastic bottles go in here, and paper cups here. に対して女性が How about this と尋ねていることから、this は女性が持っているゴミを指し、ペットボトルでも紙コップでもないことがわかります。そのため①と②は不正解です。次に女性の Should I put this in here? という問いに対し、No, that one is for glass. と答えています。つまり女性が持っているのはガラスでもありません。よって③が不正解となるので、残った④が正解です。

問10　正解③　問題レベル【易】　配点 4点　　音声スクリプト TRACK D07_04

W①: How about this pair?

M①: No, tying shoelaces takes too much time.

W②: Well, this other style is popular. These are 50% off, too.

M②: Nice! I'll take them.

Question: Which pair of shoes will the man buy?

【訳】女性①：こちらはいかがですか？

男性①：いや、靴ひもを結ぶのは時間がかかり過ぎるから。

女性②：でしたら、こちらの別のスタイルは人気ですよ。しかも50%引きですし。

男性②：いいですね！ それをもらいます。

質問：男性はどの靴を買うか。

音声のポイント

❶ % (percent) off は percent の [t] が脱落し、off と連結し「パーセンノ f」のように発音されている

選択肢

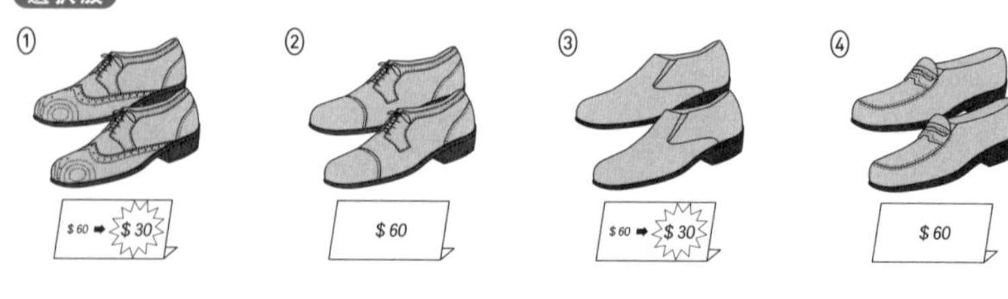

語句 tie ～ 他 ～を結ぶ（tyingは動名詞）　shoelace 名 靴ひも

❶イラストでは、「靴ひもの有無」「装飾の有無」「セール価格かどうか」が異なっています。❷セール価格については ～ off「～引き」や half price「半額」を予測しましょう。❸ tying shoelaces takes too much time から、男性は靴ひもがないものがいいと考えていることがわかります。よって①と②は不正解。女性の These are 50% off に対し、Nice! I'll take them. と答えていることから、男性は50%引きになっているものを選ぶとわかります。よって③が正解です。

問11　正解②　問題レベル【普通】　配点 4点　　音声スクリプト TRACK D07_05

W①: Where shall we meet?
M①: Well, I want to get some food before the game.
W②: And I need to use a locker.
M②: Then, let's meet there.
Question: Where will they meet up before the game?

【訳】女性①：どこで会おうか？
男性①：うーん、僕は試合前に食べ物を買いたいな。
女性②：それに私はロッカーを使う必要がある。
男性②：じゃあ、そこで落ち合おう。
質問：彼らは試合前にどこで落ち合うか。

音声のポイント

❶ shall は「シャゥ」のように発音され、[l] の音は「ゥ」のように聞こえる。
❷ want to は want の [t] が脱落し「ウォントゥ」のように発音されている。
❸ need to は need の [d] が脱落し「ニートゥ」のように発音されている。
❹ meet up は meet の [t] が [d] に変化し、up と連結して「ミーダッ p」のように発音されている。

選択肢

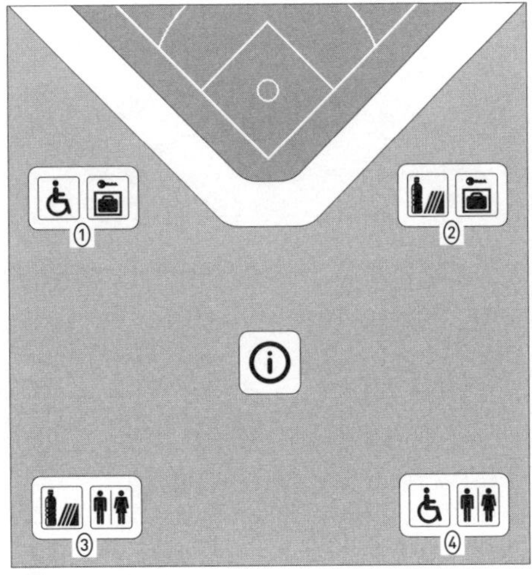

語句　meet up 熟 会う、落ち合う

❶イラストには、車椅子、ロッカー、トイレなどが描かれています。❷ wheelchair「車椅子」、locker「ロッカー」、food「食べ物」、drink「飲み物」、bathroom / toilet「トイレ」などを予測しておきましょう。❸ I want to get some food から、「食べ物」のイラストがある②と③に絞ります。food の [d] が脱落しているためやや聴き取りにくいですが、イラストから予測しておくことで聞き逃しにくくなります。I need to use a locker から、②と③のうち、「ロッカー」のイラストがある②が正解です。

第2問 (配点 16) 音声は2回流れます。

第2問は**問**8から**問**11までの4問です。それぞれの問いについて，対話の場面が日本語で書かれています。対話とそれについての問いを聞き，その答えとして最も適切なものを，四つの選択肢(①～④)のうちから一つずつ選びなさい。

問 8 教科書を見ながら，ゲンジボタルの成長について話をしています。 8

問 9　来週の文化祭で販売するエコバッグのデザインについて話し合っています。 9

①

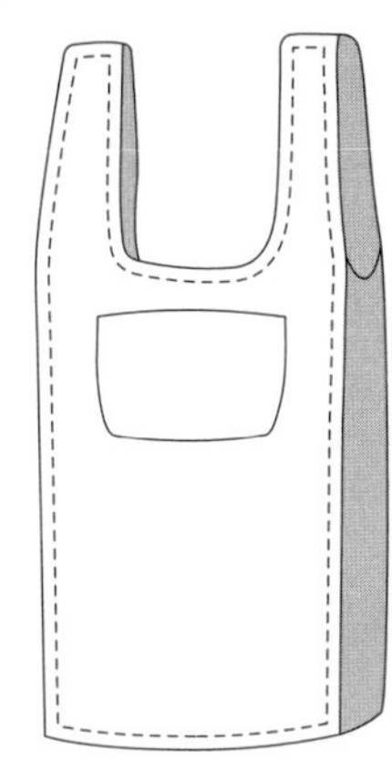

②

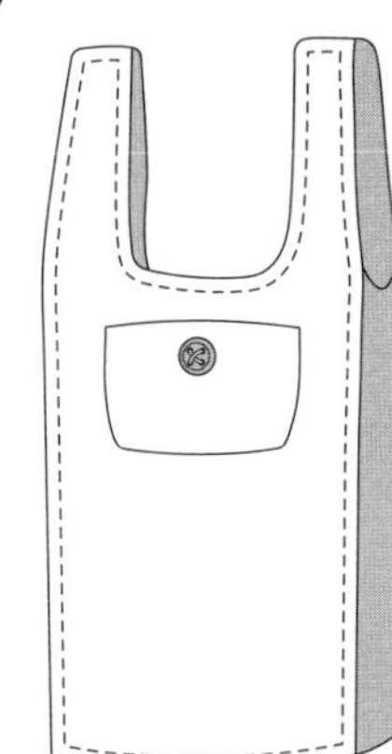

③

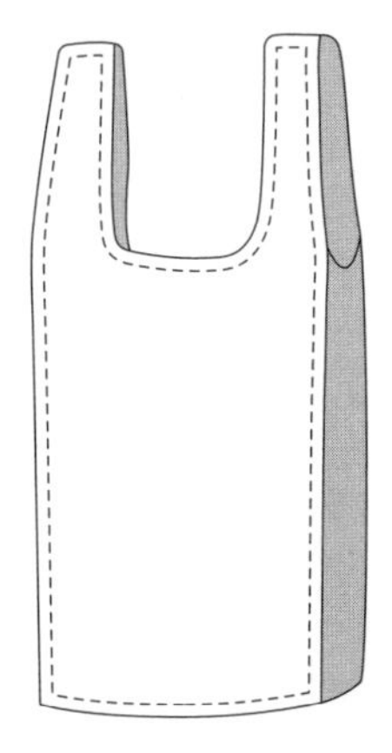

④

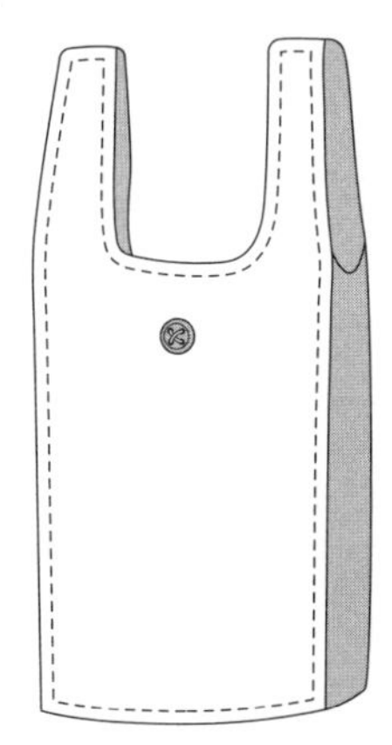

問10　キャンプ場に着いた妹が，携帯電話で兄と話をしています。 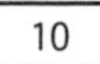

①

②

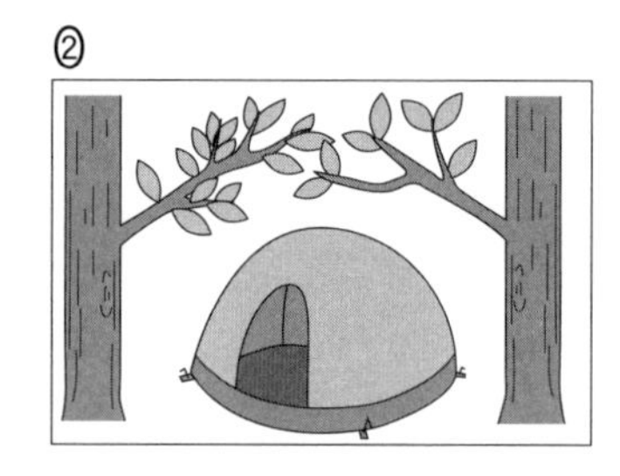

③

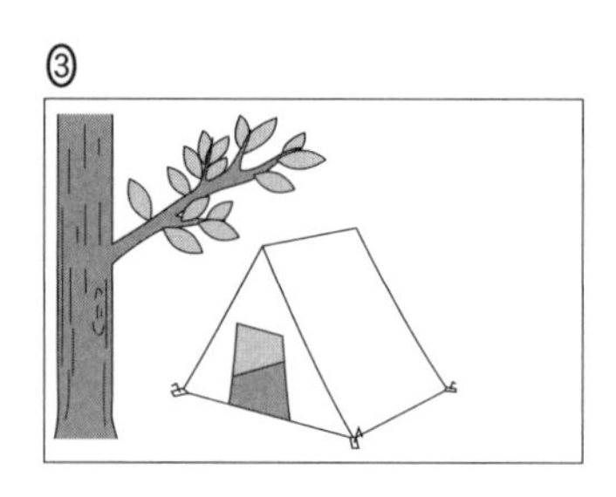

④

問11　フェリー乗り場で，今日の観光の予定を決めています。 11

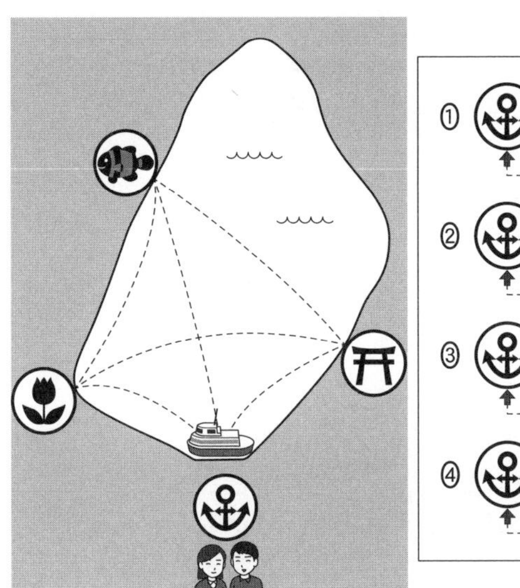

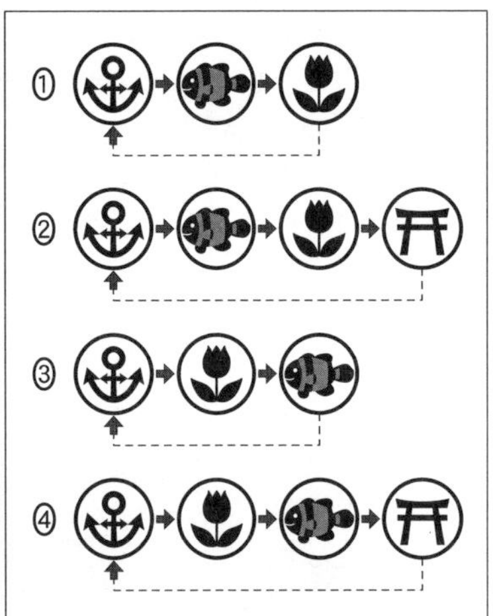

これで第２問は終わりです。

問8 正解③ 問題レベル【普通】 配点 4点 音声スクリプト TRACK D07_08

W①: Fireflies hatch from eggs. And in the next stage, they live underwater.
M①: I know that. But then, they continue developing underground?
W②: Yes. Didn't you know that?
M②: No. Aren't fireflies amazing?
Question: Which stage has the man just learned about?

女性①:ホタルは卵から孵化(ふか)する。そして次の段階では、水中で生活をするの。
男性①:それは知ってる。でもそれから、地中で成長し続けるの?
女性②:そうよ。知らなかったの?
男性②:知らなかった。ホタルってすごいよね。
質問:男性がたった今知ったのはどの段階か。

音声のポイント

❶ Didn't you は [t] の音が変化し、you と連結して「ディドゥンチュー」のように発音されている。

選択肢

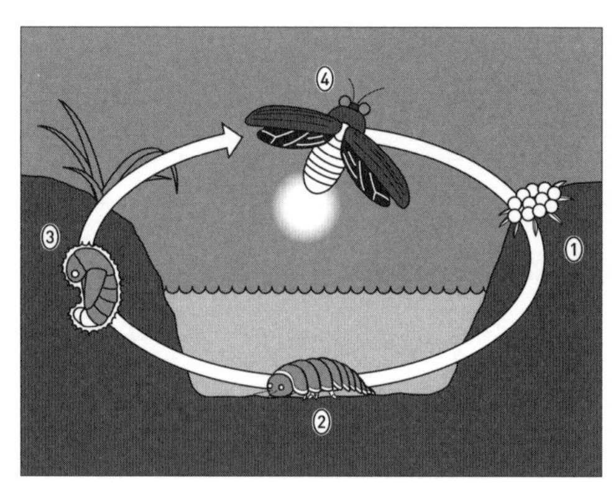

語句
firefly 名 ホタル　stage 名 段階
hatch 自 孵化する　develop 自 成長する

❶イラストを先読み→❷内容を予想する→❸選択肢を絞る

❶イラストと問題文から「ホタルの成長の段階」を選ぶ問題とわかります。❷単語を予測するのは難しいですが、hatch「孵化する」、develop「成長する」など生物学で使われる単語はこの練習問題で覚えておきましょう。❸こういった問題の場合は1回目の音声で質問を確認した後、2回目で質問を意識して聴くようにすればOKです。質問はWhich stage has the man just learned about?「男性がたった今知ったのはどの段階か」なので、男性が「知らなかった」と反応した段階が正解になります。女性のthey live underwaterという発言には、男性はI know that.と答えています。その後男性は教科書を見て、But then, they continue developing underground?と尋ねています。その質問に女性はYes. Didn't you know that?と応じ、男性はNo.と答えています。否定疑問で尋ねているので少しわかりにくくなります

が、Noと答えた場合はI didn't know that.の意味になり、「知らなかった」ことになります。よって、男性がたった今知ったのはcontinue developing underground「地中で成長し続ける」という段階なので、その様子を表す③が正解です。

問9 正解① 問題レベル【普通】 配点4点 音声スクリプト TRACK D07_09

M①: We need to make twenty eco-friendly bags, so a simple design is best.
W①: Is a pocket necessary?
M②: Definitely, but we don't have enough time to add buttons.
W②: So, this design!
Question: Which eco-friendly bag will they make?

男性①：エコバッグを20枚作る必要があるから、シンプルなデザインが一番だな。
女性①：ポケットは必要？
男性②：絶対に必要だけど、ボタンを付けている時間はない。
女性②：じゃあ、このデザインね！
質問：彼らが作るのはどのエコバッグか。

音声のポイント

❶ Definitelyは[t]の音が詰まったような音になり「デフィニッリー」のように発音されている。

選択肢

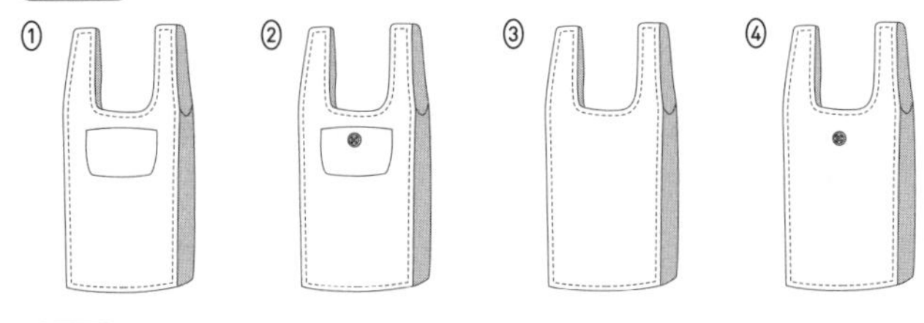

語句 eco-friendly bag 名 環境に優しいバッグ、エコバッグ　definitely 副 絶対に、間違いなく

❶イラストには、「ポケットの有無」「ボタンの有無」といった違いがあります。❷pocket、buttonの前後の表現に注意して聴きましょう。❸女性のIs a pocket necessary?という質問に対し、男性はDefinitelyと答えています。definitelyはこのように質問に対する答えとして使うと「絶対にそうだ（必要だ）」という肯定の意味になります。否定の場合はDefinitely not.となります。Of course.やCertainly.も同じように使われるので覚えておきましょう。ポケットが付いたものが正解となるので①と②に絞れます。次に、we don't have enough time to add buttonsという発言に対し、女性はSo, this design!と答えています。このやり取りから、「ボタンを付けない」ということで合意したと解釈できるので、①と②のうち、ボタンが付いていない①が正解だとわかります。

問10　正解②　問題レベル【易】　配点 4点　　音声スクリプト TRACK D07_10

W①: I'm here. Wow, there are so many different tents. Which one's yours?

M①: Mine's round. Can't you❶ see it?

W②: No. Where is it?

M②: It's between the trees.

Question: Which one is the brother's tent?

【訳】女性①：着いたよ。わあ、いろいろなテントがすごくたくさんある。お兄ちゃんのはどれ？

男性①：僕のは丸いよ。わからないの？

女性②：わからないわ。どこにあるの？

男性②：木と木の間にあるよ。

質問：兄のテントはどれか。

音声のポイント

❶ Can't you は [t] の音が変化し、you と連結し「キャンチュー」のように発音されている。

選択肢

①
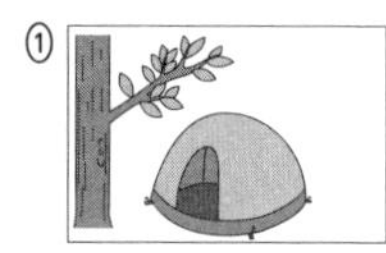

②

③
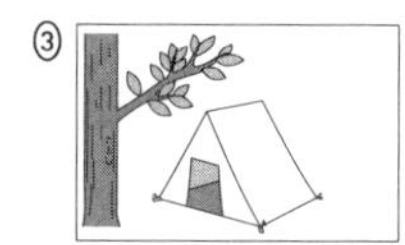

④

❶イラストでは、「テントの形」「木の本数」「木とテントの位置関係」が異なっています。❷ triangle「三角」、round「丸」、位置関係を表す between ～「～の間」などを予測しましょう。❸ Which one's yours? と尋ねられ、Mine's round. と答えていることから、丸いテントの①か②に絞ります。次に男性の発言の It's between the trees. から、①と②のうち、木と木の間にテントがある②が正解です。

問11　正解③　**問題レベル【普通】　配点 4点**　　音声スクリプト TRACK D07_11

M①: We can take the ferry to the garden, then the aquarium.

W①: I want to visit the shrine, too.

M②: But, don't forget, dinner is at six.

W②: OK. Let's go there tomorrow.

Question: Which route will they take today?

【訳】男性①：僕たち、フェリーに乗って庭園と、それから水族館に行けるよ。

女性①：神社にも行きたいな。

男性②：でも、夕食は6時だよ、忘れないでね。

女性②：わかった。そこには明日行きましょう。

質問：彼らは今日、どのルートを使うか。

選択肢

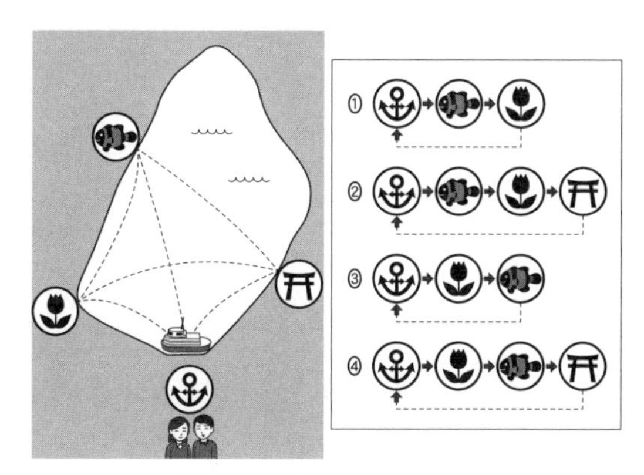

語句　aquarium 名 水族館　shrine 名 神社

❶イラストから、「どの順番で進むか」が問われると考えましょう。特に「花」と「魚」のどちらが先か、「神社」に行くかどうかに注意して聴きましょう。❷flower「花」、garden「庭園」、shrine「神社」、fish「魚」、aquarium「水族館」などが予測できます。❸We can take the **ferry** to the **garden, then** the **aquarium.** から「フェリー」の次は「庭園」、そして「水族館」に行くことがわかります。つまり「花」→「魚」の順になっている③と④に絞れます。次に、女性がI want to visit the **shrine**, too. と言っているので、「神社」に行く④を選びたくなりますが、男性はBut, don't forget, dinner is at six. と言い、「夕食に間に合わなくなるから行けない」ことを伝えています。女性はOK. Let's go there **tomorrow**. と納得しているので、今日は神社には行かないと判断します。よって③が正解です。順番を問う問題での、こういった引っかけのパターンは頻出するので警戒しておきましょう。

DAY

08

【短い対話：イラスト選択問題】を攻略する「識別の型」

イラスト問題の「識別の型」を身に付けましょう。音声の最後まで聴かないと質問がわからないため、1回目で質問を確認し、2回目で質問を意識しながら聴きましょう。発言に対する返答までを含めて条件が確定するため、返答にも注意しましょう。

「識別の型」のステップ

1 「聴き取りの型」を使う

Day 07で解説した「聴き取りの型」を使って取り組みます。

2 「識別」する

音声を聴くのと同時に選択肢を絞っていきます。

第２問 (配点　16)　音声は２回流れます。

第２問は問８から問11までの４問です。それぞれの問いについて，対話の場面が日本語で書かれています。対話とそれについての問いを聞き，その答えとして最も適切なものを，四つの選択肢(①～④)のうちから一つずつ選びなさい。

問８　交番で，迷子になった猫の説明をしています。 8

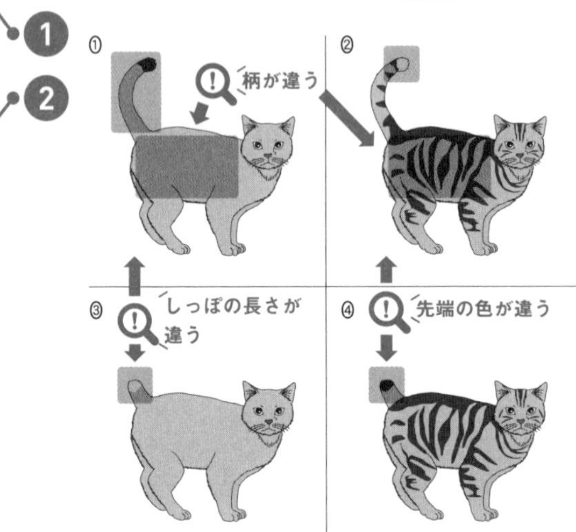

内容 Day 07と同様のイラスト問題です。「日常生活で使われる語彙」や「発言の意図を読み取る力」が要求されます。地図問題では、Day 05で扱った「位置関係の表現」も出てくるのでしっかり正解しましょう。それらは特に使われやすい表現なので、覚えていなかった場合は確実に覚えておきましょう。

※第2問では、問8、9、10、11はイラストがある同じパターンの問題なので、以下の図では問10、11は省略しています。

問 9　女性の子ども時代の写真を見ています。 9

「位置関係」「帽子の有無」「持ち物」に注意して聴く

では、「聴き取りの型」を活かしつつ、「識別の型」を使って、次ページの問題に取り組みましょう！

TRACK D08_01～

第2問 (配点 16) 音声は2回流れます。

第2問は**問**8から**問**11までの4問です。それぞれの問いについて，対話の場面が日本語で書かれています。対話とそれについての問いを聞き，その答えとして最も適切なものを，四つの選択肢(①～④)のうちから一つずつ選びなさい。

問 8 交番で，迷子になった猫の説明をしています。 

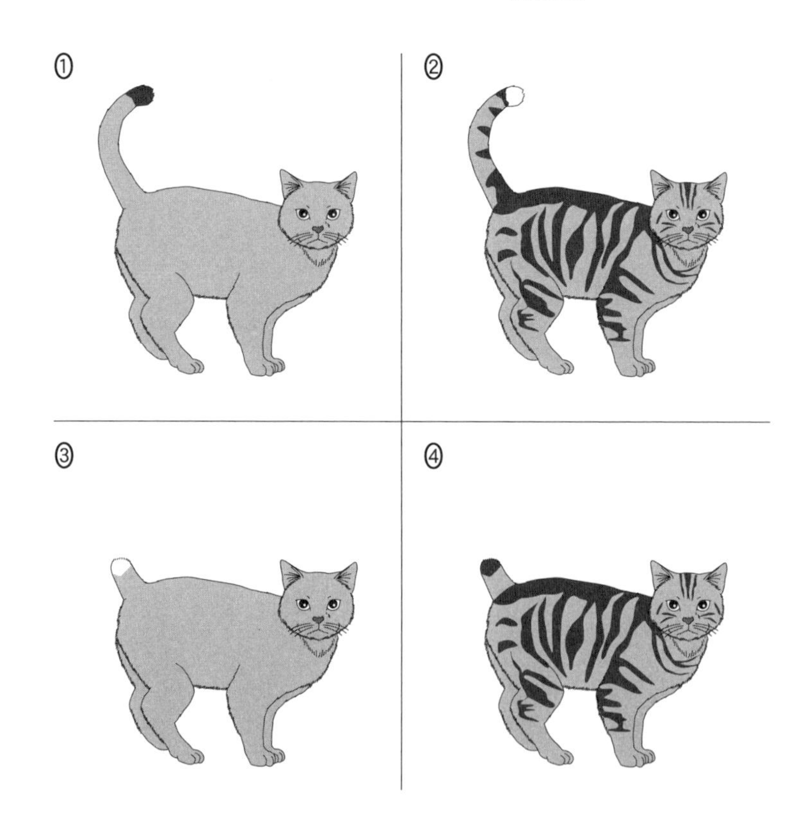

問 9　女性の子ども時代の写真を見ています。 9

問10　母親が，職場から電話をしてきました。 | 10 |

問11　レストランに予約の電話をかけています。 11

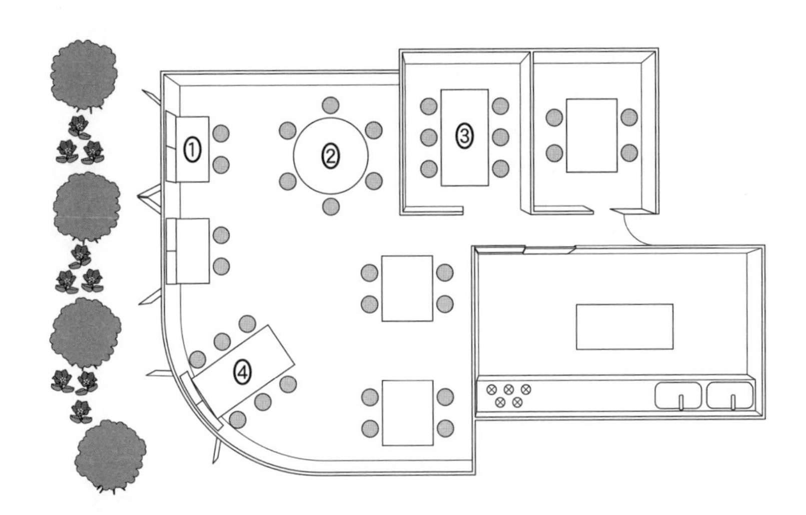

これで第２問は終わりです。

Day 08

問 8　正解②　**問題レベル【易】　配点 4点**　音声スクリプト TRACK D08_02

W①: So, what does your cat look like?

M①: He's gray with black stripes.

W②: Could you describe him in more detail?

M②: He has a long tail. Oh, and its tip is white.

Question: Which is the man's cat?

【訳】女性①：それで、あなたのネコはどのような見た目ですか？

男性①：灰色に黒のしま模様です。

女性②：もっと詳しく説明していただけますか？

男性②：しっぽが長いです。そうだ、その先端は白です。

質問：男性のネコはどれか。

音声のポイント

❶ Could you は [d] の音が連結して変化し、「クッジュ」のように発音されている。

選択肢

語句　in detail 熟 詳しく　tip 名 先、先端

❶聴き取りの型→❷識別する

❶イラストの相違点から「ネコの柄」と「しっぽの長さ」に注意して聴きましょう。tail「しっぽ」は予測可能ですね。❷ He's gray with black stripes. から、灰色で黒のしま模様があるため、②と④に絞れます。He has a long tail. から、しっぽが長い②が正解です。its tip is white は、しっぽの先端が白いことを表しています。3つの特徴のうち2つが聴き取れれば正解が選べる問題でした。

問 9　正解④　問題レベル【易】　配点 4点　　音声スクリプト TRACK D08_03

M①: The girl holding the book looks like you.
W①: Actually, that's my best friend. I'm in the front. ❶
M②: Ah, you're the one with the hat! ❷
W②: That's right!
Question: Which girl in the photo is the woman?

【訳】男性①：本を持っている女の子は君に似ているね。
女性①：実は、それは私の親友なの。私は前列にいるわ。
男性②：ああ、帽子をかぶっている子だね！
女性②：そのとおり！
質問：写真の中のどの女の子がこの女性か。

音声のポイント

❶ front の [t] はやや弱く「フロン t」のように発音されている。

❷ with the の with の th は 弱く発音され「ウィッザ」のように発音されている。

選択肢

❶イラストから「帽子の有無」「持ち物」「位置関係」に注意して聴きましょう。hat「帽子」、stuffed bear / teddy bear「くまのぬいぐるみ」、book「本」などを予測しましょう。❷ The girl holding the book looks like you. と言われ、Actually, that's my best friend. と答えていることから、本を持っている女の子は、話者の女性の親友であることがわかります。**I'm in the front.** と言っていることから話者の女性は前列にいることがわかります。Ah, you're the one **with the hat!** に対し、**That's right!** と答えていることから、女性は前列の帽子をかぶっている女の子であることがわかります。どの女の子がこの女性かという問いであるため、④が正解です。

問10 正解① 問題レベル【易】 配点 4点 音声スクリプト TRACK D08_04

W①: Can you look on my desk for a white envelope?

M①: Is it the large one?

W②: No, it's smaller. Can you check under the computer?

M②: Yes, here it is.

Question: Which envelope does the woman want?

【訳】女性①：机の上の白い封筒を探してくれる？

男性①：大きい封筒？

女性②：いいえ、小さいほう。コンピューターの下もチェックしてくれる？

男性②：うん、ここにあったよ。

質問：女性が欲しいのはどの封筒か。

音声のポイント

❶ white の [t] は脱落し「ワイ」のように発音されている。

選択肢

❶イラストには複数の封筒が描かれています。「封筒の位置・色・大きさ」に注意して聴きましょう。under the computer、under the desk、under the lamp などが予測できるでしょう。❷ Can you look on my desk for a white envelope? に対して Is it the large one? と確認していますが、女性は No, it's smaller. と答えています。この段階でサイズの大きい②と④は不正解と判断しましょう。また、③は黒い封筒であるため不正解です。Can you check under the computer? に対し、Yes, here it is. と答えているため、コンピューターの下にある①が正解です。

問11　正解④　問題レベル【普通】　配点 4点　　音声スクリプト TRACK D08_05

W①: Can I reserve a private room for six people tonight?

M①: Sorry, it's already booked. But we do have two tables available in the main dining room.

W②: Do you have a window table?

M②: We sure do.

Question: Which table will the woman probably reserve?

【訳】女性①：今晩、6人で個室を予約できますか？

男性①：申し訳ありません、もう予約が入っております。しかし、メインのダイニングルームでしたらテーブルの空きが2つございます。

女性②：窓際のテーブルはありますか？

男性②：もちろんございます。

質問：女性が予約すると思われるのはどのテーブルか。

音声のポイント

❶ booked の [t] の音はやや弱く、「ブック t」のように発音されています。

選択肢

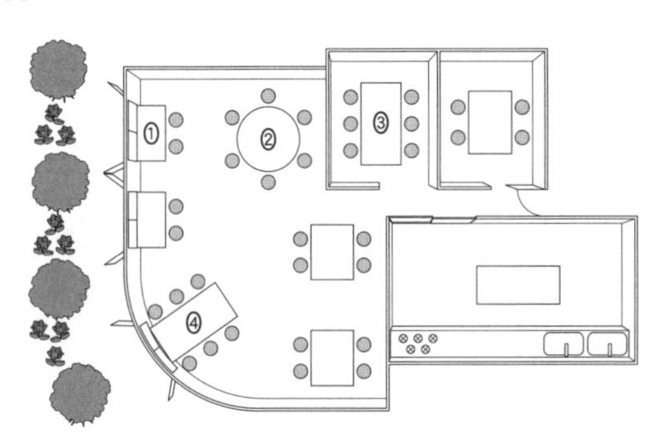

語句 private room 名 個室　book ～ 他 ～を予約する

❶イラストから位置関係や座席数、テーブルの形などが関わる問題だとわかります。by the window「窓の近く」や a window table「窓際の席」、a private room「個室」、square「四角」、round「丸」などを予測しましょう。❷ Can I reserve **a private room for six people** tonight? から、人数は6人で、個室を希望していることがわかります。その後の Sorry, it's already booked. からは、個室は空いていないことがわかるため、③は不正解です。**Do you have a window table?** に対し、**We sure do.** と答えていることから、6人が座れる窓際の席を選べばよいので④が正解です。

第２問 （配点　16） 音声は２回流れます。

第２問は**問８**から**問 11** までの４問です。それぞれの問いについて，対話の場面が日本語で書かれています。対話とそれについての問いを聞き，その答えとして最も適切なものを，四つの選択肢（①～④）のうちから一つずつ選びなさい。

問８　妹と兄が，話をしています。 8

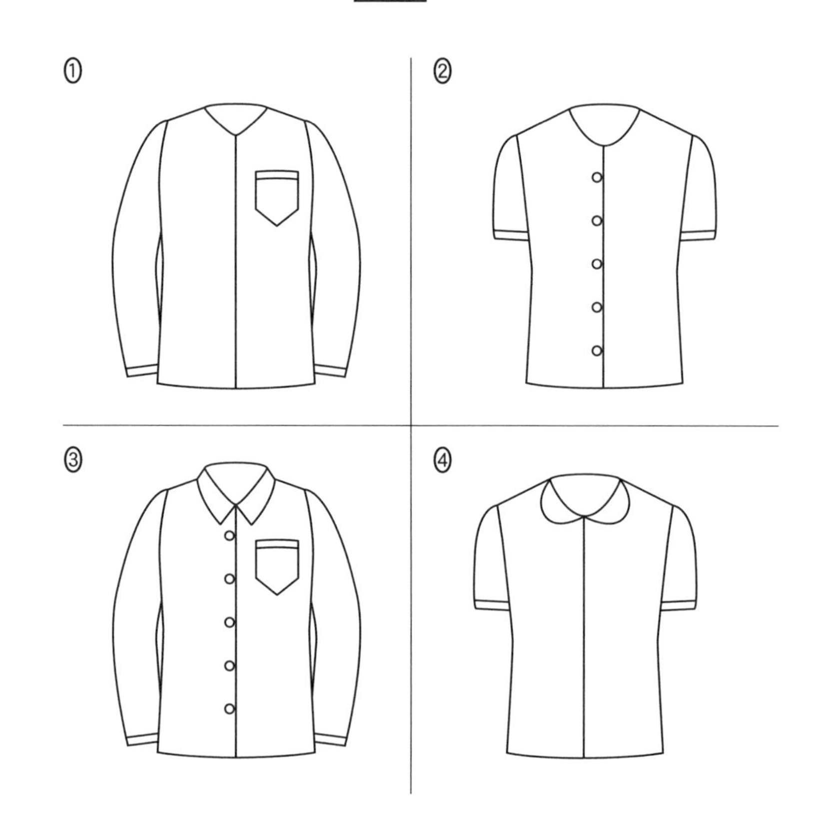

問 9　運動会で 100 m 走が始まります。 9

問10　友達の Yuki について話をしています。 10

①

②

③

④

問11　道に迷った友達と電話で話をしています。 11

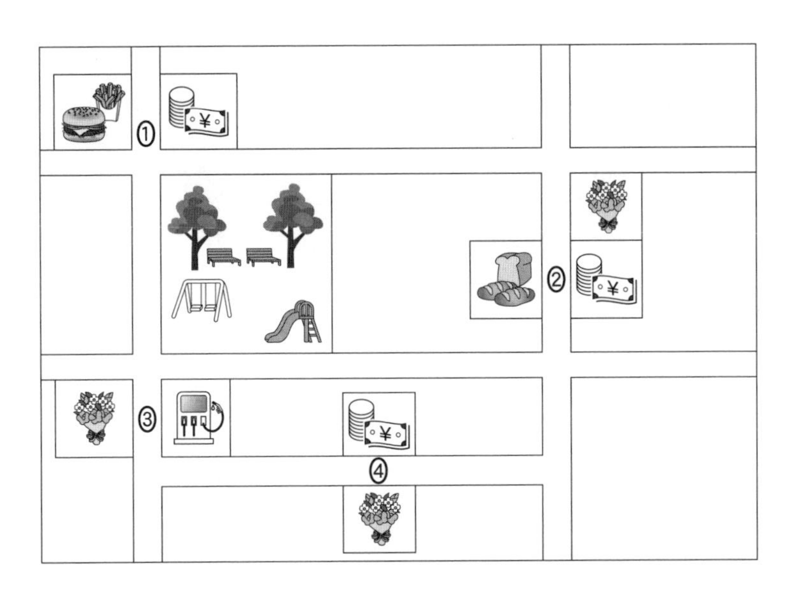

これで第2問は終わりです。

Day 08

問 8　正解③　問題レベル【易】　配点 4点　　音声スクリプト TRACK D08_08

W①: Which shirt goes well with my suit?

M①: You're going to a job interview. Choose one with a collar.

W②: You're right. How about this one with the pocket?

M②: That looks great.

Question: Which shirt will the woman wear?

【訳】女性①：私のスーツに合うのはどのシャツかしら？

男性①：就職面接に行くんだよね。えりのあるものを選ぶといいよ。

女性②：そうね。ポケットの付いたこのシャツはどう？

男性②：とてもよさそうだね。

質問：女性はどのシャツを着るだろうか。

選択肢

①

②

③

④

語句　go well with ～　熟 ～と合う　　collar　名 えり
interview　名 面接

❶聴き取りの型→❷識別する

❶イラストから「長袖か半袖か」「えり・ボタン・ポケットの有無」に注意して聴きましょう。short sleeves「半袖」、long sleeves「長袖」、collar「えり」などが予測可能ですね。❷ Which shirt goes well with my suit? と尋ねられています。go well with ～「～と合う」は頻出表現なので覚えておきましょう。Choose one with a collar. に対し、You're right. と答えているので、③か④のいずれかが正解です。How about this one with the pocket? に対し、That looks great. と答えているので、ポケットがついている③が正解です。

問 9　正解 ④　問題レベル【普通】　配点 4点　　音声スクリプト TRACK D08_09

M①: So, who do you think will win the race?

W①: The boy wearing his cap backwards.

M②: You mean the one with glasses?

W②: No. The boy wearing a white T-shirt.

Question: Who does the woman think will win?

【訳】男性①：じゃあ、君は誰が競走で勝つと思う？

女性①：帽子を後ろ前にかぶっている男の子。

男性②：眼鏡をかけている子のこと？

女性②：いいえ。白いＴシャツを着ている男の子よ。

質問：女性は誰が勝つと思っているか。

選択肢

語句　backwards 副 後ろ向きに、後ろ前に

❶イラストから「帽子の向き」「メガネの有無」「服の色」に注意して聴きましょう。❷ So, who do you think will win the race? に対し、**The boy wearing his cap backwards.** と答えていることから、帽子が後ろ前の②か④のいずれかが正解です。You mean **the one with glasses?** に対しては、**No. The boy wearing a white T-shirt.** と答えているため、メガネをかけておらず、白いＴシャツを着ている④が正解です。

問10　正解③　**問題レベル【やや難】　配点 4点**　　音声スクリプト TRACK D08_10

W①: Yuki hurt her leg playing basketball in the park yesterday.

M①: Did she go to the doctor?

W②: No. She's just resting at home.

M②: So, I guess she won't be at practice today.

Question: What is Yuki doing now?

【訳】女性①：ユキは昨日、公園でバスケットボールをしていて脚をけがしたの。

男性①：お医者さんには行ったの？

女性②：いいえ。家で安静にしているだけ。

男性②：じゃあ、彼女は今日の練習には出ないだろうな。

質問：ユキは今、何をしているか。

音声のポイント

❶ just resting は連結し「ジャストレスティン」のように発音されている。just は聴き逃しやすい単語のため、副詞が来る位置に [j] や [s] の音が聞こえたら just があるかもしれないと思うようにしましょう。

❷ at は弱形で「アッ」のように発音されている。

選択肢

①

②

③

④

❶イラストと説明文から、「ユキの行動」に注意して聴きましょう。何が問われるか予測が立てにくいため、1回目の音声で質問を確認した後、2回目で質問を意識して聴くようにすればOKです。❷質問ではWhat is Yuki doing now?と、「今のユキの行動」が問われています。Yuki hurt her leg playing basketball in the park yesterday.から、ユキがけがしたのは昨日であるため①は不正解です。Did she go to the doctor?にはNo.と答えているため、②も不正解です。次に **She's just resting at home.** と言い、今の行動について触れられています。そのため家で休んでいる様子を描いた③が正解です。just restingが聴き取りにくいですが、She'sから今の話であること、at homeから家にいること、また、次のSo, I guess she won't be at practice today.という発言からも、練習には来ず家にいるであろうことがわかります。

問11　正解④　問題レベル【普通】　配点 4点　　音声スクリプト TRACK D08_11

W①: What can you see there?
M①: Well, there's a bank.
W②: Is there a bakery across from the bank?
M②: No, I don't see one, but there is a flower shop.
Question: Where is the man standing?

【訳】女性①：そこには何が見える？
男性①：ええと、銀行がある。
女性②：その銀行の向かいにパン屋はある？
男性②：いや、それは見当たらないけど、花屋があるよ。
質問：男性はどこに立っているか。

選択肢

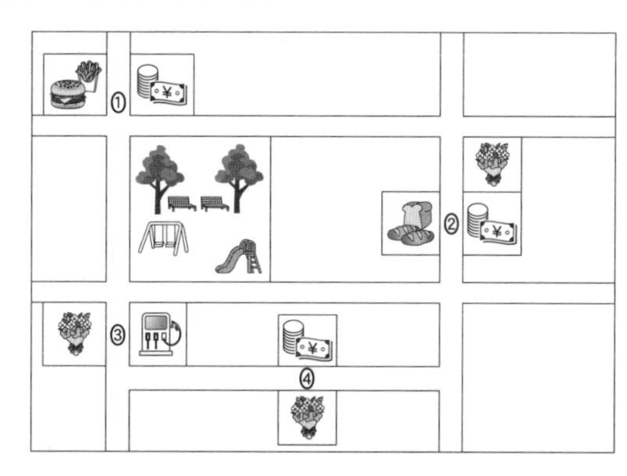

語句　across from ～ 熟 ～の向かいに

❶イラストから、位置関係を問う問題であることがわかります。Day 05（p.60）で扱った「位置関係の表現」や、park「公園」、bank「銀行」、restaurant「レストラン」、bakery「パン屋」、flower shop「花屋」、gas station「ガソリンスタンド」といったイラストが表す場所の名前を想定しておきましょう。❷ What can you see there? と問われ、Well, **there's a bank.** と答えていることから、①、②、④を確認しましょう。Is there a bakery across from the bank? に対し、No, I don't see one, **but there is a flower shop.** と答えていることから、銀行の向かいに花屋がある④が正解となります。across from ～「～の向かいに」は頻出表現ですので覚えておきましょう。

DAY 09

【短い対話:応答問題】を攻略する「聴き取りの型」

第2問とほぼ同じアプローチになりますが、1回しか音声が流れないため、より先読みが重要となります。「どこまで先読みすればいいのか」といった先読みの際の注意点や、定番のシチュエーションを今日で確実にマスターしましょう。

「聴き取りの型」のステップ

1 場面と問いを先読みする

場面説明と問いを必ず読みましょう。第3問から音声が1回のみになるので、選択肢の先読みは余裕があればで OK です。

2 設問の答えを探しながら音声を聴く

会話の内容を予想する必要はないので、問いで問われていることに集中しましょう。

3 選択肢を絞る

音声を聴き、聴き取った内容に相当する選択肢を選びます。

第3問 (配点 18) 音声は1回流れます。

第3問は**問** 12 から**問** 17 までの 6 問です。それぞれの問いについて，対話の場面が日本語で書かれています。対話を聞き，問いの答えとして最も適切なものを，四つの選択肢(①～④)のうちから一つずつ選びなさい。(問いの英文は書かれていません。)

場面と問いは絶対に見る！

問12 地下鉄の駅で，男性が目的地への行き方を質問しています。

Which subway line will the man use first? [12]

「最初に」という点に注意！

① The Blue Line
② The Green Line
③ The Red Line
④ The Yellow Line

問13 夫婦が，夕食について話し合っています。

What will they do? [13]

あいまいな問いは選択肢を先読み！

① Choose a cheaper restaurant
② Eat together at a restaurant
③ Have Indian food delivered
④ Prepare Indian food at home

問14 高校生同士が，授業後に話をしています。

What did the boy do? [14]

① He checked his dictionary in class.
② He left his backpack at his home.
③ He took his backpack to the office.
④ He used his dictionary on the bus.

内容 第3問は、2人の短い会話を聴いて、話の要点を把握し、設問に合う選択肢を選ぶ問題です。今日扱う共通テストの問題では、第2問よりも英文の難易度が上がっています。第3問からは1回しか音声が流れません。2回聴いて解くことに慣れていると、最初に聴く時の集中力が落ちてしまうので、どの問題でも最初の1回で答えを出す練習はしておきましょう。

問15 寮のパーティーで，先輩と新入生が話をしています。

What is true about the new student? 15

① He grew up in England.
② He is just visiting London.
③ He is studying in Germany.
④ He was born in the UK.

問16 同僚同士が話をしています。

What will the man do? 16

① Buy some medicine at the drugstore
② Drop by the clinic on his way home
③ Keep working and take some medicine
④ Take the allergy pills he already has

問17 友人同士が，ペットについて話をしています。

What is the man going to do? 17

① Adopt a cat
② Adopt a dog
③ Buy a cat
④ Buy a dog

選択肢が短いときは全て目を通す

これで第3問は終わりです。

Day 09

では、この「聴き取りの型」を使って、次ページの問題に取り組みましょう！

TRACK D09_01～

第3問 (配点 18) 音声は1回流れます。

第3問は問12から問17までの6問です。それぞれの問いについて，対話の場面が日本語で書かれています。対話を聞き，問いの答えとして最も適切なものを，四つの選択肢(①～④)のうちから一つずつ選びなさい。(問いの英文は書かれています。)

問12 地下鉄の駅で，男性が目的地への行き方を質問しています。

Which subway line will the man use first? 12

① The Blue Line
② The Green Line
③ The Red Line
④ The Yellow Line

問13 夫婦が，夕食について話し合っています。

What will they do? 13

① Choose a cheaper restaurant
② Eat together at a restaurant
③ Have Indian food delivered
④ Prepare Indian food at home

問14 高校生同士が，授業後に話をしています。

What did the boy do? 14

① He checked his dictionary in class.
② He left his backpack at his home.
③ He took his backpack to the office.
④ He used his dictionary on the bus.

問15 寮のパーティーで，先輩と新入生が話をしています。

What is true about the new student? 15

① He grew up in England.
② He is just visiting London.
③ He is studying in Germany.
④ He was born in the UK.

問16 同僚同士が話をしています。

What will the man do? 16

① Buy some medicine at the drugstore
② Drop by the clinic on his way home
③ Keep working and take some medicine
④ Take the allergy pills he already has

問17 友人同士が，ペットについて話をしています。

What is the man going to do? 17

① Adopt a cat
② Adopt a dog
③ Buy a cat
④ Buy a dog

これで第3問は終わりです。

問12 正解② 問題レベル【普通】 配点 3点 音声スクリプト TRACK D09_02

M①: Excuse me. I'd like to go to Central Station. What's the best way to get there?
W①: After you take the Green Line, just transfer to the Blue Line or the Yellow Line at Riverside Station.
M②: Can I also take the Red Line first?
W②: Usually that's faster, but it's closed for maintenance.

【訳】男性①：すみません。セントラル駅に行きたいのですが。そこに行くための一番いい方法は何ですか？
女性①：グリーン線に乗ったら、リバーサイド駅でブルー線かイエロー線に乗り換えるだけでいいですよ。
男性②：レッド線に最初に乗ることもできますか？
女性②：普段ならそのほうが早いのですが、メンテナンスで運休しています。

音声のポイント

❶ to は弱形でかなり短く「タ」のように発音されている。ほぼ [t] の音のみになると思ってよい。

❷ but it's の but は [t] が [d] に変化し、it's と連結し「バディッツ」のように発音されている。

問いと選択肢

Which subway line will the man use first?
「男性は最初にどの地下鉄の路線に乗るか」

① The Blue Line 「ブルー線」
② The Green Line 「グリーン線」
③ The Red Line 「レッド線」
④ The Yellow Line 「イエロー線」

語句 transfer 自 乗り換える　maintenance 名 保守、メンテナンス

❶場面と問いを先読みする→❷設問の答えを探しながら音声を聴く→❸選択肢を絞る

❶問いは、男性が最初にどの地下鉄の路線を使うかです。選択肢は路線の名前になっています。first とあることから、「最初にどの路線に乗るか」に注意して聴きましょう。また選択肢は路線名の「色」のみ異なるものになっています。こういった場合は直接表現されるので言い換えを探す必要はありません。❷ **After you take the Green Line**「グリーン線に乗った後」と言っていることから、この時点では最初に乗るのは「グリーン線」になります。その後、Can I also take the Red Line first?「レッド線に最初に乗ることもできますか？」と尋ねており、first とあるため「レッド線」を候補に入れますが、次の女性の発言に but it's closed for maintenance「しかし、メンテナンスで運休しています」とあります。❸ここまで聴くと、「レッド線」に乗ることはないと判断できるので、「グリーン線」の②が正解です。この問題のように紛らわしい情報が話されるのは共通テストの定番のパターンです。

問13 正解④ 問題レベル【普通】 配点 3点 音声スクリプト TRACK D09_03

M①: Would you like to go out for dinner?
W①: Well, I'm not sure.
M②: What about an Indian restaurant?
W②: You know, I like Indian food, but we shouldn't spend too much money this week.
M③: Then, why don't we just cook it ourselves, instead?
W③: That's a better idea!

【訳】男性①：夕飯を外に食べに行きたい？
女性①：うーん、どうかしら。
男性②：インド料理店はどうだい？
女性②：あのね、インド料理は好きだけど、私たちは今週はあまりお金を使わないほうがいいでしょ。
男性③：じゃあ、代わりに自分たちでインド料理を作っちゃおうか。
女性③：そのほうがいい考えだわ！

音声のポイント

❶ Would you は Would の [d] が変化し、you と連結して「ウッヂュ」のように発音されている。

❷ What about an は What の [t] が [d] に変化、about の [t] が [d] に変化し、連結して「ワダバウダン」のように発音されている。

❸ it ourselves は it の [t] が [d] に変化し、「イダワセル vz」のように発音されている。

問いと選択肢

What will they do? 「彼らはどうするか」
① Choose a cheaper restaurant 「もっと安いレストランを選ぶ」
② Eat together at a restaurant 「一緒にレストランで食べる」
③ Have Indian food delivered 「インド料理を配達してもらう」
④ Prepare Indian food at home 「インド料理を自宅で作る」

語句 prepare ～ 他（食事）を作る

❶問いから「夕食をどうするか」が問われるとわかります。選択肢は相違点が少ないですが、それぞれの英文が短いので余裕があれば「安いレストラン」「一緒にレストラン」「デリバリー」「家で作る」のように簡単に内容を確認しておきましょう。❷ Would you like to go out for dinner? に対し、I'm not sure. と答えています。この段階ではまだ何も確定できません。What about an Indian restaurant? に対し、～ we shouldn't spend too much money と言っていることから「外食はしない」と判断できます。さらに why don't we just cook it ourselves に対し、That's a better idea! と答えていることから、自分たちで料理をすることがわかります。❸選択肢から、「外食はせず、自分たちで料理する」という内容を探すと、④ Prepare Indian food at home が見つかります。

問14　正解④　問題レベル【易】　配点 3点　　音声スクリプト TRACK D09_04

M①: I can't find my dictionary!

W①: When did you use it last? In class?

M②: No, but I took it out of my backpack this morning in the bus to check my homework.

W②: You must have left it there. The driver will take it to the office.

M③: Oh, I'll call the office, then.

【訳】男性①：辞書が見つからない！

女性①：最後に使ったのはいつ？ 授業で？

男性②：ううん、でも今朝、バスの中で、宿題を確認しようとしてバックパックから取り出した。

女性②：きっとそこに置き忘れたのね。運転手さんが事務所に持って行くでしょう。

男性③：そうか、じゃあ事務所に電話しよう。

音声のポイント

❶ can't は [t] が脱落し、「キャン」のように発音される。肯定の can は「クン」のような音になることが多い。

❷ took it out of は、脱落と連結により「トゥッキッアウダv」のように発音されている。

問いと選択肢

What did the boy do? 「男の子は何をしたか」

① He checked his dictionary in class. 「授業で辞書を調べた」
② He left his backpack at his home. 「バックパックを家に置いてきた」
③ He took his backpack to the office. 「バックパックを事務所に持って行った」
④ He used his dictionary on the bus. 「バスの中で辞書を使った」

❶問いと選択肢から「辞書」と「バックパック」をどうしたかに注意します。❷ I can't find my dictionary! から「辞書をなくしたこと」がわかります。それに対し、When did you use it last? In class? と尋ねていますが、No と答えていることから、「授業中には使っていないこと」がわかります。よって①は不正解です。その後 but I took it out of my backpack this morning in the bus to check my homework と言っています。❸つまり「バスの中で辞書を使ったこと」がわかるので、同じ内容となる④ He used his dictionary on the bus. が正解です。

問15 正解④ 問題レベル【易】 配点 3点 音声スクリプト TRACK D09_05

W①: How was your first week of classes?

M①: Good! I'm enjoying university here.

W②: So, are you originally from here? I mean, London?

M②: Yes, but my family moved to Germany after I was born.

W③: Then, you must be fluent in German.

M③: Yes. That's right.

【訳】女性①：授業の最初の週はどうだった？

男性①：順調です！ ここの大学を楽しんでます。

女性②：それで、もともとはここの出身なの？ つまり、ロンドンの？

男性②：そうですけど、僕が生まれた後に家族でドイツに引っ越しました。

女性③：じゃあ、あなたはきっとドイツ語が流ちょうなのね。

男性③：ええ。そうなんです。

問いと選択肢

What is true about the new student? 「新入生に関して正しいことは何か」

① He grew up in England. 「イングランドで育った」

② He is just visiting London. 「ロンドンをただ訪れているところだ」

③ He is studying in Germany. 「ドイツで勉強しているところだ」

④ He was born in the UK. 「英国で生まれた」

語句 originally 副 もともと fluent 形 流ちょうな

❶選択肢の相違点は見つけにくいですが、どの選択肢も短く表現が易しいので「イングランド育ち」「ロンドンを訪れている」「ドイツで勉強中」「英国生まれ」といった内容を確認しておきましょう。❷ So, are you originally from here? I mean, London? という質問に対し、Yes と答えているので、「男性はロンドン生まれ」であることがわかります。❸ロンドンは英国（the UK）にあるため、④が正解です。

Day 09

問16　正解①　**問題レベル【普通】　配点 3点**　　音声スクリプト TRACK D09_06

W①: How are you?

M①: Well, I have a runny nose. I always suffer from allergies❶ in the spring.

W②: Do you have some medicine?

M②: No, but I'll❷ drop by the drugstore on my way home to get my regular allergy pills.

W③: You should leave the office early.

M③: Yes, I think I'll leave now.

【訳】女性①：調子はどう？
男性①：それが、鼻水が出て。春はいつもアレルギーに苦しむんだ。
女性②：薬は持ってる？
男性②：ないけど、家に帰る途中にドラッグストアに寄って、いつものアレルギー薬を買うよ。
女性③：会社を早退したほうがいいわね。
男性③：うん、今から帰ろうと思うよ。

音声のポイント

❶ allergies は「アレルギーズ」ではなく「アラジーz[ælədʒiz]」なので注意する。

❷ but I'll は but の [t] が [d] に変化し、「バドアイゥ」のように発音されている。

問いと選択肢

What will the man do?　「男性は何をするか」

① Buy some medicine at the drugstore　「ドラッグストアで薬を買う」
② Drop by the clinic on his way home　「家に帰る途中に診療所に寄る」
③ Keep working and take some medicine　「働き続けて薬を飲む」
④ Take the allergy pills he already has　「すでに持っているアレルギー薬を飲む」

語句

have a runny nose	熟 鼻水が出る	regular	形 通常の、いつもの
allergy	名 アレルギー	pill	名 錠剤
drop by ～	熟 ～に立ち寄る		

❶選択肢の相違点は見つけにくいので、「薬を買う」「診療所に寄る」「働いて薬を飲む」「持っている薬を飲む」などの内容を確認しておきましょう。❷先読みで「薬」を頭に入れておけばDo you have some medicine? に反応できます。この質問に No, but I'll **drop by the drugstore** on my way home to **get my regular allergy pills**. と答えており、「ドラッグストアに寄って薬を買う」ことがわかります。❸よって、この内容を表した①が正解です。②は drop by という、会話中に出てくる表現を使った引っかけなので注意しましょう。

問17　正解①　問題レベル【易】　配点 3点　音声スクリプト TRACK D09_07

M①: What a cute dog!
W①: Thanks. Do you have a pet?
M②: I'm planning to get a cat.
W②: Do you want to adopt or buy one?
M③: What do you mean by 'adopt'?
W③: Instead of buying one at a petshop, you could give a new home to a rescued pet.
M④: That's a good idea. I'll do that!

【訳】男性①：なんてかわいい犬だ！
女性①：ありがとう。あなたはペットを飼ってるの？
男性②：ネコを手に入れようと思っているんだ。
女性②：引き取りたいの？　それとも買いたいの？
男性③：「引き取る」ってどういう意味？
女性③：ペットショップで買う代わりに、保護されたペットに新しい家を与えることができるのよ。
男性④：それはいい考えだな。そうするよ！

音声のポイント

❶ What a は [t] が [d] に変化して、a と連結し「ワダ」のように発音されている。

❷ one at a は at が弱形で弱く発音され、連結し「ワンナタ」のように発音されている。「ナタ」の部分が弱くなるので注意する。

問いと選択肢

What is the man going to do?「男性はどうするつもりか」

① Adopt a cat「ネコを引き取る」
② Adopt a dog「犬を引き取る」
③ Buy a cat「ネコを買う」
④ Buy a dog「犬を買う」

語句　adopt ～　他 ～を養子に迎える、～を引き取る　　rescue ～　他 ～を救出［救済］する

❶問いと選択肢から、男性が「ネコ」もしくは「犬」を「引き取る」のか「買う」のかに注意して聴きましょう。❷男性の I'm planning to get a cat. から、「犬かネコか」は「ネコ」だとわかります。女性に Do you want to adopt or buy one? と尋ねられ、adopt について質問していますが、最終的に That's a good idea. I'll do that! と言っています。❸よって、男性の行動は adopt「引き取る」となるので、①が正解です。

第3問 (配点 18) 音声は1回流れます。

第3問は**問**12から**問**17までの6問です。それぞれの問いについて，対話の場面が日本語で書かれています。対話を聞き，問いの答えとして最も適切なものを，四つの選択肢(①～④)のうちから一つずつ選びなさい。(問いの英文は書かれています。)

問12 女性が男性と，夏休みの予定について話をしています。

Why does the man want to drive? 12

① He prefers to stop wherever he likes.
② He wants to go directly to the coast.
③ The train goes just part of the way.
④ The train is much more flexible.

問13 郵便局で，女性が質問をしています。

What will the woman do? 13

① Buy the less expensive postage
② Mail the letter on Friday or later
③ Pay the higher price for postage
④ Send the letter by standard delivery

問14 男性が女性と，観たい映画について話をしています。

What did they decide to do? 14

① Choose a movie next week
② Go to a comedy movie today
③ Select a movie this week
④ Watch a horror movie tonight

問15 友人同士が，先週末の出来事について話をしています。

Who did she eat lunch with? 15

① Both her brother and sister
② Everyone in her family
③ Her brother's and sister's children
④ Her two nieces and two nephews

問16 レストランで，夫婦が何を注文するか話をしています。

What is true according to the conversation? 16

① The man will order fish and pie.
② The man will order pasta and cake.
③ The woman will order fish and cake.
④ The woman will order pasta and pie.

問17 道で，男性が同僚の女性に話しかけています。

What will the man do? 17

① Go to the subway with the woman
② Help the woman with one of the bags
③ Take the bags home for the woman
④ Walk with the woman to the bus stop

これで第３問は終わりです。

問12 正解① 問題レベル【易】 配点 3点 音声スクリプト TRACK D09_10

W①: Are you going somewhere this summer?
M①: Yes, I'm going to drive to the coast.
W②: That's quite far. Why don't you take the train, instead?
M②: If I drive, I can park and go sightseeing anywhere along the way.
W③: Isn't driving more expensive?
M③: Well, maybe, but I like the flexibility.

【訳】女性①：この夏はどこかに行くの？
男性①：うん、海岸まで車で行くつもりだよ。
女性②：それはかなり遠いわね。代わりに電車に乗ったら？
男性②：運転したら、途中で、どこでも車をとめて観光できるからね。
女性③：運転するほうが高くつくんじゃない？
男性③：まあ、そうかもね、でも融通の利くところが好きなんだ。

音声のポイント

❶ to は弱形で弱く「タ」のように発音されている。

問いと選択肢

Why does the man want to drive? 「男性が運転したいのはなぜか」
① He prefers to stop wherever he likes. 「どこでも好きな所に止まるほうを好むから」
② He wants to go directly to the coast. 「海岸まで直接行きたいから」
③ The train goes just part of the way. 「電車は途中までしか行かないから」
④ The train is much more flexible. 「電車のほうがずっと融通が利くから」

語句
sightseeing 名 観光
along the way 熟 道中、行く途中
flexibility 名 柔軟性、融通が利くこと
flexible 形 柔軟な、融通が利く

❶場面と問いを先読みする→❷設問の答えを探しながら音声を聴く→❸選択肢を絞る

❶問いから、「男性が運転したい理由」に注意して聴きましょう。drive はこの場合「車を運転する」という意味なので、電車のほうがよいという内容になっている④はこの段階で不正解だとわかります。❷男性の If I drive, I can park and go sightseeing anywhere along the way. から、「どこでも駐車して観光できること」が理由だとわかります。❸「どこでも駐車する」という内容を含む① He prefers to stop wherever he likes. が正解です。anywhere が wherever に言い換えられるのは定番のパターンなので覚えておきましょう。

問13　正解③　問題レベル【普通】　配点 3点　　音声スクリプト TRACK D09_11

W①: How much does it cost to send this letter to London?

M①: Hmm. Let me check. That's about £2 for standard delivery, or about £8 for special delivery. Which do you prefer?

W②: I really want it to arrive by Friday.

M②: With special delivery, it will.

W③: I'll do that then.

【訳】女性①：この手紙をロンドンまで送るのにいくらかかりますか。

男性①：うーん。お調べします。普通便で約２ポンドか、速達便で約８ポンドです。どちらがいいですか。

女性②：どうしても金曜日までに届いてほしいんです。

男性②：速達便だと、届くでしょうね。

女性③：では、そうします。

問いと選択肢

What will the woman do?　「女性はどうするか」

① Buy the less expensive postage　「高くないほうの郵便料金を払う」

② Mail the letter on Friday or later　「金曜日かそれ以降に手紙を郵送する」

③ Pay the higher price for postage　「高いほうの郵便料金を払う」

④ Send the letter by standard delivery　「普通便で手紙を送る」

語句　standard delivery 名 普通便　　postage 名 郵便料金
special delivery 名 速達便

❶問いから、「女性の行動」に注意して聴きましょう。選択肢から、postage「郵便料金」や「配達の方法」などに注意しましょう。❷ That's about £2 for standard delivery, or about £8 for special delivery. Which do you prefer? という発言で「普通便と速達便のどちらがよいか」と尋ねられています。女性の「金曜日までに届けたい」という発言に対し、With special delivery, it will. と答えていることから「速達便であれば間に合う」ことがわかります。そして、女性は I'll do that then. と言い「速達便」を選んでいます。❸①は less expensive とありますが、「速達便」のほうが高いので不正解です。②は on Friday or later が「金曜日に間に合わせたい」という内容に矛盾するので不正解です。③は「速達便のほうが高い」という内容が Pay the higher price に言い換えられているので正解となります。④は by standard delivery が「速達便」を選ぶことに矛盾するため不正解です。

問14　正解① 問題レベル【易】 配点 3点　音声スクリプト TRACK D09_12

M①: Would you like to see a movie next week?

W①: Sure, but what kind of movie?

M②: I'd like to watch a horror movie.

W②: Well, I don't see one scheduled, but there's a comedy currently showing.

M③: I really don't like comedies. Maybe we can check the schedule again next week.

W③: Sure, let's do that.

【訳】男性①：来週、映画を見に行かない？

女性①：いいわよ、でもどんな種類の映画？

男性②：僕はホラー映画を見たいな。

女性②：うーん、上映が予定されているホラー映画はないわね。でも現在上映されているコメディーならあるけど。

男性③：僕はコメディーは本当に好きじゃないんだ。来週また予定表をチェックしてもいいかもね。

女性③：そうね、そうしましょう。

音声のポイント

❶ Would you は変化と連結により「ウッヂュー」のように発音されている。

問いと選択肢

What did they decide to do?　「彼らはどうすることに決めたか」

① Choose a movie next week　「来週、映画を選ぶ」

② Go to a comedy movie today　「今日、コメディー映画に行く」

③ Select a movie this week　「今週、映画を選ぶ」

④ Watch a horror movie tonight　「今夜、ホラー映画を見る」

語句　schedule ～ 他 ～を予定する　show 自 上映［上演］される

currently 副 現在

❶問いと選択肢から、「いつ、どの映画を見るか」もしくは「いつ映画を選ぶのか」に注意して聴きましょう。❷途中、ホラーやコメディーのジャンルについて話していますが、決定はしていません。最終的に Maybe we can check the schedule again next week. と言い、Sure, let's do that. と答えているので、「来週スケジュールを確認すること」がわかります。❸「来週スケジュールを確認」という内容を探すと、① Choose a movie next week という表現が見つかり、①が正解となります。

問15 正解③　問題レベル【普通】　配点 3点　　音声スクリプト TRACK D09_13

M①: What did you do last weekend?

W①: I took all my nieces and nephews to lunch.

M②: Really? How many do you have?

W②: Well, my sister has two boys, and my brother has three girls.

M③: That sounds like a nice family gathering.

W③: Yes, we had a really good time together.

【訳】男性①：先週末は何をしたの？

女性①：私のめいとおいを全員ランチに連れて行ったのよ。

男性②：本当に？　何人いるの？

女性②：ええと、姉には息子が２人いて、兄には娘が３人いるの。

男性③：それは楽しい家族の集まりのようだね。

女性③：ええ、一緒にとても楽しい時間を過ごしたわ。

問いと選択肢

Who did she eat lunch with? 「彼女は誰と一緒にランチを食べたか」

① Both her brother and sister 「兄と姉の両方」

② Everyone in her family 「家族全員」

③ Her brother's and sister's children 「兄と姉の子どもたち」

④ Her two nieces and two nephews 「めい２人とおい２人」

語句　niece 名 めい　gathering 名 集まり
nephew 名 おい

❶問いは「女性が誰とランチを食べたか」です。選択肢は全て「家族の誰か」になっていることを確認しておきましょう。❷ I took all my nieces and nephews to lunch. という発言から「めいたち」と「おいたち」とランチに行ったことがわかります。複数形であることに注意しましょう。次に How many do you have? と尋ねられ、my sister has two boys, and my brother has three girls と答えています。「姉の息子２人」と「兄の娘３人」とランチに行っています。❸選択肢から近い内容を探すと、Her brother's and sister's children とあり、③が正解となります。④がやや紛らわしいですが、「めい」は３人なので不正解です。

Day 09

問16 正解② 問題レベル【やや難】 配点 3点 音声スクリプト TRACK D09_14

M①: I think I'll have the pasta.
W①: The fish looks nice. I'll order that.
M②: What about for dessert?
W②: Both the pie and the cake look delicious.
M③: Well, why don't we each order different ones? Then we can share.
W③: OK, I'll order the pie and you can order the cake.
M④: Sure, that's fine.

【訳】男性①：僕はパスタを食べようと思う。
女性①：魚がおいしそう。私はそれを注文するわ。
男性②：デザートはどうする？
女性②：パイもケーキもどっちもおいしそうね。
男性③：じゃあ、僕たちそれぞれ別のものを注文しない？　そうすればシェアできるよ。
女性③：わかった、私はパイを頼むから、あなたはケーキを頼んでね。
男性④：いいよ、それでいい。

問いと選択肢

What is true according to the conversation? 「会話によると、正しいのはどれか」
① The man will order fish and pie. 「男性は魚とパイを注文する」
② The man will order pasta and cake. 「男性はパスタとケーキを注文する」
③ The woman will order fish and cake. 「女性は魚とケーキを注文する」
④ The woman will order pasta and pie. 「女性はパスタとパイを注文する」

❶選択肢から「男性もしくは女性が何を注文するか」に注意して聴きましょう。❷ I think I'll have the pasta. から、まず「男性はパスタを頼むこと」がわかります。次に女性の The fish looks nice. I'll order that. から「女性は魚を頼むこと」がわかります。次にデザートをシェアすると話していますが、女性の I'll order the pie and you can order the cake. から「女性はパイ、男性はケーキを頼むこと」がわかります。❸選択肢から当てはまるものを探すと、②が正解となります。

問17 正解② 問題レベル【やや難】 配点 3点 音声スクリプト TRACK D09_15

M①: Hi, Monica, would you like some help?
W①: Ah, thank you. Could you take one of these bags?
M②: Sure, are you going to the subway?
W②: No, I'm going to take them home in my car. I've parked just around the corner.
M③: That's fine. Actually, it's on my way. That's just before my bus stop.

【訳】男性①：こんにちは、モニカ、手伝おうか？
女性①：あら、ありがとう。ここにあるバッグを一つ持って行ってくれるかしら？
男性②：いいよ、地下鉄まで行くところなの？
女性②：いいえ、車に積んで家まで持って帰るつもりなの。ちょうどそこの角を曲がったところに駐車しているのよ。
男性③：それはいい。実は、僕の通り道だよ。僕が使うバス停のちょうど手前だ。

音声のポイント

❶ would you は変化と連結により、「ウッヂュー」のように発音されている。
❷ Could you は変化と連結により、「クッヂュー」のように発音されている。
❸ one of は連結して「ワノブ」のように発音されている。
❹ I've の [v] の音は、口の形を作るだけではっきり発音しないので注意する。
❺ Actually は「アクチュアリー」より「アクチャリー」に近い音で発音される。

問いと選択肢

What will the man do? 「男性はどうするか」
① Go to the subway with the woman 「女性と一緒に地下鉄に行く」
② Help the woman with one of the bags 「女性のバッグを一つ持ってあげる」
③ Take the bags home for the woman 「女性のためにバッグを家まで持って行く」
④ Walk with the woman to the bus stop 「バス停まで女性と一緒に歩く」

❶問いから「男性のこれからの行動」に注意しましょう。選択肢は全て女性が関わることが共通していますが、やや相違点がつかみにくいです。可能であれば内容を簡単に確認しておきましょう。❷女性に Could you take one of these bags? と頼まれ Sure と答えていることから、男性は女性の荷物を持つことがわかります。男性は are you going to the subway? と尋ねますが、女性は No, I'm going to take them home in my car. と答えており、「地下鉄には乗らず、車に乗ること」がわかります。そして男性が Actually, it's on my way. That's just before my bus stop. と言っていることから「男性は荷物を持って女性の車がとめてある場所まで女性について行くこと」がわかります。❸選択肢から「車のところまで荷物を持って行く」という内容を探すと、Help the woman with one of the bags が見つかり、②が正解となります。①は、地下鉄には乗らないので不正解です。③は、「家まで」ではなく「車のところまで」なので不正解です。④は、「バス停まで」ではなく「車のところまで」なので不正解です。

Day 09

DAY 10

【短い対話：応答問題】を攻略する「言い換えの型」

今日のテーマは「言い換え」です。2023年同様、2024年の第3問も全体的に易しいです。ここでの演習は全問正解を目指しましょう。2025年は難化の可能性もありますが、基本的な解き方は変わらないはずなので、パターンをしっかりつかみましょう。

「言い換えの型」のステップ

❶ Day 09で学んだ「聴き取りの型」を使う

Day 09と同様、場面と問い、余裕があれば選択肢を先読みしましょう。

❷ 言い換えを探す

流れた音声と選択肢を比較し、言い換えられている箇所を探し正解を選びます。

第3問 (配点 18) 音声は1回流れます。

第3問は**問**12から**問**17までの6問です。それぞれの問いについて，対話の場面が日本語で書かれています。対話を聞き，問いの答えとして最も適切なものを，四つの選択肢（①～④）のうちから一つずつ選びなさい。（問いの英文は書かれていません。）

問12 カフェのカウンターで，店員と客が話をしています。

What will the man do this time? [12]

① Ask for a discount
② Pay the full price
③ Purchase a new cup
④ Use his personal cup

「今回は」に注意
「前回」、「次回」があるということ

問13 男性と女性が，楽器について話をしています。

What is the man going to do? [13]

① Begin taking piano lessons
② Buy an electronic keyboard
③ Consider getting another piano
④ Replace the headphones for his keyboard

問14 友人同士が，買い物について話をしています。

What will the woman do? [14]

① Buy a jacket at her favorite store
② Go to a used-clothing store today
③ Shop for second-hand clothes next week
④ Take her friend to a bargain sale

内容 Day 09と同様の第３問の形式です。易しい問題が多いですが、行動の順序を聴きながら整理する必要がある問題が含まれています。そういった問題では定番の言い換えがあるので、ここでしっかり覚えましょう。

問15 荷造りをしている二人が，話をしています。

What is the woman doing now? 15

① Getting things ready in the bedroom
② Helping the man finish in the bedroom
③ Moving everything into the living room
④ Packing all the items in the living room

問16 男性が，友人の女性と明日の予定について話をしています。

What will the man do tomorrow? 16

① Learn to ride a farm horse
② Ride horses with his friend
③ Take pictures of his friend
④ Visit his grandfather's farm

問17 高校生同士が，理科の宿題について話をしています。

What did the boy do? 17

① He finished writing a science report.
② He put off writing a science report.
③ He read two pages from the textbook.
④ He spent a long time reading the textbook.

これで第３問は終わりです。

では､｢聴き取りの型｣を活かしつつ､｢言い換えの型｣を使って､次ページの問題に取り組みましょう！

Day 10

第3問 (配点 18) 音声は1回流れます。

第3問は**問**12から**問**17までの6問です。それぞれの問いについて，対話の場面が日本語で書かれています。対話を聞き，問いの答えとして最も適切なものを，四つの選択肢(①～④)のうちから一つずつ選びなさい。(問いの英文は書かれています。)

問12 カフェのカウンターで，店員と客が話をしています。

What will the man do this time? [12]

① Ask for a discount
② Pay the full price
③ Purchase a new cup
④ Use his personal cup

問13 男性と女性が，楽器について話をしています。

What is the man going to do? [13]

① Begin taking piano lessons
② Buy an electronic keyboard
③ Consider getting another piano
④ Replace the headphones for his keyboard

問14 友人同士が，買い物について話をしています。

What will the woman do? [14]

① Buy a jacket at her favorite store
② Go to a used-clothing store today
③ Shop for second-hand clothes next week
④ Take her friend to a bargain sale

問15　荷造りをしている二人が，話をしています。

What is the woman doing now? 15

① Getting things ready in the bedroom
② Helping the man finish in the bedroom
③ Moving everything into the living room
④ Packing all the items in the living room

問16　男性が，友人の女性と明日の予定について話をしています。

What will the man do tomorrow? 16

① Learn to ride a farm horse
② Ride horses with his friend
③ Take pictures of his friend
④ Visit his grandfather's farm

問17　高校生同士が，理科の宿題について話をしています。

What did the boy do? 17

① He finished writing a science report.
② He put off writing a science report.
③ He read two pages from the textbook.
④ He spent a long time reading the textbook.

これで第３問は終わりです。

問12 正解② 問題レベル【普通】 配点 3点 音声スクリプト TRACK D10_02

M①: I'll have a large cup of hot tea.

W①: Certainly. That'll be ¥400, but **you can get a ¥30 discount if you have your own cup.**

M②: Really? I didn't know that! **I don't have one today**, but I'll bring one next time.

W②: OK, great. Anything else?

M③: No, thank you.

【訳】男性①：ホットの紅茶をラージサイズのカップでお願いします。

女性①：かしこまりました。400円になりますが、**ご自分のカップをお持ちでしたら30円の値引きが受けられます**。

男性②：本当に？ それは知らなかった！ **今日はカップを持っていない**けど、次は持ってきます。

女性②：はい、それがいいですね。他にご注文は？

男性③：いえ、大丈夫です。

音声のポイント

❶ Certainlyの[t]の音は飲み込まれたように「サーンリィ」のように発音されている。

❷ get aの[t]の音は[d]に変化し、連結して「ゲダ」のように発音されている。

❸ 30 (thirty) は[t]の音が[d]に変化し、「サーディ」のように発音されている。

問いと選択肢

What will the man do this time? 「男性は今回どうするか」

① Ask for a discount 「値引きを頼む」

② Pay the full price 「全額支払う」

③ Purchase a new cup 「新しいカップを購入する」

④ Use his personal cup 「自分用のカップを使う」

語句 purchase ～ 他 ～を購入する personal 形 個人所有の

❶聴き取りの型→❷言い換えを探す

❶問いのthis time「今回は」に注目しましょう。過去や未来の話もされることが予想できます。選択肢は短いですが、あまり相違点はないのでザッと内容を確認し、価格やカップの話が出ると想定しておきましょう。❷ That'll be ¥400, but you can get a ¥30 discount if **you have your own cup.** から、価格については、自分のカップを持っていれば値下げがあることが述べられています。しかしそれに対して Really? I didn't know that! **I don't have one today**, but I'll bring one next time. と言っていることから、今回は値引きは利用せず、元の値段を払うことがわかります。よって②が正解です。

問13　正解②　問題レベル【普通】　配点 3点　　音声スクリプト TRACK D10_03

M①: I'm thinking about buying a piano. I've really been enjoying my piano lessons.
W①: That's great!
M②: But I don't want to disturb my neighbors when I practice at home.
W②: How about getting an electronic keyboard? You can control the volume of the music or even use headphones.
M③: That's a good idea! I'll get that instead!

【訳】男性①：ピアノを買おうかと考えているんだ。ピアノのレッスンをとても楽しんでいるから。
女性①：それはいいわね！
男性②：だけど、自宅で練習する時に、近所に迷惑をかけたくないな。
女性②：電子キーボードを買ったらどう？　音楽のボリュームを調節できるし、ヘッドフォンを使うことだってできるわよ。
男性③：それはいい考えだ！　ピアノの代わりにそれを買おう！

音声のポイント

❶ But I は [t] の音が [d] に変化し、「バダイ」のように発音されている。
❷ getting は [t] の音が [d] に変化し、「ゲッディン」のように発音されている。

問いと選択肢

What is the man going to do? 「男性はどうするつもりか」
① Begin taking piano lessons 「ピアノのレッスンを受け始める」
② Buy an electronic keyboard 「電子キーボードを買う」
③ Consider getting another piano 「もう一台ピアノを買うことを検討する」
④ Replace the headphones for his keyboard
「キーボード用のヘッドフォンを買い換える」

語句
disturb ～ 他 ～の邪魔をする、～に迷惑をかける
neighbor 名 近所の人
volume 名 音量
replace ～ 他 ～を取り換える

❶問いから「男性のこれからの行動」が問われるとわかります。選択肢は相違点が少ないですが、それぞれの英文が短いので余裕があれば「ピアノのレッスン」「キーボード」「別のピアノ」「ヘッドフォン」のように簡単に内容を確認しておきましょう。❷最初の発言で I'm thinking about buying a piano. とあります。この段階では③が正解になりそうですが、前半で答えが決まることは基本的にないので、この内容は変わると考えながら続きを聴きましょう。男性は次に But I don't want to disturb my neighbors when I practice at home. と言い、ピアノを弾くことで近所に迷惑をかけてしまうことを心配しています。それに対し、女性は **How about getting an electronic keyboard?** You can control the volume of the music or even use headphones. と言って、電子キーボードを買い、音量を調整したりヘッドフォンを使ったりすることを提案しています。男性は **That's a good idea! I'll get that instead!** と答えていることから、ピアノではなくキーボードを買うことがわかります。よって②が正解です。

問14 正解② 問題レベル【普通】 配点 3点 音声スクリプト TRACK D10_04

W①: I'd like to buy a jacket this afternoon.

M①: Have you ever been to a second-hand shop?

W②: No...

M②: I went to one last week. You have to look around, but you can find some good bargains.

W③: That sounds like an adventure! Can you take me now?

M③: Sure, let's go!

【訳】女性①：今日の午後はジャケットを買いたいな。
男性①：古着屋には行ったことがある？
女性②：いいえ……。
男性②：僕は先週、行ったんだ。見て回らないといけないけど、いい掘り出し物を見つけられるよ。
女性③：冒険のようだわ！ 今から連れて行ってくれる？
男性③：いいよ、行こう！

音声のポイント

イギリス英語ですが全体的にハッキリ発音されているので聴き取りやすいです。

問いと選択肢

What will the woman do?「女性は何をするか」

① Buy a jacket at her favorite store「お気に入りの店でジャケットを買う」
② Go to a used-clothing store today「今日、古着屋に行く」
③ Shop for second-hand clothes next week「来週、古着を買いに行く」
④ Take her friend to a bargain sale「友人をバーゲンセールに連れて行く」

語句

second-hand	形 中古の	used-clothing	形 古着の
bargain	名 掘り出し物、お買い得品	shop for ～	熟 ～を買いに行く

❶問いと選択肢から、洋服を買いに行くことがわかります。余裕があれば各選択肢が「お気に入りの店でジャケットを買う」「今日、古着屋に行く」「来週、古着屋に行く」「友達をバーゲンに連れて行く」という内容であることを確認しましょう。❷ I'd like to buy a jacket this afternoon. から、女性はジャケットを買いたいことがわかります。さらに、Have you ever been to a second-hand shop? と、古着屋に行ったことがあるか男性に尋ねられて、No と答えています。男性は I went to one last week. You have to look around, but you can find some good bargains. と、古着屋をオススメしており、女性はそれに対し、That sounds like an adventure! Can you take me now? と、連れて行ってくれるように頼んでいます。さらに、Sure, let's go! から、今から古着屋に行くことがわかるため、②が正解です。

問15 正解④ 問題レベル【普通】 配点 3点 音声スクリプト TRACK D10_05

W①: The moving company is coming soon.

M①: I thought that was later this afternoon.

W②: No, they'll be here in an hour. I'm putting everything here in the living room into boxes. Can you help me?

M②: OK, I'll just finish packing up the bedroom first.

W③: All right, I'll keep working in here then.

【訳】女性①：引っ越し業者がもうすぐ来るよ。

男性①：今日の午後もっと遅くだと思ってた。

女性②：いいえ、あと1時間で来るのよ。私はこのリビングにある物全部を箱に詰めているところなんだ。あなたも手伝ってくれる？

男性②：いいよ、僕はまず寝室の荷造りを済ませてしまおう。

女性③：わかった、じゃあ私はここで作業を続けるわ。

音声のポイント

❶ in an は連結し「イナン」のように発音されている。

❷ packing up は脱落と連結により「パキンナッ p」のように発音されている。

問いと選択肢

What is the woman doing now? 「女性は今、何をしているか」

① Getting things ready in the bedroom 「寝室で準備をしている」

② Helping the man finish in the bedroom
「寝室で男性が仕事を終えるのを手伝っている」

③ Moving everything into the living room 「全部の物をリビングに移動している」

④ Packing all the items in the living room
「リビングにある物を全部荷造りしている」

語句 moving company 名 引っ越し業者（moveは「引っ越す」） pack up ～（＝pack ～） 熟 ～を荷造りする

❶問いと選択肢から、引っ越しの話だとわかります。「寝室」、「リビング」は選択肢の中で共通しています。余裕があれば選択肢の「準備をする」「男性を手伝う」「リビングにすべてを移動する」「リビングのすべての物を箱に詰める」といった内容を確認しましょう。❷女性の発言に **I'm putting everything here in the living room into boxes.** とあり、今はリビングですべての物を箱に入れていることがわかります。この時点では④が正解となりますが、念のため最後まで聴きましょう。最後の女性の発言 All right, I'll keep working in here then. でも、ここ（リビング）で作業を続けると言っているため、やはり④が正解です。

Day 10

問16　正解③　問題レベル【易】　配点 3点　　音声スクリプト TRACK D10_06

M①: What will you do tomorrow?

W①: I'll visit my grandfather's horse farm. I'll go riding and then take a hike. Would you like to come?

M②: Sure, but I'll just take photos of you riding. I'm afraid of horses.

W②: Well, OK. After that, we can go hiking together.

M③: That sounds nice!

【訳】男性①：明日は何をするの？

女性①：祖父の馬牧場を訪ねるの。乗馬に出かけて、それからハイキングをするのよ。あなたも来る？

男性②：うん、だけど君が乗馬をしているのを写真に撮るだけにするよ。馬が怖いんだ。

女性②：そう、わかった。その後、一緒にハイキングに行くのはどうかしら。

男性③：それはよさそうだね！

音声のポイント

❶ photos of は連結し「フォゥトゥヅv」のように発音されている。

問いと選択肢

What will the man do tomorrow?　「男性は明日、何をするか」

① Learn to ride a farm horse　「牧場の馬の乗り方を学ぶ」
② Ride horses with his friend　「友人と一緒に馬に乗る」
③ Take pictures of his friend　「友人の写真を撮る」
④ Visit his grandfather's farm　「自分の祖父の農場を訪ねる」

語句　go riding　熟 乗馬に出かける　　take a hike　熟 ハイキングをする

❶男性の予定が問われています。選択肢では①と②に horse「馬」が共通していますが、それ以外の共通点は見つけにくいです。選択肢は短いので「馬の乗り方を学ぶ」「友人と馬に乗る」「友人の写真を撮る」「祖父の農場を訪れる」といった内容を確認しておきましょう。❷女性に I'll go riding and then take a hike. Would you like to come? と言われ、Sure, but I'll just take photos of you riding. と答えていることから、馬には乗らずに友人の写真を撮ることがわかります。よって③が正解です。

問17 正解① 問題レベル【普通】 配点 3点 音声スクリプト TRACK D10_07

W①: Did you finish your homework?

M①: Yes. It took so long.

W②: Why? We just had to read two pages from the textbook.

M②: What? I thought the assignment was to write a report on our experiments.

W③: No, we were only told to read those pages for homework.

M③: Oh, I didn't do that.

【訳】女性①：宿題は済ませた？

男性①：うん。すごく時間がかかった。

女性②：どうして？　教科書を２ページ読めばよかっただけよ。

男性②：何だって？　宿題って、実験のレポートを書くことだと思ってたよ。

女性③：違う、宿題として、そこのページを読むように言われただけよ。

男性③：ああ、それはやらなかった。

音声のポイント

全体的に [t] と [d] の音の脱落が多いです。

❶ just had to read は脱落により「ジャスハトゥリー」のように発音されている。

問いと選択肢

What did the boy do?「男の子は何をしたか」

① He finished writing a science report.「理科のレポートを書き終えた」

② He put off writing a science report.「理科のレポートを書くのを先延ばしにした」

③ He read two pages from the textbook.「教科書を２ページ読んだ」

④ He spent a long time reading the textbook.「教科書を読むのに長い時間をかけた」

語句 assignment 名 課題、宿題　put off ～ 熟 ～を先延ばしにする
experiment 名 実験

❶問いは男の子が何をしたかです。選択肢は a science report と the textbook が共通していることを確認しておきましょう。❷男の子が何をしたかに注意しながら聴くと、Did you finish your homework? に Yes. It took so long. と答えていることから、長い時間をかけて宿題をしたことがわかります。そして I thought the assignment was to **write a report on our experiments.** から、宿題が実験についてのレポートを書くことだと思っていたことがわかります。女の子は No, we were only told to **read those pages for homework.** と言ってそれを訂正しますが、男の子は **Oh, I didn't do that.** と答えているため、教科書を読む宿題はやっていないことがわかります。よって実際に男の子が行ったのは、理科のレポートのみであるため①が正解です。なお、女性の２回目の発言の had to read は「読まなければならなかった(そして実際に読んだ)」という意味で使われています。

第 3 問 （配点　18） 音声は 1 回流れます。

第 3 問は**問** 12 から**問** 17 までの 6 問です。それぞれの問いについて，対話の場面が日本語で書かれています。対話を聞き，問いの答えとして最も適切なものを，四つの選択肢（①～④）のうちから一つずつ選びなさい。（問いの英文は書かれています。）

問12　女性と男性が，雨具について話をしています。

Which item will the man buy? [12]

① A black raincoat
② A black umbrella
③ A colorful raincoat
④ A colorful umbrella

問13　友人同士が，ペットの子犬について話をしています。

What does the puppy usually do? [13]

① He eats once a day.
② He plays with his owner.
③ He sleeps all the time.
④ He waits for commands.

問14　男性が，新居で生活を始めた女性と話をしています。

What will happen next? [14]

① The man will clean up the kitchen.
② The man will put pineapple on a pizza.
③ The woman will learn how to make pizza.
④ The woman will teach the man how to cook.

問15　親子が，学園祭について話をしています。

What will the mother do? 15

① Attend the festival with her uncle
② Go to the festival next week
③ Join the festival after her trip
④ Watch the video after the festival

問16　女性が，男性を散歩に誘っています。

What are they going to do? 16

① Eat lunch at the river
② Go directly to the river
③ Have lunch after passing through the park
④ Walk through the park after eating lunch

問17　夫婦が，ドラマを見ながら話をしています。

What does the man decide to do? 17

① Cancel his meeting with his friends
② Leave soon to go and see his friends
③ Take the later bus with the woman
④ Watch another episode with the woman

これで第3問は終わりです。

問12　正解 ①　問題レベル【易】　配点 3点　　音声スクリプト TRACK D10_10

W①: It's starting to rain. Did you bring an umbrella or a raincoat?
M①: No, but I need to buy a new raincoat anyway. Mine's torn.
W②: Look, there are some colorful ones in that store there.
M②: They're so bright!
W③: Well, they've got black ones, too.
M③: OK. I'll buy one of those.

【訳】女性①：雨が降り始めてる。傘かレインコートを持ってきた？
男性①：いいや、でも、いずれにしても新しいレインコートを買う必要があるんだ。僕のは破けちゃって。
女性②：見て、あそこのあのお店にカラフルなのがある。
男性②：派手過ぎるよ！
女性③：ほら、黒いのもあるわよ。
男性③：わかった。その中の一つを買うよ。

問いと選択肢

Which item will the man buy? 「男性はどの品物を買うか」
① A black raincoat 「黒いレインコート」
② A black umbrella 「黒い傘」
③ A colorful raincoat 「カラフルなレインコート」
④ A colorful umbrella 「カラフルな傘」

語句　tear ～ 他 ～を裂く、～を破く（活用はtear-tore-torn）　bright 形 色鮮やかな、派手な

❶聴き取りの型→❷言い換えを探す

❶問いは、男性がどの品物を買うかです。選択肢から「色」と「レインコートか傘か」に注意して聴きましょう。❷男性の I need to buy a new raincoat anyway から、男性が買うのはレインコートだとわかります。次に色については、Look, there are some colorful ones in that store there. という女性の発言に対して、They're so bright!「派手過ぎるよ！」と言っています。続いて they've got black ones, too と女性が言ったのに対しては、OK. I'll buy one of those. と答えています。黒いレインコートを買うことがわかるため、①が正解です。

問13 正解② 問題レベル【普通】 配点 3点 音声スクリプト TRACK D10_11

M①: How's your puppy? Are you used to having a pet?

W①: Well, I feed him twice a day but he's always hungry. Also, I'm trying to teach him to sit and stay but he's so playful.

M②: Isn't that a lot of work? ❶

W②: It isn't easy, but I really enjoy it. ❷

【訳】男性①：君のところの子犬は元気？ ペットを飼うのは慣れた？

女性①：まあね、1日2回、えさをあげてるんだけど、あの子いつも腹ペコなの。それと、お座りと待てを教えようとしてるんだけど、すごくじゃれてくるのよね。

男性②：それってすごく大変じゃない？

女性②：簡単じゃないけど、すごく楽しいわ。

音声のポイント

❶ Isn't that a lot of は脱落・変化・連結より「イズンザダアロロ v」のように発音されている。that の [t] の音は [d] に変化し、連結して「ザダ」のように発音されている。lot の [t] の音は [l] に変化し、連結して「ロロ」のように発音されている。

❷ but の [t] の音は [d] に変化し、連結して「バダイ」のように発音されている。

問いと選択肢

What does the puppy usually do?「子犬がいつもしていることは何か」

① He eats once a day.「1日1回食事をする」

② He plays with his owner.「飼い主と遊ぶ」

③ He sleeps all the time.「いつも寝ている」

④ He waits for commands.「命令されるのを待つ」

語句

feed ～ 他 ～にえさ［食べ物］を与える

playful 形（動物などが）じゃれつく、元気いっぱいの

command 名 命令、指示

❶問いから、「子犬のいつもの行動」が問われることがわかります。選択肢から、「えさの回数」「遊ぶ」「寝る」「命令」に注意して聴きましょう。❷ Well, I feed him twice a day but he's always hungry. という発言から、えさの回数は2回であるとわかるため①は不正解です。Also, I'm trying to teach him to sit and stay but **he's so playful**. からは、お座りと待てを教えようとしているが、じゃれてくることがわかります。try to ～は「～しようとする（しかしできていない）」という意味で使われます。選択肢の中の② **He plays with his owner. が he's so playful の言い換え**となっているので、これが正解となります。判断にやや迷うかもしれませんが、③と④については言及されていないため、消去法でも正解にたどり着けます。

問14 正解③ 問題レベル【易】 配点 3点 音声スクリプト TRACK D10_12

M①: How's your new house?

W①: Wonderful! My kitchen is so clean. I'm not good at cooking though.

M②: Really? I can show you how to make pizza.

W②: Great!

M③: We can make a Hawaiian pizza by adding pineapple.

W③: Oh, I like pineapple, but not on pizza.

M④: OK, we don't have to add it.

【訳】男性①：新しい家はどう？

女性①：とってもいいわ！ キッチンがすごくきれいなの。料理は得意じゃないんだけどね。

男性②：そうなの？ ピザの作り方を教えてあげられるよ。

女性②：やった！

男性③：パイナップルを加えたらハワイアン・ピザを作れるよ。

女性③：あら、パイナップルは好きだけど、ピザに乗ってるのは好きじゃないな。

男性④：わかった、パイナップルは加えなくてもいいよ。

音声のポイント

❶ not good at は脱落・連結により「ノッグダッ」のように発音されている。

問いと選択肢

What will happen next? 「この後どうなるか」

① The man will clean up the kitchen. 「男性がキッチンを掃除する」

② The man will put pineapple on a pizza. 「男性がパイナップルをピザに乗せる」

③ The woman will learn how to make pizza. 「女性がピザの作り方を習う」

④ The woman will teach the man how to cook. 「女性が男性に料理の仕方を教える」

❶選択肢では、pizza は②と③で共通しています。「キッチンの掃除」「パイナップルをピザに乗せる」「ピザの作り方」「料理の仕方」といった内容を確認しておきましょう。❷ My kitchen is so clean. とありますが、これはキッチンがきれいと言っているだけであるため、①は不正解です。男性の I can show you how to make pizza. という発言に対し、女性が Great! と答えていることから、男性が女性にピザの作り方を教えることがわかります。よってこの言い換えとなる③が正解です。We can make a Hawaiian pizza by adding pineapple. に対しては、女性は Oh, I like pineapple, but not on pizza. と答え、ピザにパイナップルが乗っているのは好きではないことがわかります。男性も OK, we don't have to add it. でパイナップルは乗せなくてもいいと言っているため、②は不正解です。

問15 正解④ 問題レベル【普通】 配点 3点 音声スクリプト TRACK D10_13

M①: Mom, are you coming to my dance performance at the festival this Friday?
W①: I'm sorry. I have a business trip this week. Don't you remember?
M②: Oh, right! I forgot.
W②: But your uncle will take a video. We can all watch it next week.
M③: Good! I hope everyone enjoys it.

【訳】男性①: お母さん、今週の金曜日に、学園祭の僕のダンス公演を見に来るの？
女性①: ごめんなさい。今週は出張があるの。覚えてなかった？
男性②: ああ、そうか！ 忘れてた。
女性②: でも、あなたのおじさんがビデオを撮ってくれるから。来週みんなで見ればいいわ。
男性③: よかった！ みんな楽しんでくれるといいな。

問いと選択肢

What will the mother do? 「母親は何をするか」

① Attend the festival with her uncle 「自分のおじと一緒に学園祭に出席する」
② Go to the festival next week 「来週、学園祭に行く」
③ Join the festival after her trip 「旅行の後で学園祭に参加する」
④ Watch the video after the festival 「学園祭の後にビデオを見る」

語句 business trip 名 出張

Day 10

❶問いは「母親の行動」です。選択肢では、学園祭が共通しているので各選択肢の「おじ」「来週」「旅行の後」「ビデオ」といったキーワードを確認しておきましょう。❷ Mom, are you coming to my dance performance at the festival this Friday? に対し、I'm sorry. I have a business trip this week. Don't you remember? と答えていることから、母親は学園祭には行けないことがわかります。この時点で①、②、③は不正解と判断してもよいでしょう。さらに But your uncle will take a video. We can all watch it next week. から、おじがビデオを撮り、それをみんなで見ることがわかるため、④が正解です。

問16 正解③ **問題レベル【やや難】 配点 3点** 音声スクリプト TRACK D10_14

W①: I'm going for a walk. Do you want to come along?

M①: Sure. Where are we going?

W②: To the river. Let's walk through the park on the way.

M②: How about lunch?

W③: There's a nice café on the other side of the park. Let's eat there before we get to the river.

M③: Great!

【訳】女性①：私、散歩に行くけど。一緒に来ない？

男性①：うん。どこに行くの？

女性②：川まで。途中で公園の中を歩いて通り抜けましょう。

男性②：昼ごはんは？

女性③：公園の反対側に素敵なカフェがあるの。川に着く前にそこで食べましょう。

男性③：いいね！

問いと選択肢

What are they going to do? 「彼らは何をするか」

① Eat lunch at the river 「川で昼ごはんを食べる」

② Go directly to the river 「直接川に行く」

③ Have lunch after passing through the park
「公園を通り抜けた後に昼ごはんを食べる」

④ Walk through the park after eating lunch
「昼ごはんを食べてから公園を歩いて通り抜ける」

語句 come along 熟 一緒に来る　directly 副 直接に

❶選択肢には after が含まれているものがあるので「行動の順序」に注意して聴きましょう。❷散歩に行くことは問題文からわかっています。Where are we going? に対し、To the river. Let's walk through the park on the way. と答えているので、**「公園→川」**の順序で散歩することがわかります。さらに、How about lunch? という男性の発言に対し、女性は There's a nice café on the other side of the park. Let's eat there before we get to the river. と答えています。これで**「公園→カフェでランチ→川」**という順序で進むことがわかります。よって、言い換えとなる③が正解です。after と before は定番の言い換えなので覚えておきましょう。

問17 正解② 問題レベル【やや難】 配点 3点 音声スクリプト TRACK D10_15

W①: Let's watch another episode of the series.
M①: Well, **I'm supposed to meet my friends later**.
W②: The episode is less than an hour, so maybe you have time!
M②: Hmm, there's a bus leaving in 30 minutes, and another❶ in an hour. **I'd rather not be rushed, so I'd better take the earlier one.**

【訳】女性①：シリーズのエピソードをもう一話観ましょうよ。
男性①：あのね、**僕は後で友達と会うことになっているんだ。**
女性②：そのエピソードは1時間もかからないから、たぶん時間はあるよ！
男性②：うーん、30分後に出るバスがあって、1時間後にもう一便ある。**あわてたくないから、早いほうの便に乗ったほうがいいな。**

音声のポイント

❶ and another は [d] の音が脱落し、連結することにより「アナナザ」のように発音されている。

問いと選択肢

What does the man decide to do? 「男性はどうすることに決めたか」

① Cancel his meeting with his friends 「友人と会うのを取りやめる」
② Leave soon to go and see his friends 「友人に会いに行くためにすぐに出かける」
③ Take the later bus with the woman 「女性と一緒に遅いほうのバスに乗る」
④ Watch another episode with the woman
「女性と一緒にエピソードをもう一話見る」

語句 be supposed to (V) 熟 Vすることになっている rushed 形 あわただしい
would rather not (V) 熟（むしろ）Vしたくない

Day 10

❶問いから「男性のこれからの行動」に注意しましょう。選択肢の相違点はつかみにくいので、「会うのをキャンセル」「すぐに出る」「遅いバス」「もう一つエピソードを観る」といったキーワードを確認しておきましょう。❷女性は Let's watch another episode of the series. と、ドラマを観るよう誘っています。男性は Well, **I'm supposed to meet my friends later**. と答えていることから、この後友人に会う予定があることがわかります。女性は The episode is less than an hour, so maybe you have time! と言い、時間があるから観ようと言いますが、男性の Hmm, there's a bus leaving in 30 minutes, and another in an hour. I'd rather not be rushed, so **I'd better take the earlier one.** という発言から、あわてたくないから早めにバスに乗ることがわかります。よってこの言い換えとなる②が正解です。

DAY 11

【モノローグ:表読み取り問題】を攻略する「聴き取りの型」

今日は【図表問題】です。第3問までに比べてやや難易度が高いので、対策しておかなければ高得点は難しい問題です。問題文と図表を読む時間が十分に与えられ、先読みの重要性も増してきます。「どこに注目すればいいか」を今日しっかりつかみましょう。

「聴き取りの型」のステップ

① 問題文、図表、選択肢を先読みする

並べ替え問題：問題文とイラストに目を通す時間が与えられます。イラストからどういった単語が使われるか予測しつつ、それぞれのイラストがどのような状況を表しているか確認しておきましょう。

表問題：前の問題が終わったらすぐに表問題の先読みを始めましょう。日本語で示される状況設定をしっかり頭に入れ、どうグループ分けすればよいのか想定しておきましょう。

グラフ問題：問題文と図表を読むための時間が与えられます。日本語の問題文と図表の英語のタイトルをしっかり見ておきましょう。選択肢を読む時間も十分に与えられるので意味を頭に入れて音声を聴きましょう。

第４問 (配点 12) 音声は１回流れます。

第４問はAとBの二つの部分に分かれています。

A 第４問Aは問18から問25までの８問です。話を聞き，それぞれの問いの答えとして最も適切なものを，選択肢から選びなさい。問題文と図表を読む時間が与えられた後，音声が流れます。 ①

問18～21 あなたは，大学の授業で配られたワークシートのグラフを完成させようとしています。先生の説明を聞き，四つの空欄 [18] ～ [21] に入れるのに最も適切なものを，四つの選択肢（①～④）のうちから一つずつ選びなさい。 ②

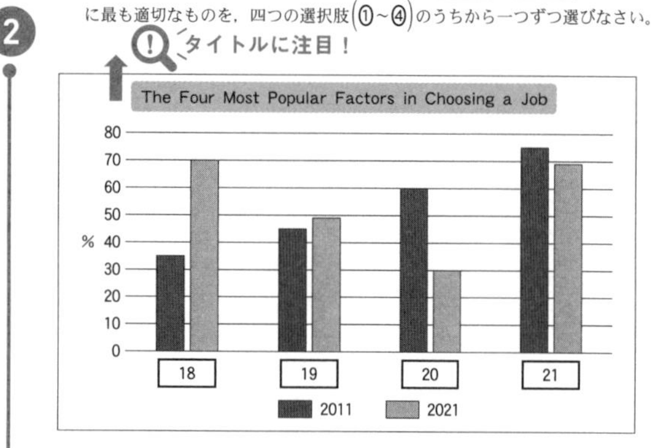

① Content of work
② Income
③ Location
④ Working hours

どのような要因があるか確認

内容 第4問Aは、説明文を聴いて、図表を完成させる問題です。英文を聴きながら情報を整理する力が問われています。テーマは日常的なものが多いので、単語や表現はさほど難しくありませんが、数字に関する表現には注意が必要です。特に後半の図表問題はグループ分けが複雑になることもあるので、今日と次回で形式に慣れておきましょう。

何の話か確認

問22～25 あなたは，自宅のパソコンから，ゲームの国際大会にオンラインで参加しています。結果と賞品に関する主催者の話を聞き，次の表の四つの空欄 22 ～ 25 に入れるのに最も適切なものを，六つの選択肢（①～⑥）のうちから一つずつ選びなさい。選択肢は２回以上使ってもかまいません。

International Game Competition: Summary of the Results

Teams	Stage A	Stage B	Final Rank	Prize
Dark Dragons	3rd	3rd	4th	22
Elegant Eagles	1st	2nd	1st	23
Shocking Sharks	4th	1st	2nd	24
Warrior Wolves	2nd	4th	3rd	25

各ステージの順位で賞品が決まる

① Game
② Medal
③ Trophy
④ Game, Medal
⑤ Game, Trophy
⑥ Medal, Trophy

2 聴きながら情報を整理し空欄を埋める

音声は一度しか読まれないため、音声を聴きながら空所を埋めていきましょう。

これで第4問Aは終わりです。

では、この「聴き取りの型」を使って、次ページの問題に取り組みましょう！

第4問 （配点 12） 音声は1回流れます。

第4問はAとBの二つの部分に分かれています。

A 第4問Aは問18から問25までの8問です。話を聞き，それぞれの問いの答えとして最も適切なものを，選択肢から選びなさい。**問題文と図表を読む時間が与えられた後，音声が流れます。**

問18～21　あなたは，大学の授業で配られたワークシートのグラフを完成させようとしています。先生の説明を聞き，四つの空欄 18 ～ 21 に入れるのに最も適切なものを，四つの選択肢（①～④）のうちから一つずつ選びなさい。

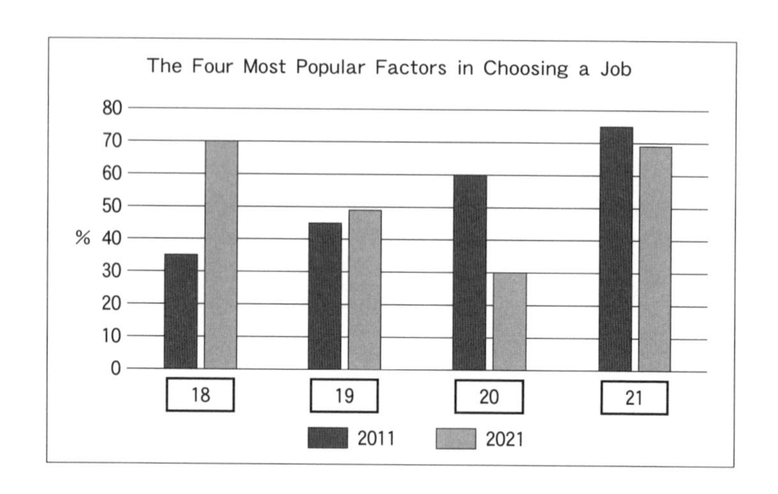

① Content of work
② Income
③ Location
④ Working hours

問22～25　あなたは，自宅のパソコンから，ゲームの国際大会にオンラインで参加しています。結果と賞品に関する主催者の話を聞き，次の表の四つの空欄 22 ～ 25 に入れるのに最も適切なものを，六つの選択肢（①～⑥）のうちから一つずつ選びなさい。選択肢は２回以上使ってもかまいません。

International Game Competition: Summary of the Results

Teams	Stage A	Stage B	Final Rank	Prize
Dark Dragons	3rd	3rd	4th	22
Elegant Eagles	1st	2nd	1st	23
Shocking Sharks	4th	1st	2nd	24
Warrior Wolves	2nd	4th	3rd	25

① Game
② Medal
③ Trophy
④ Game, Medal
⑤ Game, Trophy
⑥ Medal, Trophy

これで第４問Aは終わりです。

問18~21 正解18① / 19④ / 20③ / 21② 音声スクリプト TRACK D11_02

問題レベル【普通】 配点 4点 ※問18-21全部正解の場合のみ4点。

Each year we survey our graduating students on why they chose their future jobs. We compared the results for 2011 and 2021. The four most popular factors were "content of work," "income," "location," and "working hours." The graph shows that "content of work" increased the most❶. "Income" decreased a little in 2021 compared with❷ 2011. Although "location" was the second most chosen answer in 2011, it dropped significantly❸ in 2021. Finally, "working hours" was chosen slightly more by graduates in 2021.

【訳】毎年私たちは、これから就く職業を選んだ理由について、卒業していく学生たちを調査しています。私たちは2011年と2021年の結果を比較しました。最も一般的な4つの要因は「仕事の内容」、「収入」、「場所」、「労働時間」でした。グラフは「仕事の内容」が最も増えたことを示しています。「収入」は2011年と比べて、2021年はわずかに減りました。「場所」は2011年には2番目に多く選ばれた回答でしたが、2021年には著しく減りました。最後に「労働時間」は、2021年の卒業生のほうがわずかに多く選びました。

音声のポイント

❶ increased the most は increased の [t] と most の [t] が脱落し「インクリース (t) ザモゥス」のように発音されている。

❷ with は弱形で「ウィ」のように発音されている。

❸ dropped significantly は dropped の [t] と significantly の [t] が脱落し「ドロップ (t) シグニフィカン (t) リ」のように発音されている。

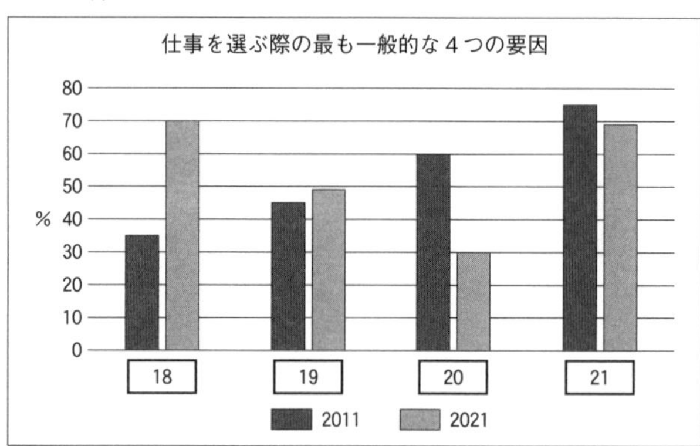

選択肢
① Content of work 「仕事の内容」
② Income 「収入」
③ Location 「場所」
④ Working hours 「労働時間」

語句 survey ～ 他 ～を調査する
graduate 自 卒業する 名 卒業生
content 名 内容
income 名 収入
increase 自 増える
decrease 自 減る
significantly 副 大いに、著しく
slightly 副 わずかに

❶問題文、図表、選択肢を先読みする→❷聴きながら情報を整理し空欄を埋める

❶グラフのタイトルは **The Four Most Popular Factors in Choosing a Job「仕事を選ぶ際の最も一般的な４つの要因」**です。選択肢を見て、どのような要因があるか確認しておきましょう。基本的にグラフの要素は音声でも同じ単語が使われるので，先読みの時点で単語を頭に入れておくと聴きやすくなります。❷まず“content of work” increased **the most** で、**最上級の the most** が使われていることに気付きましょう。４つのうち「最も増えた」**18** に① Content of work が入ります。次に、“Income” **decreased a little** in 2021 compared with 2011. から「わずかに減っている」**21** が② Income となります。③ Location に関しては、“location” was **the second most chosen answer** in 2011「『場所』は2011年には２番目に多く選ばれた回答だった」、もしくは it **dropped significantly**「著しく減った」が聴き取れれば、条件に当てはまる **20** になるとわかります。残った **19** には④ Working hours が入ります。“working hours” was chosen **slightly more** by graduates in 2021から「わずかに増えている」ものを選べばよいことが根拠となります。今回使われていた increase「増える」、decrease「減る」、drop「減る」、slightly「わずかに」、significantly「著しく」、the most「最も」はグラフ問題の頻出表現なので覚えておきましょう。

グラフの描写に使われる表現

増加	increase	増加する
	have a rise	上がる
	grow	増す
	surge	急増する
	go up	上がる
	climb	上がる
減少	decrease	減少する
	fall	下がる
	drop	落ちる
	decline	減少する
	reduce ～	～を減らす
	go down	下がる
	diminish	減少する

安定	stable	安定した
	consistent	安定した
	constant	一定である
	level off	一定になる
	maintain ～	～を維持する
	stabilize ～	～を安定させる
その他	peak at ～	最高～に達する
	hit a low	最低に達する
	recover	回復する

問22～25 正解22 ① / 23 ⑥ / 24 ② / 25 ①　　音声スクリプト TRACK D11_05

問題レベル【やや難】 配点各1点

We are delighted to announce the prizes! Please look at the summary of the results on your screen. First, the top team in Stage A will be awarded❶ medals. The top team in Stage B will also receive medals. Next, the team that got the highest final rank will win the champion's trophies. Team members not winning any medals or trophies will receive a game from our❷ online store. The prizes will be sent to everyone next week.

【訳】賞品を発表できることをうれしく思います！　画面上の結果の概要をご覧ください。まず、ステージAでトップとなったチームにはメダルが授与されます。ステージBのトップのチームもメダルをもらえます。次に、最終順位が最も高かったチームはチャンピオン・トロフィーを獲得します。メダルもトロフィーも獲得できなかったチームのメンバーたちは、当社オンラインストアからゲームをもらえます。賞品は来週、皆さんに送られます。

音声のポイント

❶ awarded は「アワーデッド」ではなく「アウォーディッ d」のように発音されるので注意する。

❷ our は弱形で弱く発音されるので注意する。

国際ゲーム大会：結果の概要

チーム	ステージA	ステージB	最終順位	賞品
ダーク・ドラゴンズ	3位	3位	4位	22
エレガント・イーグルズ	1位	2位	1位	23
ショッキング・シャークス	4位	1位	2位	24
ウォリアー・ウルブズ	2位	4位	3位	25

選択肢 ① Game 「ゲーム」
② Medal 「メダル」
③ Trophy 「トロフィー」
④ Game, Medal 「ゲーム、メダル」
⑤ Game, Trophy 「ゲーム、トロフィー」
⑥ Medal, Trophy 「メダル、トロフィー」

語句
be delighted to (V) 熟 喜んで～する、～することをうれしく思う
summary 名 要約、概要
award (A) (B) 他 AにBを授与する
win ～ 他 ～を勝ち取る、～を獲得する

❶問題文、図表、選択肢を先読みする→❷聴きながら情報を整理し空欄を埋める

❶問題文に「**結果と賞品に関する主催者の話**」とあります。表と選択肢から、Stage A、Stage B、Final Rank での順位によって賞品が決まることを確認しておきましょう。❷まず **the top team in Stage A** will be awarded **medals** から、Stage A で 1 位になっている 23 に Medal が入ることがわかります。**The top team in Stage B** will also receive **medals.** から、Stage B で 1 位になっている 24 にも Medal が入ることがわかります。次に、Next, the team that got **the highest final rank** will win the champion's **trophies.** から、Final Rank で 1 位の 23 に Trophy が入ることがわかります。最後に Team members **not winning any medals or trophies** will receive a **game** from our online store. に、「メダルもトロフィーも獲得していないチームのメンバーたちはゲームがもらえる」とあるので、22 と 25 には Game が入ります。以上をまとめると 22 がゲームの①、23 がメダルとトロフィーの⑥、24 がメダルの②、25 がゲームの①となります。

Day 11

第4問 (配点 12) 音声は1回流れます。

第4問はAとBの二つの部分に分かれています。

A 第4問Aは問18から問25までの8問です。話を聞き，それぞれの問いの答えとして最も適切なものを，選択肢から選びなさい。**問題文と図表を読む時間が与えられた後，音声が流れます。**

問18～21 あなたは，大学の授業で配られた資料のグラフを完成させようとしています。クラスメートの発表を聞き，四つの空欄 18 ～ 21 に入れるのに最も適切なものを，四つの選択肢(①～④)のうちから一つずつ選びなさい。

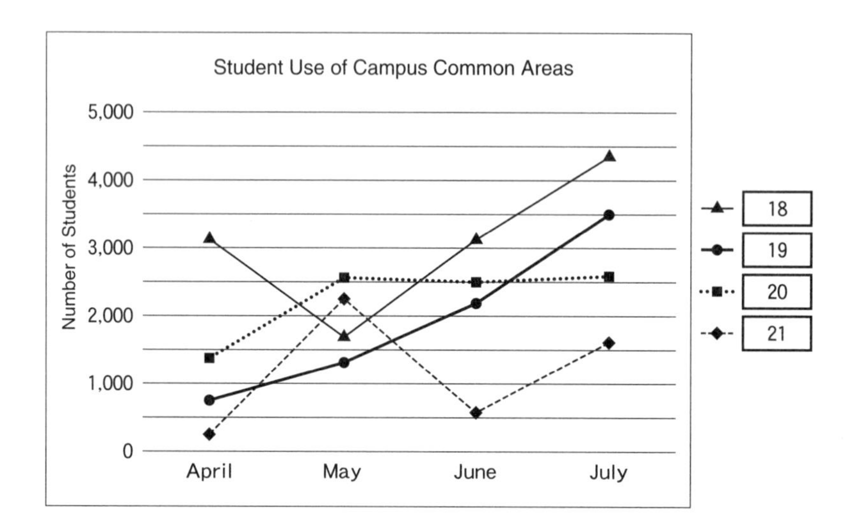

① Cafeteria
② Computer Room
③ Library
④ Student Lounge

問22～25 あなたは，留学生の友達のために，英語が通じるフィットネスクラブを探していて，受付で一緒に料金プランの説明を聞いています。次の表の四つの空欄 22 ～ 25 に入れるのに最も適切なものを，六つの選択肢（①～⑥）のうちから一つずつ選びなさい。選択肢は2回以上使ってもかまいません。

Club Membership Plans and Monthly Fees

Membership plans	All areas	Pool only	Towel service
Regular	¥8,000	23	24
Daytime	¥5,000	¥3,000	25
Student	22	¥2,000	¥1,000

① ¥0
② ¥1,000
③ ¥2,500
④ ¥3,000
⑤ ¥4,000
⑥ ¥6,000

これで第4問Aは終わりです。

問18~21 正解18③ / 19④ / 20① / 21②　　音声スクリプト TRACK D11_08

問題レベル【普通】 配点 4点 ※問18–21全部正解の場合のみ4点。

To understand our campus services, we researched the number of students who used the cafeteria, computer room, library, and student lounge over the last semester. As you can see, the student lounge had a continuous rise in users over all four months. The use of the computer room, however, was the least consistent, with some increase and some decrease. Library usage dropped in May but grew each month after that. Finally, cafeteria use rose in May, and then the numbers became stable.

【訳】キャンパスのサービスを把握するために、私たちは前の学期中に学食、コンピューター室、図書館、学生ラウンジを利用した学生の数を調べました。ご覧のとおり、学生ラウンジは４カ月全ての月において、利用者が連続して増えました。しかし、コンピューター室の利用は最も安定しておらず、増加も減少もありました。図書館の使用は５月に下落しましたが、その後は毎月伸びました。最後に、学食の利用は５月に上昇し、それから人数は安定しました。

音声のポイント

❶ number of students の of は弱形で「ォ」のようになり「ナンバーォステューデンツ」のように発音されている。

❷ had a は連結して「ハダ」のように発音されている。

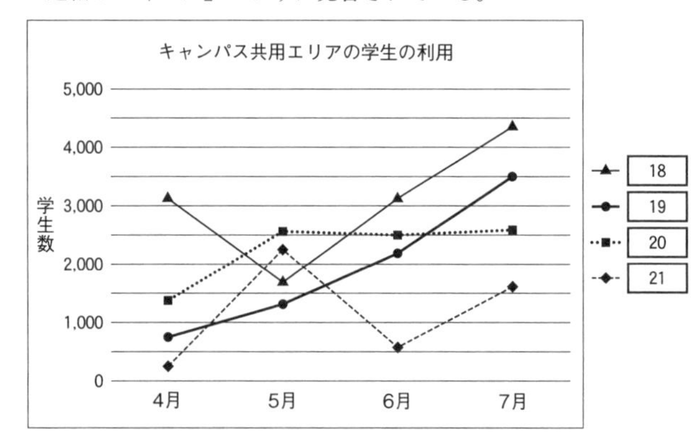

選択肢 ① Cafeteria「学食」 ② Computer Room「コンピューター室」
③ Library「図書館」 ④ Student Lounge「学生ラウンジ」

語句

semester	名（２学期制の）学期	increase	名 増加
continuous	形 連続した	decrease	名 減少
rise	名 増加	usage	名 使用
consistent	形 一貫した、安定した	stable	形 安定した

❶問題文、図表、選択肢を先読みする→❷聞きながら情報を整理し空欄を埋める

❶グラフのタイトルは **Student Use of Campus Common Areas**「**キャンパス共用エリアの学生の利用**」です。グラフ問題なので increase、decrease、drop などの増減を表す表現が使われることを予測しておきましょう。❷増減にかかわる表現に注意して聴くと、the student lounge **had a continuous rise** in users over all four months「学生ラウンジは４カ月全ての月において、利用者が増加し続けました」とあります。４カ月間増え続けている 19 に④ Student Lounge が入ることがわかります。have a continuous rise「増加し続ける」を覚えておきましょう。次に、The use of the computer room, however, was **the least consistent, with some increase and some decrease.**「しかし、コンピューター室の利用は最も安定しておらず、増加も減少もありました」とあります。the least consistent「最も安定していない」がやや難しいですが、こちらが聴き取れなくても with some increase and some decrease「増加も減少もあった」が聴き取れれば、 21 に② Computer Room が入るとわかります。次に Library usage **dropped in May** but grew each month after that.「図書館の使用は５月に下落しましたが、その後は毎月伸びました」とあり、dropped in May「５月に下落した」が聴き取れれば 18 には③ Library が入るとわかります。残った 20 には① Cafeteria が入ります。cafeteria use **rose in May**, and then the numbers became **stable.**「学食の利用は５月に上昇し、それから人数は安定しました」が根拠となります。今回出てきた consistent「安定した」と stable「安定した」もグラフ問題の頻出表現なので覚えておきましょう。

問 22~25　正解22⑤ / 23⑥ / 24① / 25②　音声スクリプト TRACK D11_11

問題レベル【やや難】　配点各1点

Let me explain our monthly membership plans. A regular membership with 24-hour access to all areas is ¥8,000. Daytime members can access all areas for ¥5,000. Students with a valid ID get half-off our regular membership fee. We also offer pool-only options for ¥2,000 off the price of our regular, daytime, and student memberships. Oh, and our towel service is included in our regular membership with no extra charge but is available to daytime and student members for an additional ¥1,000.

【訳】私たちの月額会員プランをご説明します。全エリアを24時間利用できるレギュラー会員は8,000円です。デイタイム会員は全エリアを5,000円で利用できます。有効な身分証明書のある学生はレギュラー会員料金から半額となります。また、レギュラー、デイタイム、学生会員の料金から2,000円引きで、プールのみの選択も提供しております。あっ、それからタオルのサービスは、レギュラー会員には追加料金なしで含まれていますが、デイタイム会員と学生会員は追加1,000円でご利用いただけます。

音声のポイント

❶ ¥（yen）は「エン」ではなく「イェン」に近い発音なので注意する。

Day 11

クラブの会員プランと月額料金

会員プラン	全エリア	プールのみ	タオルのサービス
レギュラー	¥8,000	23	24
デイタイム	¥5,000	¥3,000	25
学生	22	¥2,000	¥1,000

選択肢 ① ¥0 ② ¥1,000 ③ ¥2,500 ④ ¥3,000 ⑤ ¥4,000 ⑥ ¥6,000

語句
access 名 利用する権利
他 ～を利用する
valid 形 有効な
ID (= identification) 名 身分証明書
half-off ～ 熟 ～から半額割引して（このoffは前置詞）
extra 形 追加の
charge 名 料金、請求金額
additional 形 追加の

❶問題文、図表、選択肢を先読みする→❷聴きながら情報を整理し空欄を埋める

❶問題文から、「**フィットネスクラブの料金プラン**」に関する英文であることがわかります。表からは、**使えるエリアやタオルのサービスの有無**が基準となることを確認しておきましょう。❷空白になっている箇所に注意して聴くと、Students with a valid ID get **half-off** our regular membership fee.「有効な身分証明書のある学生はレギュラー会員料金から半額となります」とあります。Regularの8,000円の半額になるので、22 には⑤ ¥4,000が入ります。次に、プールのみのレギュラープランが空白となっているので注意して聴くと、We also offer pool-only options for **¥2,000 off** the price of our regular, daytime, and student memberships. とあります。All areas の8,000円の2,000円引きになるので、23 には⑥ ¥6,000が入ります。次にタオルのサービスに注意して聴くと、our towel service is **included** in our regular membership with **no extra charge**「タオルのサービスは、レギュラー会員には追加料金なしで含まれています」とあるので、24 には① ¥0が入ります。デイタイムについては、is available to daytime and student members for an **additional ¥1,000**「デイタイム会員と学生会員は追加1,000円でご利用いただけます」とあるので、25 には② ¥1,000が入ることがわかります。追加料金を表す extra charge「追加料金」や additional ～「追加の～」を覚えておきましょう。

MEMO

Day 11

DAY 12

【モノローグ：表読み取り問題】を攻略する「表読・分類の型」

Day 11で扱った2023年の問題ではグラフ問題が出題されましたが、2024年はイラストの並べ替え問題が出題されました。交互に出題されるため、おそらく2025年はグラフ問題が出題されるはずですが、並べ替えの形式にもここで慣れておきましょう。

「表読・分類の型」＋数値表現のステップ

1 「聴き取りの型」を使う

Day 11で解説した「聴き取りの型」を使って取り組みます。

2-1 並べ替え問題は順序を表す表現に注意して解く

基本的には読まれた順番どおりに整理していきますが、順序の入れ替えがあることも警戒しておきましょう。after、before、then、insteadなどに注意して聴きましょう。

第4問 (配点 12) 音声は1回流れます。

第4問はAとBの二つの部分に分かれています。

① **A** 第4問Aは問18から問25までの8問です。話を聞き，それぞれの問いの答えとして最も適切なものを，選択肢から選びなさい。**問題文と図表を読む時間が与えられた後，音声が流れます。**

（! テーマを確認！）

問18～21 友人が，週末に行なったことについて話をしています。話を聞き，その内容を表した四つのイラスト（①～④）を，行なった順番に並べなさい。

②-1

18	→	19	→	20	→	21

①

②

（! hamburger, locker, roller coaster, marchなど使われる単語を予測）

③

④

内容 並べ替え問題は易しい問題が多いです。表問題はDay 11と同様の形式で、やや複雑になることが多く、情報処理に慣れが必要なので、今日の問題や付属の模試でしっかりと対策しておきましょう。

2-2

何の話か確認

問22～25　あなたは，留学先の大学で，アドバイザーから夏季講座のスケジュールの説明を聞いています。次のスケジュールの四つの空欄 22 ～ 25 に入れるのに最も適切なものを，六つの選択肢（①～⑥）のうちから一つずつ選びなさい。選択肢は２回以上使ってもかまいません。

Summer Class Schedule

	Monday	Tuesday	Wednesday	Thursday	Friday
1st	Social Welfare	23	Biology	Social Welfare	World History
2nd	22	Business Studies	Environmental Studies	24	25

どのような科目があるか確認

① Biology
② Business Studies
③ Environmental Studies
④ Languages
⑤ Math
⑥ World History

これで第４問Aは終わりです。

2-2
表問題は条件を聴いて分類する

途中で条件が変わる場合など、分類が複雑になることもあるので、必要に応じてメモを取りましょう。（本書や模試などで、メモを取る練習もしておきましょう。）

2-1
グラフ問題は数値表現に注意して解く

先読みの段階で数値にも目を通しますが、50%はhalf、25%はquarterなどに言い換えられたり、グラフ上の各項目を比較する際に比較級や最上級が使われたりすることも想定しておきましょう。

では、「聴き取りの型」を活かしつつ、「表読・分類の型」を使って、次ページの問題に取り組みましょう！

第4問 (配点 12) **音声は1回流れます。**

第4問はAとBの二つの部分に分かれています。

A 第4問Aは問18から問25までの8問です。話を聞き，それぞれの問いの答えとして最も適切なものを，選択肢から選びなさい。**問題文と図表を読む時間が与えられた後，音声が流れます。**

問18～21　友人が，週末に行なったことについて話をしています。話を聞き，その内容を表した四つのイラスト(①～④)を，行なった順番に並べなさい。

18 → 19 → 20 → 21

①

②

③

④

問22～25　あなたは，留学先の大学で，アドバイザーから夏季講座のスケジュールの説明を聞いています。次のスケジュールの四つの空欄 [22] ～ [25] に入れるのに最も適切なものを，六つの選択肢（①～⑥）のうちから一つずつ選びなさい。選択肢は2回以上使ってもかまいません。

Summer Class Schedule

	Monday	Tuesday	Wednesday	Thursday	Friday
1st	Social Welfare	[23]	Biology	Social Welfare	World History
2nd	[22]	Business Studies	Environmental Studies	[24]	[25]

① Biology
② Business Studies
③ Environmental Studies
④ Languages
⑤ Math
⑥ World History

これで第4問Aは終わりです。

問18~21 正解18② / 19① / 20④ / 21③ 音声スクリプト TRACK D12_02

問題レベル【普通】 配点 4点 ※問18-21全部正解の場合のみ4点。

We went to Midori Mountain Amusement Park yesterday. To start off, we purchased some limited-edition souvenirs and put them into **lockers**. **Then** we dashed to the recently reopened **roller coaster**, but the line was too long so we decided to **eat lunch instead**. **After lunch**, we saw **a parade marching by**, and we enjoyed watching that. **Finally**, we rode the **roller coaster** before we left the park.

【訳】私たちは昨日、緑山遊園地に行きました。最初に、私たちは限定版のお土産を買ってロッカーに入れました。それから、最近再開したジェットコースターに急いで行きましたが、列が長すぎたので、代わりに昼ごはんを食べることにしました。昼ごはんの後、パレードが行進していくのを見かけたので、それを見物して楽しみました。最後に、遊園地を出る前にジェットコースターに乗りました。

音声のポイント

全体のスピードは第3問までよりもやや速くなっています。音の脱落も増えているので注意しましょう。

❶ decided のように [d] で終わる単語に ed が付いたときは ed の発音は [id] になるので注意。「ディサイディッ (d)」のように発音されている。

選択肢

① 
② 
③ 
④ 

語句

start off	熟 始める	dash	自 突進する、急いで行く
limited-edition	形 限定版の	reopen	自 再開する
souvenir	名 土産	march by	熟 行進して通り過ぎる

❶「聴き取りの型」を使う→❷順序を表す表現に注意して解く

❶問題文から、テーマが「友人の週末」であることや、イラストに描かれた状況を確認しておきましょう。使われる単語は hamburger、lunch、locker、roller coaster、march などが予測できます。❷まず、**To start off**, we purchased some limited-edition souvenirs and put them into **lockers**. で locker だけでも聴き取れれば、最初のイラストが決まります。次に **Then** we dashed to the recently reopened **roller coaster**, but the line was too long so we decided to **eat lunch instead**. と言っています。こちらは単語だけで聴き取ろうとするとジェットコースターの③を選びたくなりますが、eat lunch instead「代わりに昼食を食べる」を聴き取り、②の次には①を入れましょう。**After lunch**, we saw **a parade marching by**, and we enjoyed watching that. から、昼食の後はパレードを見たことがわかるので②→①→④となります。**Finally**, we rode the **roller coaster** before we left the park. から、最後に遊園地を出る前に、ジェットコースターに乗ったと言っているため、②→①→④→③が正解

となります。

問22〜25 正解22⑤ / 23⑥ / 24④ / 25② 音声スクリプト TRACK D12_05
問題レベル【やや難】 配点各1点

Here's your schedule for this year's summer classes. Monday and Thursday will begin with Social Welfare classes. Immediately after the Monday Social Welfare class, you'll have Math class. On Tuesday and Friday, you'll hear lectures about ancient Egypt and the Roman Empire during first period. These lectures will be followed by Business Studies on both days. On Wednesday, you'll have Biology first period, and second period will be Environmental Studies. Finally, after Social Welfare on Thursday, you'll have your French or Spanish class.

【訳】これが今年の夏期講座の時間割です。月曜日と木曜日は社会福祉の授業から始まります。月曜日の社会福祉の授業のすぐ後には、数学の授業があります。火曜日と金曜日には、1時間目に古代エジプトとローマ帝国に関する講義を聴きます。これらの講義の後には、どちらの曜日も、経営学が続きます。水曜日は、1時間目に生物学があり、2時間目は環境学です。最後に、木曜日の社会福祉の後には、フランス語またはスペイン語の授業を受けます。

音声のポイント

全体的にゆっくり発音されています。

夏季講座のスケジュール

	月曜日	火曜日	水曜日	木曜日	金曜日
1時間目	社会福祉	23	生物学	社会福祉	世界史
2時間目	22	経営学	環境学	24	25

選択肢

① Biology 「生物学」
② Business Studies 「経営学」
③ Environmental Studies 「環境学」
④ Languages 「語学」
⑤ Math 「数学」
⑥ World History 「世界史」

語句 immediately 副 すぐに、直ちに　be followed by 〜 熟 〜が後に続く
period 名（授業の）時間

❶「聴き取りの型」を使う→❷条件を聴いて分類する

❶問題文で「**夏期講座のスケジュール**」の話であることを確認しましょう。表と選択肢から、どの曜日にどの科目が入るのか注意しながら聴きましょう。❷まず Monday and Thursday will begin with Social Welfare classes. から、月曜と木曜の1時間目には Social Welfare があるとわかりますが、これらはすでに表に記載されています。次の Immediately after the Monday Social Welfare class, you'll have **Math class**. から、月曜の Social Welfare の授業のすぐ後に Math のクラスが始まることがわかるので、 22 には⑤が入ります。On

Day 12

Tuesday and Friday, you'll hear **lectures about ancient Egypt and the Roman Empire** during first period. からは、火曜と金曜に、古代エジプトとローマ帝国の講義があることがわかり、これらに該当するのは⑥ World History です。よって 23 には⑥が入ります。次に These lectures will be **followed by Business Studies** on both days. と言っていることから、火曜と金曜の World History の後には Business Studies の授業が行われるので、25 には②が入ります。(be) followed by ～「～が後に続く」は頻出表現であり、正答に関わることも多いので必ず覚えておきましょう。あとは木曜の2時間目ですが、Finally, after Social Welfare on Thursday, you'll have your **French or Spanish class**. から、木曜の Social Welfare の後にはフランス語かスペイン語、つまり言語の授業があるので、24 には④が入ります。

問題番号は実際の番号のままです。

第４問　(配点　12)　音声は１回流れます。

第４問はＡとＢの二つの部分に分かれています。

A　第４問Ａは問 18 から問 25 までの８問です。話を聞き，それぞれの問いの答えとして最も適切なものを，選択肢から選びなさい。**問題文と図表を読む時間が与えられた後，音声が流れます。**

問18～21　大学で，健康診断について看護師から説明を受けています。説明を聞き，その内容を表した四つのイラスト（①～④）を，今回受診する順番に並べなさい。

18 → 19 → 20 → 21

①

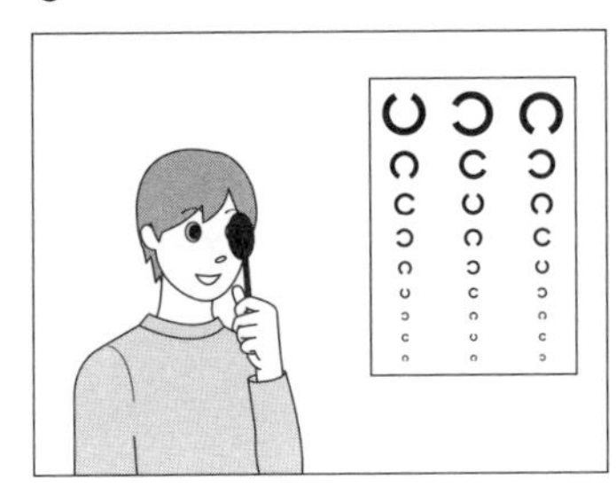

②

③

④

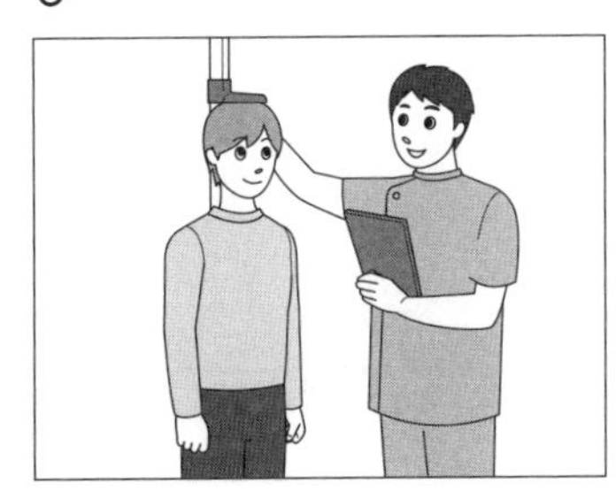

問22～25　あなたは，交換留学先で，新入生対象のオリエンテーションに参加しています。担当教員から最初に行く場所の説明を聞き，次の表の四つの空欄 22 ～ 25 に入れるのに最も適切なものを，六つの選択肢（①～⑥）のうちから一つずつ選びなさい。選択肢は２回以上使ってもかまいません。

Major	**First destination**
Business	22
Chemistry	23
History	Administrative Office
Literature	24
Medicine	25

① Administrative Office

② Bookstore

③ Community Zone

④ Computer Lab

⑤ Health Center

⑥ Library

これで第４問Aは終わりです。

問18~21 正解18② / 19① / 20③ / 21④ 音声スクリプト TRACK D12_08

問題レベル【普通】 配点 4点 ※問18-21全部正解の場合のみ4点。

I'll now explain the order you'll follow for your annual medical check-up today. Usually, everyone begins with a vision test, but that section is very busy right now, so please go to **the hearing test first**. Then, get your **eyes tested**. After that, and this is also different from usual, please go to the next room, where **the doctor will check your overall health**. Finally, you will get your **height** and weight measured.

【訳】本日の年次健康診断で皆さんがたどる順序を、これから説明します。普段は全員が視力検査から始めるのですが、今、その部門がとても混んでいるので、**最初に聴力検査**に行ってください。それから、**目を検査**してもらってください。その後、これも通常とは違うのですが、隣の部屋に行ってください、そこで**医師が総合的な健康状態をチェックします**。最後に、**身長**と体重が測定されます。

選択肢

①
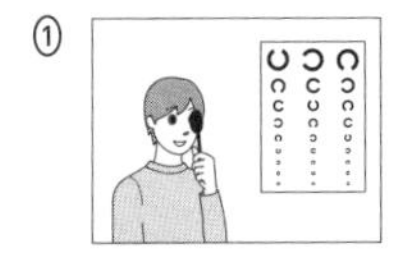

②

③

④
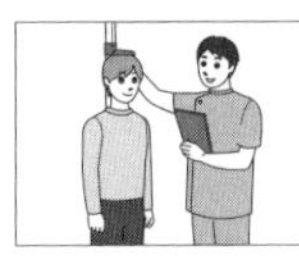

語句

annual	形 年に一度の	vision	名 視力
medical checkup	熟 健康診断	overall	形 全体の、総合的な

❶「聴き取りの型」を使う→❷順序を表す表現に注意して解く

❶問題文から、テーマが「健康診断」であることや、イラストに描かれた状況を確認しておきましょう。使われる単語はeyes、eyesight「視力」、hearing、height「身長」などが予測できます。❷ **Usually**, everyone begins with a vision test, **but** that section is very busy right now, so please go to **the hearing test first**. のUsuallyが聞こえた段階で、「普段は～だが、今回は異なる」という流れを予測しましょう。普段は視力検査から始まるが、今は混んでいるので、聴力検査に先に行くように言っていることがわかります。よって、まずは②が入ります。**Then**, get your **eyes tested**. から、次は視力検査であるため、②→①となります。**After that**, and this is also different from usual, please go to the next room, where **the doctor will check your overall health**. から、次は医者と話すことがわかるため、②→①→③となります。最後に、**Finally**, you will get your **height** and weight measured. から身長を測ることがわかるため、②→①→③→④が正解となります。この音声で使われている〈get + O +過去分詞〉「Oを～してもらう」や、〈, where ～〉「そして、そこで～」(関係副詞の非制限用法）などは文法の知識としても重要なので覚えておきましょう。

問22~25 正解22 ④ / 23 ③ / 24 ① / 25 ⑥ 音声スクリプト TRACK D12_11

問題レベル【やや難】 配点各1点

Attention please! All students majoring in literature and history must go to the administrative office to learn about campus rules and regulations. Chemistry majors will hear from some of our clubs and sports representatives at the Community Zone before going to the bookstore. Medical students are to go directly to the library to learn about our new medical database. Finally, students majoring in business should go to the computer lab and then visit the health center. Any questions?

【訳】皆さん聴いてください！ 文学と歴史を専攻している学生は全員、学内の諸規則を知るために管理事務所に行ってください。化学の専攻学生は、書店に行く前に、コミュニティーゾーンでクラブやスポーツの代表者の何人かから話を聞くことになります。医学生は、新しい医学データベースについて知るために図書館に直行することになっています。最後に、経営学を専攻している学生はコンピューター室に行って、それから健康センターに行ってください。何か質問はありますか？

音声のポイント

全体的にゆっくり、はっきり発音されています。

専攻	最初の行き先
経営学	22
化学	23
歴史	管理事務所
文学	24
医学	25

選択肢

① Administrative Office 「管理事務所」
② Bookstore 「書店」
③ Community Zone 「コミュニティーゾーン」
④ Computer Lab 「コンピューター室」
⑤ Health Center 「健康センター」
⑥ Library 「図書館」

語句

major	自 専攻する / 名 専攻学生	chemistry	名 化学
		representative	名 代表者
literature	名 文学	be to (V)	熟 Vすることになっている
administrative	形 管理の	lab (=laboratory)	名 研究室、実習室
rules and regulations	名 諸規則	destination	名 目的地、行き先

❶「聴き取りの型」を使う→❷条件を聴いて分類する

❶問題文から、**「新入生対象のオリエンテーション」**に関する英文であることがわかります。表からは、**専攻によって行く場所が決まる**ことを確認しておきましょう。❷ All students majoring in **literature and history** must go to the **administrative office** to learn about campus rules and regulations. から、Literatureが専攻の学生はadministrative officeに行くことがわかるため、24 には①が入ります。**Chemistry** majors will hear from some of our clubs and sports representatives at the **Community Zone** before going to the bookstore. から、Chemistryが専攻の学生はCommunity Zoneに行くため、23 には③が入ります。bookstoreも発言に含まれていますが、beforeが付いているので、先に行くのはCommunity Zoneです。**Medical** students are to go directly to the **library** to learn about our new medical database. から、Medicineが専攻の学生はlibraryに行くことがわかるため、25 には⑥が入ります。Finally, students majoring in **business** should go to the **computer lab** and then visit the health center. から、businessが専攻の学生はcomputer labに行き、その後health centerを訪れます。よって、22 には④が入ります。

Day 12

DAY 13

【モノローグ：発話比較問題】を攻略する「聴き取りの型」

ここまでの問題はメモを取る必要はほとんどありませんでしたが、今日の形式は表に書き込みながら解いたほうが解きやすくなります。条件を満たすものに○、満たさないものに×、曖昧なものには△のように記入しましょう。

「聴き取りの型」のステップ

❶ 状況と条件を先読みする

日本語で書かれている状況、条件をしっかり確認しておきましょう。表と選択肢には同じ内容が書かれていますが、後でメモの記入がしやすいように、表のほうを確認しておきましょう。どのような単語が使われるかも確認します。

B　第4問Bは問26の1問です。話を聞き，示された条件に最も合うものを，四つの選択肢（①～④）のうちから一つ選びなさい。後の表を参考にしてメモを取ってもかまいません。**状況と条件を読む時間が与えられた後，音声が流れます。**

❶

状況

あなたは，交換留学先の高校で，生徒会の会長選挙の前に，四人の会長候補者の演説を聞いています。

あなたが考えている条件

A．全校生徒のための行事を増やすこと

B．学校の食堂にベジタリアン向けのメニューを増やすこと

C．コンピューター室を使える時間を増やすこと

状況と条件を確認！

❷

Candidates	Condition A	Condition B	Condition C
① Charlie			
② Jun			
③ Nancy			
④ Philip			

○×△などを記入する！

問26　[26] is the candidate you are most likely to choose.

① Charlie
② Jun
③ Nancy
④ Philip

これで第4問Bは終わりです。

内容 第4問Bは複数の人物（4人）による話を聴いて、与えられた条件に最も合う選択肢を選ぶ問題です。聴きながら情報を整理していく必要がありますが、条件を一つでも満たしていなければ不正解と判断できる問題が多く、さほど複雑ではありません。

2 条件に当てはまるものを選ぶ

音声を聴きながら表に○×△などを記入します。3つの条件を満たしたものが正解になります。

では、この「聴き取りの型」を使って、次ページの問題に取り組みましょう！

TRACK D13_01～

問題番号は実際の番号のままです。

B 第4問Bは問26の1問です。話を聞き，示された条件に最も合うものを，四つの選択肢（①～④）のうちから一つ選びなさい。後の表を参考にしてメモを取ってもかまいません。**状況と条件を読む時間が与えられた後，音声が流れます。**

状況

あなたは，交換留学先の高校で，生徒会の会長選挙の前に，四人の会長候補者の演説を聞いています。

あなたが考えている条件

A．全校生徒のための行事を増やすこと

B．学校の食堂にベジタリアン向けのメニューを増やすこと

C．コンピューター室を使える時間を増やすこと

Candidates	Condition A	Condition B	Condition C
① Charlie			
② Jun			
③ Nancy			
④ Philip			

問26 [26] is the candidate you are most likely to choose.

① Charlie
② Jun
③ Nancy
④ Philip

これで第4問Bは終わりです。

問26 正解④ 問題レベル【普通】 配点 4点 音声スクリプト TRACK D13_02〜05

① Hi there! Charlie, here. I'll work to increase the opening hours of the computer room. Also, there should be more events for all students. Finally, our student athletes need energy! So I'll push for more meat options in the cafeteria.

② Hello! I'm Jun. I think school meals would be healthier if our cafeteria increased vegetarian choices. The computer lab should also be open longer, especially in the afternoons. Finally, our school should have fewer events. We should concentrate on homework and club activities!

③ Hi guys! I'm Nancy. I support the school giving all students computers; then we wouldn't need the lab! I also think the cafeteria should bring back our favorite fried chicken. And school events need expanding. It's important for all students to get together!

④ Hey everybody! I'm Philip. First, I don't think there are enough events for students. We should do more together! Next, we should be able to use the computer lab at the weekends, too. Also, vegans like me need more vegetable-only meals in our cafeteria.

【訳】①こんにちは！ チャーリーです。僕はコンピューター室の開室時間を増やすように努力します。また、全生徒のための行事がもっとたくさんあるべきです。最後に、わが校の学生運動選手たちにはエネルギーが必要です！ そのため、学食のお肉の選択肢がもっとあるよう強く求めます。

②こんにちは！ 私はジュンです。私は、もし学食がベジタリアン向けの選択肢を増やしたら、学校給食がもっと健康的になるだろうと思います。また、コンピューター室はもっと長く開いているべきで、特に午後はそうです。最後に、わが校は行事を減らすべきです。私たちは宿題とクラブ活動に専念すべきです！

③こんにちは、皆さん！ 私はナンシーです。私は学校が全生徒にコンピューターを配布することを支持します。そうすればコンピューター室が不要になるでしょう！ また、学食は私たちの大好きなフライドチキンを再び提供すべきだと思います。そして、学校行事は増やされる必要があります。全生徒が団結することが重要なのです！

④やあ、みんな！ 僕はフィリップです。最初に、僕は生徒のための行事が十分ではないと思っています。私たちは一緒にもっと多くのことをやるべきです！ 次に、コンピューター室は週末も使えるべきです。また、僕のようなビーガンは、学食で野菜だけの食事をもっと必要としています。

問いと選択肢

[26] is the candidate you are most likely to choose.

「[26]が、あなたが選ぶ可能性の最も高い候補者である」

① Charlie ② Jun ③ Nancy ④ Philip

語句

athlete	名 運動選手	expand	自 拡大する、増える
push for ～	熟 ～を強く求める	get together	熟 団結する
lab (laboratoryの略)	名 実験室、研究室	vegan	名 完全な菜食主義者、ビーガン
concentrate on ～	熟 ～に専念する		

❶状況と条件を先読みする→❷条件に当てはまるものを選ぶ

❶まずは問題文の「生徒会の会長選挙の演説」という**状況を確認**します。3つの条件は表には書かれていないので、表の Condition A ～ C の欄に「行事を増やす」「ベジタリアン」「コンピューター室」など簡単に言い換えたメモを書いておいても OK です。❷条件を満たしているかどうかに注意してそれぞれの発言を確認していきましょう。

① Charlie の発言では、I'll work to **increase the opening hours of the computer room.** とあり、Condition C は○です。また、**there should be more events for all students** から、Condition A も○です。ベジタリアン向けのメニューについては言及されていないため Condition B は×となり、不正解です。

② Jun の発言では、I think school meals would be healthier if our cafeteria **increased vegetarian choices.** とあり、Condition B は○です。**The computer lab should also be open longer** から、Condition C も○です。our school **should have fewer events** は、「行事を増やす」という Condition A とは逆の意見となるため×となり、不正解です。

③ Nancy の発言では、I support the school giving all students computers; then we **wouldn't need the lab!** から、「コンピューター室は必要なくなるだろう」と考えていることがわかるため、Condition C は×となり、不正解となります。ベジタリアンのメニューについては言及されていないため、Condition B は×です。**school events need expanding** から、Condition A は○です。

④ Philip の発言では、**I don't think there are enough events** for students. で「行事が足りていない」と考えていることがわかるため、Condition A は○です。次に、we **should be able to use the computer lab at the weekends,** too で、「コンピューター室を週末も使えるようにしたい」と考えていることがわかるため、Condition C は○です。最後に vegans like me **need more vegetable-only meals** in our cafeteria から、「ベジタリアン向けメニューを増やしたい」と考えていることがわかるため、Condition B も○となります。よって、3つの条件を全て満たすことになり、正解となります。

Candidates	Condition A	Condition B	Condition C
① Charlie	○	×	○
② Jun	×	○	○
③ Nancy	○	×	×
④ Philip	○	○	○

TRACK D13_07～

問題番号は実際の番号のままです。

B 第4問Bは問26の1問です。話を聞き，示された条件に最も合うものを，四つの選択肢（①～④）のうちから一つ選びなさい。後の表を参考にしてメモを取ってもかまいません。**状況と条件を読む時間が与えられた後，音声が流れます。**

状況

あなたは，国際会議の会場を一つ決めるために，四人のスタッフが推薦する場所の説明を聞いています。

あなたが考えている条件

A．50人以上入る部屋が8室以上あること

B．施設内全体でWi-Fiが使えること

C．施設内で食事ができること

Location	Condition A	Condition B	Condition C
① Ashford Center			
② Founders' Hotel			
③ Mountain Terrace			
④ Valley Hall			

問26 [26] is the location you are most likely to choose.

① Ashford Center
② Founders' Hotel
③ Mountain Terrace
④ Valley Hall

これで第4問Bは終わりです。

問26 正解③ 問題レベル【普通】 配点 4点 音声スクリプト TRACK D13_08～11

① I suggest the Ashford Center. It has twenty rooms we can use for sessions that hold up to forty people each and a conference room for meetings. It's recently been updated with Wi-Fi available everywhere, and it has an excellent food court.

② I recommend the Founders' Hotel. It's modern with Wi-Fi in all rooms, and many great restaurants are available just a five-minute walk from the building. They have plenty of space for lectures with eight large rooms that accommodate seventy people each.

③ I like Mountain Terrace. Of course, there are several restaurants inside for people to choose from, and Wi-Fi is available throughout the hotel. They have ten rooms that can hold sixty people each, but unfortunately they don't have a printing service.

④ Valley Hall is great! They have lots of space with five huge rooms that fit up to 200 people each. There's a restaurant on the top floor with a fantastic view of the mountains. If you need Wi-Fi, it's available in the lobby.

【訳】①私はアシュフォード・センターを提案します。会合に使える部屋が20室あって、それぞれ40人まで収容できますし、会議用の会議室も1室あります。最近、どこでもWi-Fiが利用できるようにアップデートされましたし、素晴らしいフードコートがあります。

②私はファウンダーズ・ホテルをお薦めします。全室にWi-Fiを備えていて最新式ですし、建物からほんの徒歩5分の所にたくさんのおいしいレストランがあります。ホテルは講演用のスペースがたっぷりで、それぞれ70人収容できる大きな部屋が8室あります。

③私はマウンテン・テラスが好きです。もちろん、建物内にレストランがいくつかあって、人々はそこから選べますし、ホテル全館でWi-Fiが利用できます。それぞれ60人収容できる部屋が10室ありますが、残念ながら印刷サービスはありません。

④バレー・ホールはとてもいいですよ！　スペースたっぷりで、それぞれ200人まで収容できる広い部屋が5室あります。最上階に、山々の素晴らしい眺めを楽しめるレストランがあります。Wi-Fiが必要であれば、ロビーで利用できます。

音声のポイント

❶ been は「ビーン」ではなく、短く「ビン」のように発音されるので注意する。

❷ that fit up は脱落、変化、連結により、「ザッフィダッ p」のように発音されている。

問いと選択肢

[26] is the location you are most likely to choose.

「[26] が、あなたが選ぶ可能性の最も高い場所である」

① Ashford Center　② Founders' Hotel　③ Mountain Terrace　④ Valley Hall

語句			
session	名 会合、集会	update ～	他 ～を最新のものにする
hold ～	他 ～を収容する	lecture	名 講演、講義
up to ～	熟（数量などが）～まで、最大～	accommodate ～	他（人・物）を収容する
conference	名（大規模な）会議	fit ～	他（人・物）を入れる、収める

❶状況と条件を先読みする→❷条件に当てはまるものを選ぶ

❶問題文の「国際会議の会場を決める」という**状況を確認**します。３つの条件は表には書かれていないので、表のCondition A～Cの欄に「50人以上、８室以上」「施設全体のWi-Fi」「施設内で食事」など簡単に言い換えたメモを書いておいてもOKです。

❷条件を満たしているかどうかに注意してそれぞれの発言を確認していきましょう。

① Ashford Centerについては、It has twenty rooms we can use for sessions that hold **up to forty people** each and a conference room for meetingsとあり、50人以上ではないのでCondition Aが×となり、①は不正解です。**Wi-Fi available everywhere**からCondition Bは○、it **has an excellent food court**からCondition Cは○です。

② Founders' Hotelについては、**Wi-Fi in all rooms**からCondition Bは○です。ただmany great **restaurants** are available **just a five-minute walk from the building.**「建物からほんの徒歩５分の所にたくさんのおいしいレストランがあります」とあり、施設内では食事できないことがわかるのでCondition Cが×となり、不正解です。条件の「施設内」という点を見落とさないようにしましょう。They have plenty of space for lectures with **eight large rooms** that accommodate **seventy people** each.からCondition Aは○となります。

③ Mountain Terraceについては、there are **several restaurants inside**から、条件Cは○です。次に、**Wi-Fi is available throughout the hotel**からCondition Bも○です。最後にThey have **ten rooms** that can hold **sixty people** eachから、Condition Aも○となり、こちらが正解です。Unfortunately「残念ながら」とありますが、その後の内容は条件には無関係なので引っかからないようにしましょう。

④ Valley Hallについては、They have lots of space with **five huge rooms** that fit **up to 200 people** each.から、８室以上ではないのでCondition Aが×となり、不正解だとわかります。There's **a restaurant on the top floor**から、Condition Cは○です。If you need **Wi-Fi**, it's **available in the lobby.**から、施設内全体ではないのでCondition Bは×となります。

Location	Condition A	Condition B	Condition C
① Ashford Center	×	○	○
② Founders' Hotel	○	○	×
③ Mountain Terrace	○	○	○
④ Valley Hall	×	×	○

DAY 14

【モノローグ：発話比較問題】を攻略する「照合の型」

今日も表に〇×△などを書き込みながら音声を聴きましょう。本番でいきなりメモを取ろうとすると混乱することがあります。練習の段階で、聴きながら条件と照合し、表に書き込むことに慣れておきましょう。

「照合の型」のステップ

❶ 聴き取りの型を使う

Day 13で解説した「聴き取りの型」を使って取り組みます。

▼

B　第4問Bは問26の1問です。話を聞き，次に示された条件に最も合うものを，四つの選択肢（①～④）のうちから一つ選びなさい。後の表を参考にしてメモを取ってもかまいません。**状況と条件を読む時間が与えられた後，音声が流れます。**

❶

状況

あなたは，クラスで行う文化祭の出し物を決めるために，四人のクラスメートからアイデアを聞いています。

あなたが考えている条件

A．参加者が20分以内で体験できること

B．一度に10人以下で運営できること

C．費用が全くかからないこと

状況と条件を確認！

❷

Ideas	Condition A	Condition B	Condition C
① Bowling game			
② Face painting			
③ Fashion show			
④ Tea ceremony			

〇×△などを記入する！

問26 “ 26 ” is what you are most likely to choose.

① Bowling game
② Face painting
③ Fashion show
④ Tea ceremony

これで第4問Bは終わりです。

内容 Day 13と同じ第４問Ｂの形式です。情報処理自体はそこまで複雑ではありません。2024年の問題は音声も聴き取りやすく、易しいため、全問正解を目指しましょう。

2

情報を照合する

音声を聴きながら条件と情報を照合していきます。直接的に表現されていないものにも注意しておきましょう。３つの条件を満たしたものが正解になります。

では、「聴き取りの型」を活かしつつ、「照合の型」を使って、次ページの問題に取り組みましょう！

問題番号は実際の番号のままです。

B 第4問Bは問26の1問です。話を聞き，次に示された条件に最も合うものを，四つの選択肢（①～④）のうちから一つ選びなさい。後の表を参考にしてメモを取ってもかまいません。**状況と条件を読む時間が与えられた後，音声が流れます。**

状況

あなたは，クラスで行う文化祭の出し物を決めるために，四人のクラスメートからアイデアを聞いています。

あなたが考えている条件

A．参加者が20分以内で体験できること

B．一度に10人以下で運営できること

C．費用が全くかからないこと

Ideas	Condition A	Condition B	Condition C
① Bowling game			
② Face painting			
③ Fashion show			
④ Tea ceremony			

問26 “ 26 ” is what you are most likely to choose.

① Bowling game
② Face painting
③ Fashion show
④ Tea ceremony

これで第4問Bは終わりです。

問26 正解① 問題レベル【易】 配点 4点 音声スクリプト TRACK D14_02～05

① It would be fun to have a bowling game as our group's activity. Everybody loves bowling, and we can prepare the game using free recycled materials! We'll only need eight people working at one time, and games can finish within 15 minutes!

② How about doing a face painting activity this year? I think we can finish painting each person's face in about 30 minutes, and the theater club already has face paint we can use. It will take all 20 of us to run the whole event.

③ Let's have a fashion show for our activity! We can do it for free by using our own clothes to create matching looks for couples. Visitors can be the models and 12 of us will work during the show. The show will be less than 20 minutes.

④ I think having visitors experience a tea ceremony would be fun. Each ceremony will take about 10 to 15 minutes and we only need seven people to work each shift. We will just need to buy the tea and Japanese sweets.

【訳】①グループの出し物として、ボウリングのゲームをすると楽しそうだね。ボウリングはみんな大好きだし、無料のリサイクル材料を使ってゲームの準備ができるよ！ 運営する人は一度に８人いればいいだけだし、ゲームは15分以内に終わらせられるよ！

②今年はフェイス・ペインティングの出し物をするのはどうかな？ 大体30分以内で一人の顔のペインティングを終わらせられると思うし、演劇部には私たちが使える顔用のペイントがもうあるよ。イベント全体を運営するには私たち20人全員が必要ね。

③出し物にはファッションショーをしよう！ 自分たちの服を使ってカップルに似合うコーディネートをすると、無料でできるよ。お客さんにモデルになってもらって、ショーのあいだは僕らのうち12人が働くんだ。ショーは20分もかからないよ。

④お客さんに茶道を体験してもらったら楽しいだろうなと思う。一回の茶会にかかるのは10分から15分ぐらいで、各回に必要な人員は７人だけ。お茶と和菓子を買えばいいだけだし。

音声のポイント

③の発言者はイギリスのアクセント、④の発言者はアジア系のアクセントで発音している。

問いと選択肢

"[26]" is what you are most likely to choose.

「『[26]』が、あなたが選ぶ可能性の最も高いものである」

① Bowling game ② Face painting ③ Fashion show ④ Tea ceremony

語句

material	名	素材、材料
run ～	他	～を運営する
matching	形	釣り合った、似合った
look	名	（服装の）スタイル、コーディネート
tea ceremony	熟	茶道、（茶道の）茶会
sweet	名	（～sで）甘い食べ物、お菓子

❶聴き取りの型を使う→❷情報を照合する

❶まずは問題文の「文化祭の出し物を決める」という**状況を確認**します。3つの条件は表には書かれていないので、表に「20分以内」「10人以下」「費用がかからない」など簡単に言い換えたメモを書いておいても OK です。

❷条件を満たしているかどうかに注意して、それぞれの出し物に関する発言を確認していきましょう。① Bowling に関する発言では、we can prepare the game **using free recycled materials!** から、費用がかからないことがわかるため、条件 C（費用がかからない）は○です。We'll only **need eight people** working at one time から、必要な人数は８人であるため、条件 B（10人以下）も○です。games can finish **within 15 minutes** から、15分以内で終わるため、条件 A（20分以内）も○です。よって①が正解となります。この時点で正解がわかりますが、練習として②以降もしっかり確認しましょう。

② Face painting に関する発言では、I think we can finish painting each person's face **in about 30 minutes** から、30分ほどかかるため、条件 A は×です。the theater club **already has face paint we can use** から、費用はかからないため、条件 C は○です。It will **take all 20 of us** to run the whole event. から、20人必要であるため、条件 B は×です。

③ Fashion show に関する発言では、We can do it **for free** by using our own clothes to create matching looks for couples. から、無料であるため、条件 C は○です。Visitors can be the models and **12 of us will work** during the show. から、12人必要であるため、条件 B は×です。The show will be **less than 20 minutes.** から、20分以内であるため、条件 A は○です。

④ Tea ceremony に関する発言では、Each ceremony will take **about 10 to 15 minutes** から、10～15分であるため、条件 A は○です。we only **need seven people** to work each shift から、条件 B も○です。We will just need to **buy the tea and Japanese sweets.** から費用はかかることがわかるため、条件 C は×となります。

Ideas	Condition A	Condition B	Condition C
① Bowling game	○	○	○
② Face painting	×	×	○
③ Fashion show	○	×	○
④ Tea ceremony	○	○	×

TRACK D14_07～

問題番号は実際の番号のままです。

B **第4問Bは問26の1問です。**話を聞き，次に示された条件に最も合うものを，四つの選択肢（①～④）のうちから一つ選びなさい。後の表を参考にしてメモを取ってもかまいません。**状況と条件を読む時間が与えられた後，音声が流れます。**

状況

あなたは，ボランティア活動の中から，参加するものを一つ決めるために，四人の上級生から話を聞いています。

あなたが考えている条件

A．毎回午後3時までに終わること

B．平日のみの参加でよいこと

C．屋内のみで行われること

Volunteer locations	Condition A	Condition B	Condition C
① food bank			
② kindergarten			
③ library			
④ senior center			

問26 The [26] is the location you are most likely to choose.

① food bank
② kindergarten
③ library
④ senior center

これで第4問Bは終わりです。

問26 正解④ 問題レベル【易】 配点 4点 音声スクリプト TRACK D14_08～11

① Volunteers who can work until 3 p.m. on Mondays and Thursdays are needed at the food bank. The work isn't hard, but it's very important. It mostly includes dividing the food donations into individual packages. Volunteers hand out these packages to the people waiting in line outside.

② Volunteering at the kindergarten is fun. They're flexible about the days you want to work, and it's nice that the work is only in the morning. The job includes reading stories, cleaning the classrooms, and playing with the children out in the playground.

③ The library is a great place to volunteer. They want help with sorting books and doing some light cleaning. It's three days a week from Friday to Sunday, and the hours are very convenient, from 8 a.m. to 3 p.m.

④ The senior center always needs people. They are looking for volunteers to help serve meals and chat with the elderly people in the common room. Volunteers can choose to work on weekdays or weekends and have the choice of either morning or evening shifts.

【訳】①月曜日と木曜日の午後3時まで働けるボランティアが、フードバンクで必要とされているよ。仕事は大変ではないけど、とても重要だ。仕事には主に寄付された食べ物を個々のパッケージに分けることが含まれる。ボランティアは、外で並んで待っている人たちにこのパッケージを配るんだ。

②幼稚園でボランティアするのは楽しいよ。働きたい曜日は融通を利かせてくれるし、仕事が午前中だけなのがいい。仕事には、お話の読み聴かせ、教室の掃除、それに子どもたちと一緒に遊び場で外遊びすることが含まれるよ。

③図書館はボランティアするのにとてもいい場所だよ。本の仕分けや軽い掃除の手伝いを募集している。金曜日から日曜日までの週に3日間で、時間は午前8時から午後3時までと、すごく好都合だよ。

④高齢者センターはいつも人手を必要としているよ。食事を出すのを手伝ったり、談話室で高齢者とおしゃべりしたりするボランティアを探している。ボランティアは平日に働くか週末に働くかを選べるし、午前か夕方のシフトを選べるよ。

問いと選択肢

The [26] is the location you are most likely to choose.

「[26]が、あなたが選ぶ可能性の最も高い場所だ」

① food bank「フードバンク」 ② kindergarten「幼稚園」

③ library「図書館」 ④ senior center「高齢者センター」

語句

donation	名 寄付品［金］	flexible	形 柔軟な、融通の利く
individual	形 個々の	sort ～	他 ～を分類［仕分け］する
hand out ～	熟 ～を配る	common room	熟 談話室

❶聴き取りの型を使う→❷情報を照合する

❶問題文の「ボランティア活動の中から、参加するものを一つ決める」という**状況を確認**します。3つの条件は表には書かれていないので、表に「午後3時まで」「平日のみ」「屋内」など簡単に言い換えたメモを書いておいても OK です。

❷条件を満たしているかどうかに注意して、それぞれの発言を確認していきましょう。① food bank に関する発言では、work **until 3 pm on Mondays and Thursdays** から月曜日と木曜日の午後3時までの仕事なので、条件A（午後3時まで）と条件B（平日）は○です。しかし、Volunteers hand out these packages to the people waiting in line **outside** から屋外での活動が含まれているため、条件C（屋内）は×です。

② kindergarten に関する発言では、They're **flexible about the days** you want to work から平日を希望して参加可能であるため、条件Bは○です。また、the work is **only in the morning** から午後3時までに終わるため、条件Aは○です。しかし、playing with the children **out in the playground** から屋外での活動が含まれているため、条件Cは×です。

③ library に関する発言では、**sorting books and doing some light cleaning** から図書館での作業は屋内であるため、条件Cは○です。しかし、It's three days a week **from Friday to Sunday** から平日以外の参加が必要であるため、条件Bは×です。the hours are very convenient, **from 8 a.m. to 3 p.m.** から午後3時までに終わるため、条件Aは○になります。

④ senior center に関する発言では、**serve meals and chat** with the elderly people **in the common room** から屋内での活動であるため、条件Cは○です。また、Volunteers can choose to **work on weekdays** or weekends から平日のみの参加が可能であるため、条件Bは○です。さらに、**have the choice of either morning or evening shifts** から、午前中のシフトを選べば、条件Aは○となります。よって④が正解です。

Volunteer locations	Condition A	Condition B	Condition C
① food bank	○	○	×
② kindergarten	○	○	×
③ library	○	×	○
④ senior center	○	○	○

Day 14

DAY 15 【講義：シート作成問題】を攻略する「聴き取りの型」

この問題から一気に難易度が上がります。英文もかなり長くなりますが、ワークシートに書かれた情報を頭に入れておけば、聴き取りの際の大きなヒントになります。今日で【シート作成問題】の先読みの方法を確実にマスターしましょう。

「聴き取りの型」のステップ

❶ 状況、ワークシートを先読みする

「状況」に書いてある内容を見てテーマを把握しましょう。ワークシートも可能な限り読み込み、何に注意して聴けばいいのか、どういった単語が使われるのかを確認しましょう。空所の前後、表の内容を中心に確認します。

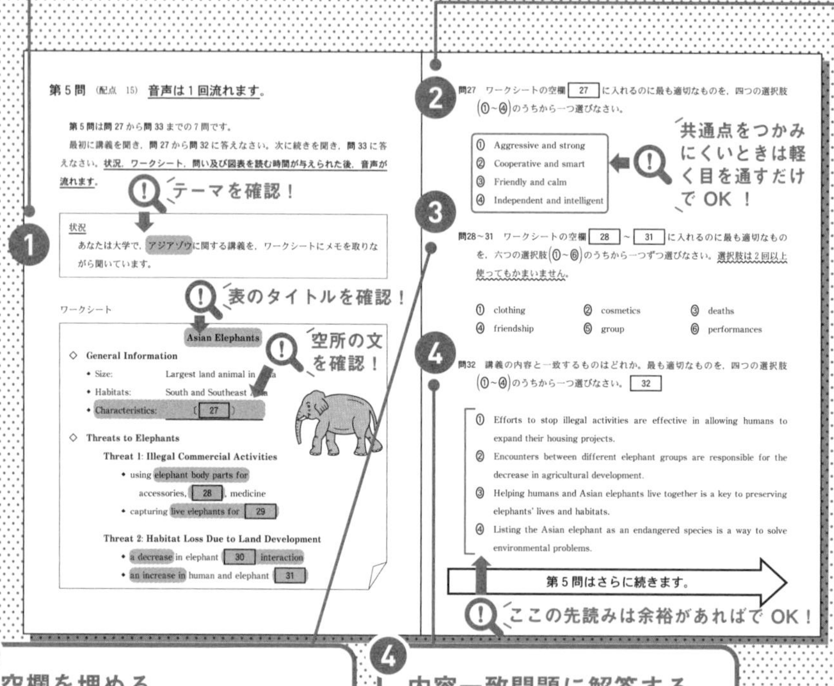

第5問 (配点 15) 音声は1回流れます。

第5問は問27から問33までの7問です。

最初に講義を聞き、問27から問32に答えなさい。次に続きを聞き、問33に答えなさい。状況、ワークシート、問い及び図表を読む時間が与えられた後、音声が流れます。

状況

あなたは大学で、アジアゾウに関する講義を、ワークシートにメモを取りながら聞いています。

ワークシート

Asian Elephants

◇ **General Information**

- Size: Largest land animal in Asia
- Habitats: South and Southeast Asia
- Characteristics: ［ 27 ］

◇ **Threats to Elephants**

Threat 1: Illegal Commercial Activities

- using elephant body parts for accessories, ［ 28 ］, medicine
- capturing live elephants for ［ 29 ］

Threat 2: Habitat Loss Due to Land Development

- a decrease in elephant ［ 30 ］ interaction
- an increase in human and elephant ［ 31 ］

問27 ワークシートの空欄 ［ 27 ］ に入れるのに最も適切なものを、四つの選択肢（①～④）のうちから一つ選びなさい。

① Aggressive and strong
② Cooperative and smart
③ Friendly and calm
④ Independent and intelligent

問28～31 ワークシートの空欄 ［ 28 ］ ～ ［ 31 ］ に入れるのに最も適切なものを、六つの選択肢（①～⑥）のうちから一つずつ選びなさい。選択肢は2回以上使ってもかまいません。

① clothing ② cosmetics ③ deaths
④ friendship ⑤ group ⑥ performances

問32 講義の内容と一致するものはどれか。最も適切なものを、四つの選択肢（①～④）のうちから一つ選びなさい。 ［ 32 ］

① Efforts to stop illegal activities are effective in allowing humans to expand their housing projects.
② Encounters between different elephant groups are responsible for the decrease in agricultural development.
③ Helping humans and Asian elephants live together is a key to preserving elephants' lives and habitats.
④ Listing the Asian elephant as an endangered species is a way to solve environmental problems.

第5問はさらに続きます。

テーマを確認！
表のタイトルを確認！
空所の文を確認！
共通点をつかみにくいときは軽く目を通すだけで OK！
ここの先読みは余裕があればで OK！

❸ 空欄を埋める

先読みで確認したポイントに注意しながら音声を聴いて空欄を埋めていきます。

❹ 内容一致問題に解答する

聴き取った内容と一致する選択肢を選びます。

内容 今日は第５問の形式です。日常的なテーマではなく、学術的な英文が出題されています。設問はワークシートの空欄を埋める問題、講義の内容と一致する選択肢を選ぶ問題、問題用紙に掲載された図表と音声の内容を基に適切な選択肢を選ぶ問題が出題されています。正答率は２～５割程度で、しっかり対策をしておかないと高得点が難しい問題です。

2 設問と選択肢を先読みする

問27は選択肢の相違点に注目しましょう。相違点が見つけにくい場合は軽く目を通すだけでOKです。問28～31は選択肢を確認し、音声にはこれらを言い換えた表現が出てくると考えましょう。問32はたいてい選択肢が長めなので先読みする余裕はないかもしれません。無理せずほかの箇所の先読みを行いましょう。可能であれば単語だけでも拾いましょう。

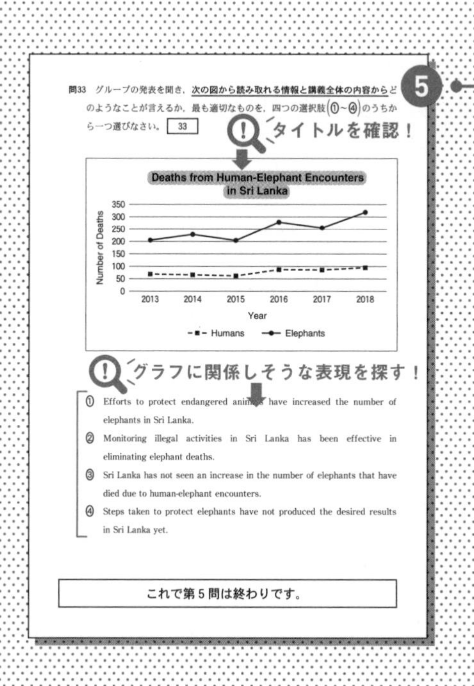
問33 グループの発表を聞き，次の図から読み取れる情報と講義全体の内容からどのようなことが言えるか，最も適切なものを，四つの選択肢（①～④）のうちから一つ選びなさい。 33

① Efforts to protect endangered animals have increased the number of elephants in Sri Lanka.
② Monitoring illegal activities in Sri Lanka has been effective in eliminating elephant deaths.
③ Sri Lanka has not seen an increase in the number of elephants that have died due to human-elephant encounters.
④ Steps taken to protect elephants have not produced the desired results in Sri Lanka yet.

これで第５問は終わりです。

5 図と選択肢を先読みする

問33も音声が流れますが、図と選択肢からほぼ答えがわかります。問32を解き終えたら、すぐこちらの問題の先読みに入りましょう。図と音声に一致する選択肢を選びます。

では、この「聴き取りの型」を使って、次ページの問題に取り組みましょう！

第5問 (配点 15) 音声は1回流れます。

第5問は問27から問33までの7問です。

最初に講義を聞き，問27から問32に答えなさい。次に続きを聞き，問33に答えなさい。**状況，ワークシート，問い及び図表を読む時間が与えられた後，音声が流れます。**

状況
あなたは大学で，アジアゾウに関する講義を，ワークシートにメモを取りながら聞いています。

ワークシート

Asian Elephants

◇ **General Information**

- Size: Largest land animal in Asia
- Habitats: South and Southeast Asia
- Characteristics: 〔 27 〕

◇ **Threats to Elephants**

Threat 1: Illegal Commercial Activities

- using elephant body parts for accessories, 28 , medicine
- capturing live elephants for 29

Threat 2: Habitat Loss Due to Land Development

- a decrease in elephant 30 interaction
- an increase in human and elephant 31

問27 ワークシートの空欄 27 に入れるのに最も適切なものを，四つの選択肢（①～④）のうちから一つ選びなさい。

① Aggressive and strong
② Cooperative and smart
③ Friendly and calm
④ Independent and intelligent

問28～31 ワークシートの空欄 28 ～ 31 に入れるのに最も適切なものを，六つの選択肢（①～⑥）のうちから一つずつ選びなさい。選択肢は2回以上使ってもかまいません。

① clothing
② cosmetics
③ deaths
④ friendship
⑤ group
⑥ performances

問32 講義の内容と一致するものはどれか。最も適切なものを，四つの選択肢（①～④）のうちから一つ選びなさい。 32

① Efforts to stop illegal activities are effective in allowing humans to expand their housing projects.
② Encounters between different elephant groups are responsible for the decrease in agricultural development.
③ Helping humans and Asian elephants live together is a key to preserving elephants' lives and habitats.
④ Listing the Asian elephant as an endangered species is a way to solve environmental problems.

第５問はさらに続きます。

問33 グループの発表を聞き，**次の図から読み取れる情報と講義全体の内容から**どのようなことが言えるか，最も適切なものを，四つの選択肢（①～④）のうちから一つ選びなさい。 33

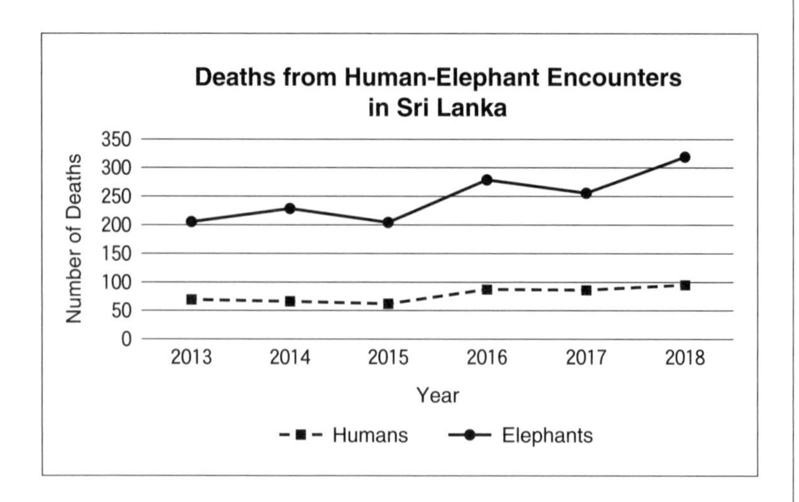

① Efforts to protect endangered animals have increased the number of elephants in Sri Lanka.

② Monitoring illegal activities in Sri Lanka has been effective in eliminating elephant deaths.

③ Sri Lanka has not seen an increase in the number of elephants that have died due to human-elephant encounters.

④ Steps taken to protect elephants have not produced the desired results in Sri Lanka yet.

これで第5問は終わりです。

音声スクリプト TRACK D15_02

Today, our topic is the Asian elephant, the largest land animal in Asia. They are found across South and Southeast Asia. Asian elephants are sociable animals that usually live in groups and are known for helping each other. They are also intelligent and have the ability to use tools.
The Asian elephant's population has dropped greatly over the last 75 years, even though this animal is listed as endangered. Why has this happened? One reason for this decline is illegal human activities. Wild elephants have long been killed for ivory. But now, there is a developing market for other body parts, including skin and tail hair. These body parts are used for accessories, skin care products, and even medicine. Also, the number of wild elephants caught illegally is increasing because performing elephants are popular as tourist attractions.
Housing developments and farming create other problems for elephants. Asian elephants need large areas to live in, but these human activities have reduced their natural habitats and created barriers between elephant groups. As a result, there is less contact between elephant groups and their numbers are declining. Also, many elephants are forced to live close to humans, resulting in deadly incidents for both humans and elephants.
What actions have been taken to improve the Asian elephant's future? People are forming patrol units and other groups that watch for illegal activities. People are also making new routes to ❶ connect elephant habitats, and are constructing fences around local living areas to protect both people and elephants.
Next, let's look at the current situation for elephants in different Asian countries. Each group will give its report to the class.

【訳】

今日、私たちのトピックは、アジア最大の陸生動物であるアジアゾウです。南アジアと東南アジアにかけて見られます。アジアゾウは通常は群れで生息する社交的な動物で、互いに助け合うことで知られています。また、知能が高く、道具を使う能力があります。

アジアゾウの生息数は過去75年間で大きく減少しました。この動物が絶滅危惧種に登録されていても、そうなのです。なぜこのようなことが起こったのでしょうか。この減少の理由の一つは、違法な人間の活動です。野生のゾウは長年、象牙のために殺されてきました。しかし現在では、皮膚やしっぽの毛などを含む他の身体部位の市場が拡大しています。こうした身体部位はアクセサリーやスキンケア製品、さらには薬にも使用されます。また、違法に捕獲される野生のゾウの数も増えています。なぜなら芸をするゾウが観光名物として人気があるからです。

住宅開発や農業も、ゾウにとって別の問題を生じさせます。アジアゾウは生息するための広い地域を必要としますが、こうした人間の活動がゾウの自然生息地を減らし、ゾウの群れと群れの間に障壁を設けてきました。その結果、ゾウの群れ同士の接触が少なくなり、ゾウの数が減っているのです。また、多くのゾウが人間の近くに住まざるを得なくなり、その結果、人間とゾウの両方に死亡が生じる事件が起きています。

アジアゾウの未来を改善するために、どんな対策が採られてきたでしょうか。人々は違法活動を見張るパトロール隊や他のグループを組織しています。また、ゾウの生息地をつなぐ新しいルートを作ったり、人間とゾウの両者を守るために地域の生活圏の周囲にフェンスを建設したりしています。

では次に、アジアのさまざまな国のゾウの現状を見てみましょう。各グループにクラスの皆さんに報告をしてもらいます。

ワークシート

アジアゾウ

◇ **一般情報**

◆ 大きさ：アジアで最大の陸生動物

◆ 生息地：南アジアおよび東南アジア

◆ 特徴：〔 27 〕

◇ **ゾウに対する脅威**

脅威１：違法な商業活動

◆ ゾウの身体部位をアクセサリー、28、薬に使うこと

◆ 生きているゾウを 29 のために捕獲すること

脅威２：土地開発による生息地の減少

◆ ゾウの 30 交流の減少

◆ 人間とゾウの 31 の増加

音声のポイント

1 to は弱形で短く「タ」のように発音されている。

語句

sociable	形 社交的な	result in ～	熟 ～の結果になる
intelligent	形 知能の高い	deadly	形 死に至る、致死の
endangered	形 絶滅の危機に瀕した	incident	名 出来事、事件
decline	名 下落、減少 自 減少する	form ～	他 ～を形成する、～を組織する
illegal	形 違法の	unit	名 部隊
ivory	名 象牙	watch for ～	熟 ～を見張る
tourist attraction	名 観光名物	construct ～	他 ～を建設する
housing	名 住宅、住宅供給	current	形 現在の、最新の
reduce ～	他 ～を減少させる、～を減らす	characteristic	名（通常～sで）特徴
		threat	名 脅威、危険
habitat	名 生息地	commercial	形 商売の、商業の
barrier	名 障壁、隔てるもの	capture ～	他 ～を捕らえる、～を捕獲する
be forced to (V)	熟 Vすることを強いられる、Vせざるを得ない	interaction	名 交流

問27 正解② 問題レベル【普通】 配点 3点

選択肢 ① Aggressive and strong 「攻撃的で強い」
② Cooperative and smart 「協調性があり賢い」
③ Friendly and calm 「人懐こくて穏やか」
④ Independent and intelligent 「自立していて知能が高い」

語句 aggressive 形 攻撃的な
cooperative 形 協力的な、協調性のある
independent 形 独立心のある、自立した

❶状況、ワークシートを先読みする→❷設問と選択肢を先読みする→❸空欄を埋める

❶テーマは「アジアゾウ」です。ワークシートから 27 ではアジアゾウのCharacteristics「特徴」が問われていることを確認しておきましょう。❷選択肢はすべて「性格」を表すものになっています。❸「性格」に注意して聴きましょう。音声にはAsian elephants are **sociable** animals that usually live in groups and are known for **helping each other**. They are also **intelligent** and have the ability to use tools. とあります。このうちsociableやhelping each otherが聴き取れれば、選択肢では**cooperative に言い換え**られていると判断できます。また、音声のintelligentは**smart に言い換え**られています。よって②が正解です。

問28~31 正解28② / 29⑥ / 30⑤ / 31③ 問題レベル【やや難】 配点 2点×2
※問28と問29が2問とも正解の場合のみ2点。問30と問31が2問とも正解の場合のみ2点。

選択肢 ① clothing 「衣服」
② cosmetics 「化粧品」
③ deaths 「死亡」
④ friendship 「友情」
⑤ group 「群れ」
⑥ performances 「演技」

語句 cosmetics 名 化粧品

❶状況、ワークシートを先読みする→❷設問と選択肢を先読みする→❸空欄を埋める

❶❷ワークシートから、問28は「**アクセサリー、薬**と並ぶゾウの体の一部の使用例」、問29は「生きたゾウを捕獲する目的」であることを確認しておきます。問30、31は生息地の減少がもたらす脅威の具体例として、「○○交流の減少」、「人間と象の○○の増加」が問われています。❸問28は、**accessories** や **medicine** など具体例が与えられているので、これらの単語が流れた付近に答えがあるはずです。こういった点に注意して聴くと、These body parts are used for accessories, **skin care products**, and even medicine. とあります。よって 28 には **skin care products** の言い換えとなる② **cosmetics** が入ります。

問29は、ワークシート内のcapturing live elephantsに注意して聴くと、the number of wild elephants caught illegally is increasing because **performing elephants are popular as tourist attractions** とあります。よって 29 には「芸をするゾウは人気がある」という内容を言い換えた⑥ **performances** が入ります。

Day 15

問30は、decrease「減少」やinteractionに近い表現に注意して聴くと、there is less **contact** between **elephant groups** and their numbers are declining とあります。**contact** は**interactionの言い換え**となっています。何のcontactか確認するとcontact between **elephant groups**「ゾウの群れ同士の接触」とあるので、30 には同じ表現の⑤ groupが入ります。

問31は、human and elephantにつながる表現やincrease「増加」を表す表現に注意して聴きましょう。many elephants are forced to live close to humans, resulting in **deadly incidents** for both humans and elephantsから、人間とゾウの両方が事故で死んでいることがわかります。よって 31 には③ deathsが入ります。

問32 正解③ **問題レベル【難】 配点 4点**

選択肢

① Efforts to stop illegal activities are effective in allowing humans to expand their housing projects.
「違法な活動をやめさせる努力は、人間が住宅プロジェクトを拡大できるようにすることにおいて有効だ」

② Encounters between different elephant groups are responsible for the decrease in agricultural development.
「異なるゾウの群れ同士が遭遇することが農業開発の減少の原因となる」

③ Helping humans and Asian elephants live together is a key to preserving elephants' lives and habitats.
「人間とアジアゾウの共生を手助けすることが、ゾウの命と生息地を守るためのカギである」

④ Listing the Asian elephant as an endangered species is a way to solve environmental problems.
「アジアゾウを絶滅危惧種に登録することは環境問題を解決する一つの方法だ」

語句 encounter 名 遭遇　preserve ～ 他 ～を保護する、～を守る

❶状況、ワークシートを先読みする→❹内容一致問題に解答する

❶第5問の内容一致問題（問32）は選択肢の英文が長く、文法的にもやや複雑です。先読みは余裕があればでOKです。❹選択肢を見て本文の言い換えになっているものを探していきます。①のbe effective in ～は「～することにおいて有効だ」という意味です。またallowing ～で使われているallow O to doは「Oが～するのを許可する」以外に**「Oが～できるようにする」**の意味でもよく使われるので覚えておきましょう。「人間が住宅プロジェクトを拡大できるようにすることにおいて有効」という内容は音声にはないので①は不正解です。

②の**be responsible for ～**は「～の責任がある」以外に**「～の原因となる」**という意味でもよく使われます。cause ～「～の原因となる」やresult in ～「～という結果になる」、lead to ～「～という結果になる」などと同じ因果表現を表す表現として覚えておきましょう。「ゾウ同士が遭遇することが農業開発の減少の原因となる」という内容は音声にはないので②は不正解です。

③の help O (to) do「O が～するのを助ける」や is a key to ～「～のカギである」もよく使われる表現なので覚えておきましょう。音声に What actions have been taken to **improve the Asian elephant's future**? とあり、**improve the Asian elephant's future** の部分が選択肢の **preserving elephants' lives and habitats に言い換え**られていると考えられます。その直後の発言では、パトロール隊を作ったり、ゾウが移動するルートを作ったり、人間とゾウの両方を守るためにフェンスを建設したりといった活動が紹介されています。こういった行動が選択肢の **Helping humans and Asian elephants live together に言い換え**られていると判断できるので、③が正解となります。

④の an endangered species「絶滅危惧種」と environmental problems「環境問題」の関係は音声には出てこないので不正解です。

問33　設問　　音声スクリプト TRACK D15_04

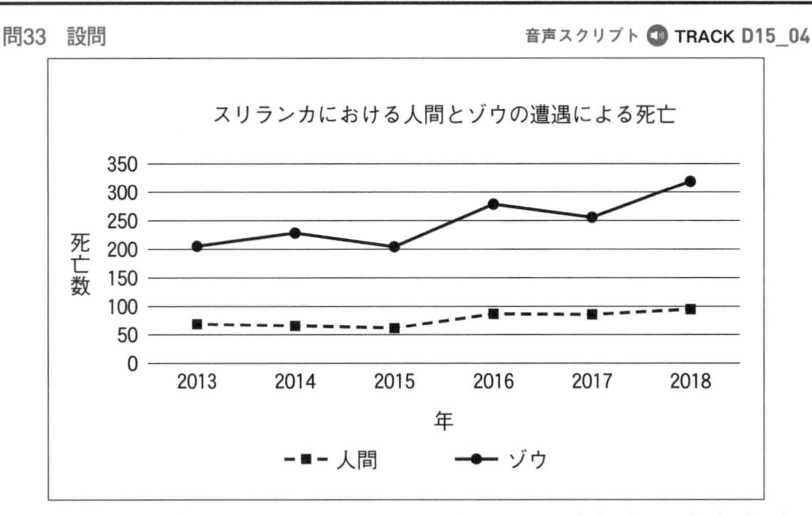

Our group studied deadly encounters between humans and elephants in Sri Lanka. In other countries, like India, many more people than elephants die in these encounters. By contrast, similar efforts in Sri Lanka show a different trend. Let's take a look at the graph and the data we found.

【訳】

私たちのグループはスリランカでの死亡が生じる人間とゾウの遭遇について調べました。インドのような他の国では、こうした遭遇ではゾウよりもずっと多くの人間が命を落とします。対照的に、スリランカでは同じような試みでも異なる傾向が示されます。私たちが見つけたグラフとデータを見てみましょう。

語句　by contrast 熟 対照的に　trend 名 傾向

問33 正解④ **問題レベル【やや難】 配点 4点**

選択肢

① Efforts to protect endangered animals have increased the number of elephants in Sri Lanka.
「絶滅の危機にある動物を保護する努力によって、スリランカのゾウの数が増えている」

② Monitoring illegal activities in Sri Lanka has been effective in eliminating elephant deaths.
「スリランカでは違法な活動を監視することがゾウの死亡をなくす効果を上げている」

③ Sri Lanka has not seen an increase in the number of elephants that have died due to human-elephant encounters.
「スリランカは人間とゾウの遭遇によって命を落とすゾウの数の増加を経験していない」

④ Steps taken to protect elephants have not produced the desired results in Sri Lanka yet.
「ゾウを保護するために取られる措置は、スリランカではまだ望ましい結果を生み出していない」

monitor ～ 他 ～を監視する
eliminate ～ 他 ～を排除する、～をなくす
desired 形 望まれた、望ましい

❺図と選択肢を先読みする

❺問33の先読みは問32までを解き終えてからにしましょう。グラフのタイトルや項目がどのようなものになっているか確認しましょう。選択肢とグラフ・音声が一致するか確認していきます。①は「スリランカのゾウが増えている」という内容ですが、グラフでは「ゾウの死亡数」が示されており、ゾウの数は不明です。よって①は不正解です。②は「違法活動の監視がゾウの死亡をなくすことにおいて効果的だ」という内容ですが、音声でもグラフでも「違法活動の監視」については言及されておらず、またグラフを見るとゾウの死亡数は増えているため不正解です。③は、「スリランカは人間とゾウの遭遇によるゾウの死亡数の増加を経験していない」という内容ですが、グラフを見る限りゾウの死亡数は増えているため不正解です。残った④が正解です。選択肢の文の構造がやや難しいですが、taken to protect elephants は過去分詞の形容詞的用法で Steps を修飾しており、「ゾウを保護するために採られる措置」という意味になり、ここまでが文の主語となります。「この措置が望ましい結果を生み出していない」という内容で、グラフからわかる「ゾウの死亡数は増えている」という点と一致しています。

MEMO

Day 15

第 5 問（配点　15）音声は 1 回流れます。

第 5 問は問 27 から問 33 までの 7 問です。

最初に講義を聞き，問 27 から問 32 に答えなさい。次に続きを聞き，問 33 に答えなさい。状況，ワークシート，問い及び図表を読む時間が与えられた後，音声が流れます。

状況

あなたは大学で，美術館のデジタル化についての講義を，ワークシートにメモを取りながら聞いています。

ワークシート

Art in the Digital Age

○**Impact of Digital Technology on Art Museums**

Digital art museums are changing how people interact with art because art museums [27].

○**Distinct Features of Digital Art Museums**

Benefits to museums	Benefits to visitors
◆ potential increase in the number of visitors	◆ easier access ◆ flexible [28] ◆ detailed [29]

Challenges for museums
The need for: ◆ enthusiastic [30] ◆ digital specialists ◆ increased [31]

問27 ワークシートの空欄 [27] に入れるのに最も適切なものを，四つの選択肢（①～④）のうちから一つ選びなさい。

① are no longer restricted to physical locations
② can now buy new pieces of artwork online
③ do not have to limit the types of art created
④ need to shift their focus to exhibitions in buildings

問28～31 ワークシートの空欄 [28] ～ [31] に入れるのに最も適切なものを，六つの選択肢（①～⑥）のうちから一つずつ選びなさい。選択肢は２回以上使ってもかまいません。

① artists　② budget　③ directors
④ information　⑤ physical paintings　⑥ visiting time

問32 講義の内容と一致するものはどれか。最も適切なものを，四つの選択肢（①～④）のうちから一つ選びなさい。 [32]

① More art museums are planning to offer free services on site for visitors with seasonal passes.
② Museums may need to maintain both traditional and online spaces to be successful in the future.
③ One objective for art museums is to get younger generations interested in seeing exhibits in person.
④ The production of sustainable art pieces will provide the motivation for expanding digital art museums.

第５問はさらに続きます。

問33　グループの発表を聞き，**次の図から読み取れる情報と講義全体の内容から**どのようなことが言えるか，最も適切なものを，四つの選択肢（①～④）のうちから一つ選びなさい。 33

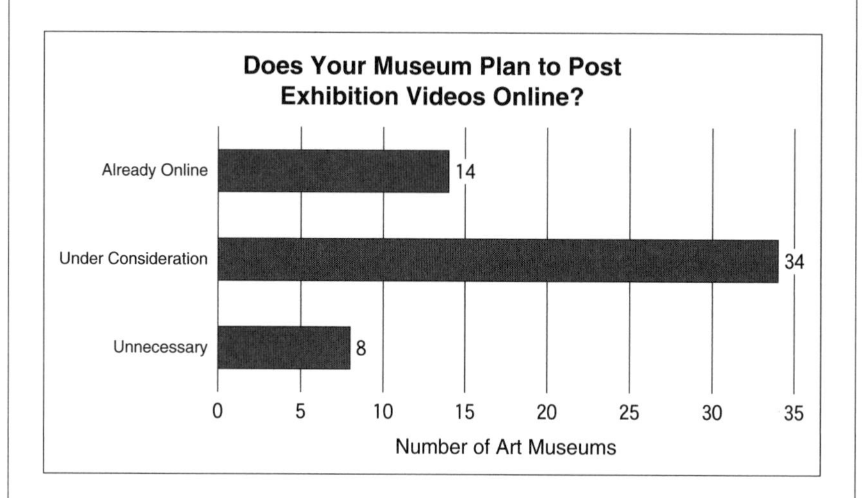

① As visitors want to see art in person, 14 museums decided that putting exhibition videos online is unnecessary.

② Despite problems in finding money and staff, more than 10 museums have already put their exhibition videos online.

③ Eight museums are putting exhibition videos online, and they will put their physical collections in storage.

④ Most of the 56 museums want to have exhibition videos online because it takes very little effort and the cost is low.

これで第5問は終わりです。

音声スクリプト TRACK D15_07

Today, we're going to focus on art in the digital age. With advances in technology, how people view art is changing. In recent years, some art collections have been put online to create "digital art museums." Why are art museums moving to digital spaces?

One reason has to do with visitor access. In digital museums, visitors can experience art without the limitation of physical spaces. If museums are online, more people can make virtual visits to them. Also, as online museums never close, visitors can stay for as long as they like! Another reason is related to how collections are displayed. Online exhibits enable visitors to watch videos, see the artwork from various angles, and use interactive features. This gives visitors much more specific information about each collection.

Putting collections online takes extra effort, time, and money. First, museum directors must be eager to try this new format. Then, they have to take the time to hire specialists and raise the money to buy the necessary technology. Of course, many people might still want to see the actual pieces themselves. These factors are some reasons why not all museums are adding an online format.

Many art museums have been offering digital versions of their museums for free, but this system might change in the future. Museums will probably need to depend on income from a hybrid style of both in-person and online visitors. This kind of income could enable them to remain financially sustainable for future generations. Now, let's do our presentations. Group 1, start when you are ready.

【訳】

今日は、デジタル時代の芸術に注目します。テクノロジーの進歩に伴い、人々が芸術を鑑賞する方法は変化しています。近年では、美術コレクションの中には「デジタル美術館」を作るためにオンラインに上げられているものもあります。なぜ美術館はデジタル空間に移行しているのでしょうか。

理由の一つは来館者の利用方法と関係があります。デジタル美術館では、来館者は物理的な空間の制限なく芸術を体験することができます。美術館がオンラインであれば、より多くの人々がそこに仮想来館することができます。また、オンライン美術館は閉館することが決してないので、来館者は好きなだけ長くいることができるのです！　もう一つの理由はコレクションが展示される方法と関係しています。オンライン展示であれば、来館者は動画を見たり、さまざまな角度から芸術作品を見たり、双方向の機能を使ったりできます。これにより、来館者はそれぞれのコレクションについて、はるかに詳細な情報を得ることができます。

コレクションをオンラインに上げるには余分な労力と時間と費用がかかります。まず、美術館の責任者がこの新しい方式を試すことに熱心でなければなりません。それから、時間をかけて専門家を雇い、必要な技術を購入するためのお金を集めなければなりませ

Day 15

ん。当然ながら、実際の作品を自分の目で見たい人たちもまだたくさんいることでしょう。こうした要因が、すべての美術館がオンライン方式を加えているわけではないことの理由のいくつかです。

多くの美術館は自館のデジタル・バージョンを無料で提供してきましたが、このシステムは今後変わるかもしれません。美術館にはおそらく、直接来る来館者とオンラインの来館者の両方を組み合わせたスタイルからの収入に頼る必要が生じるでしょう。この種の収入により、美術館は将来の世代のために財政的に維持可能な状態のままでいることができるかもしれません。では、発表に入りましょう。グループ1は、準備ができたら始めてください。

ワークシート

デジタル時代の芸術

○デジタル技術の美術館への影響

デジタル美術館は人々が芸術と触れ合う方法を変えつつある。なぜなら美術館は［27］。

○デジタル美術館特有の特徴

美術館にとっての利点	来館者にとっての利点
◆来館者数の増加の可能性	◆より容易なアクセス ◆柔軟な［28］ ◆詳細な［29］

美術館にとっての課題
必要とするもの： ◆熱心な［30］ ◆デジタルの専門家 ◆増加した［31］

音声のポイント

1 with は弱形で「ウィ」のように発音されている。

2 when you は連結して「ウェンニュ」のように発音されている。

語句

focus on ～	熟 ～に注目する	specific	形 具体的な、詳しい
advance	名 進歩	be eager to (V)	熟 Vしたいと熱心に思う
view ～	他 ～を見る	format	名 形式、方式
have to do with ～	熟 ～と関係がある	raise ～	他（金・資金）を集める
limitation	名 制限、制約	actual	形 実際の
physical	形 物理的な、実体のある	depend on ～	熟 ～に頼る
virtual	形 仮想の、バーチャルの	income	名 収入
be related to ～	熟 ～と関係する	hybrid	形 混成の、混合の
angle	名 角度		
interactive	形 双方向の、対話型の		

in-person	形（本人）直接の	interact with ～	熟 ～とかかわり合う、～と触れ合う
financially	副 金銭的に、財政的に	distinct	形 独特の、特有の
sustainable	形 維持［継続］可能な、持続可能な	potential	形 可能性のある、潜在的な
impact	名 影響	enthusiastic	形 熱心な

問27 正解① 問題レベル【普通】 配点 3点

選択肢

① are no longer restricted to physical locations
「もはや物理的な場所に限定されていない」

② can now buy new pieces of artwork online
「今やオンラインで新たな芸術作品を買うことができる」

③ do not have to limit the types of art created
「創作される芸術作品の種類を制限する必要がない」

④ need to shift their focus to exhibitions in buildings
「建物内での展示に焦点を移す必要がある」

語句 be restricted to ～ 熟 ～に限定されている　exhibition 名 展示
shift ～ 他 ～を移す

❶状況、ワークシートを先読みする→❷設問と選択肢を先読みする→❸空欄を埋める

❶テーマは「美術館のデジタル化」です。先読みの段階では、ワークシートの空所 27 の少し前に **because** があるため、「デジタル美術館が人々の芸術と触れ合う方法を変えている**理由**」に注意して聴きましょう。❷選択肢はやや長めになっているので、軽く目を通す程度で、余裕がない場合は問28～31の先読みを優先しましょう。❸「理由」に注意して聴くと、One reason has to do with visitor access. とあり、さらに In digital museums, visitors can experience art **without the limitation of physical spaces.** と続きます。ここで使われている **without the limitation of physical spaces**「物理的な空間の制限なく」は、選択肢①の **no longer restricted to physical locations に言い換え**られていると考えられるので、①が正解だと判断します。②は、「オンラインで購入できる」という話は音声に出てこないので不正解です。③は、「芸術作品の種類の制限」については言及されていないため不正解です。④は、「建物内の展示に焦点を移す」という内容については言及されていないため不正解です。

問28～31 正解28⑥ / 29④ / 30③ / 31② 問題レベル【普通】 配点 2点×2
※問28と問29が2問とも正解の場合のみ2点。問30と問31が2問とも正解の場合のみ2点。

選択肢

① artists 「芸術家」　② budget 「予算」
③ directors 「責任者」　④ information 「情報」
⑤ physical paintings 「実体のある絵画」　⑥ visiting time 「来館時間」

語句 budget 名 予算

Day 15

❶状況、ワークシートを先読みする→❷設問と選択肢を先読みする→❸空欄を埋める

❶❷先読みの段階では、28 と 29 は「来館者にとっての利点」、30 と 31 は「美術館にとっての課題」が問われることを確認しておきましょう。❸問28は、「利点」かつflexibleにつながる語句に注意して聴くと、as online museums never close, visitors can stay for **as long as they like** とあります。**as long as they likeがflexibleの言い換え**と考えられ、好きなだけ長く滞在できることから、⑥ visiting timeが正解となります。ただ、この問題はある程度コロケーション（単語同士の相性）の知識があれば、flexibleにつながるのは選択肢のうちtimeかbudgetくらいだとわかるので、あまり迷わずに選ぶことができます。

問29は、「利点」かつdetailed「詳細な」につながる語句に注意して聴きましょう。選択肢の中でdetailedにつながるのはinformationしかありません。音声では、**specific information**が聴き取れれば根拠としては十分でしょう。④が正解です。

問30は、The need「必要なもの」かつenthusiastic「熱心な」につながる語句に注意して聴きましょう。enthusiasticにつながるのはartistsかdirectorsです。音声には、museum directors must be **eager** to try this new formatとあり、**enthusiasticがeagerの言い換え**であると判断できます。よって③が正解です。

問31は、The need「必要なもの」かつincreasedにつながる語句に注意して聴きましょう。increasedにつながるのは② budgetで、ほぼ答えが決まります。音声では、**raise the money** to buy the necessary technology「必要な技術を購入するためのお金を集める」の**raise the money**や、This kind of **income could enable** them to remain financially sustainable for future generations.「この種の収入により、美術館は将来の世代のために財政的に維持可能な状態のままでいることができるかもしれません」の**income could enable**の部分が聴き取れれば根拠として十分でしょう。ここで使われている**S enable O to do「SによってOは～できる」**は解答の根拠になりやすいので覚えておきましょう。S help O (to) do、S allow O to doも同様です。

問32　正解②　**問題レベル【難】　配点 4点**

選択肢

① More art museums are planning to offer free services on site for visitors with seasonal passes.
「シーズン・パスを持っている来館者に、施設内で無料サービスを提供することを計画している美術館が増えている」

② Museums may need to maintain both traditional and online spaces to be successful in the future.
「美術館は今後成功するために、従来型とオンライン型のスペースの両方を維持する必要があるかもしれない」

③ One objective for art museums is to get younger generations interested in seeing exhibits in person.
「美術館の一つの目標は、若い世代に、展示物を直接鑑賞することに興味を持ってもらうことだ」

④ The production of sustainable art pieces will provide the motivation for expanding digital art museums.

「持続可能な芸術作品の制作は、デジタル美術館を拡大する動機を与えるだろう」

語句
on site 熟 その場で、施設内で
exhibit 名 展示品
seasonal 形 季節の、シーズンの
motivation 名 動機、意欲
objective 名 目標、目的

❶状況、ワークシートを先読みする→❹内容一致問題に解答する

❶先読みは余裕があればでOKです。その場合はfree services、both traditional and online、younger generations、sustainable art piecesなどキーワードになりそうなものがチェックできているとよいでしょう。❹選択肢を見て本文の言い換えになっているものを探していきます。①は、「来館者に無料サービスを提供すること」については言及されていないため不正解です。

②の **both traditional and online** は Museums will probably need to depend on income from a hybrid style of **both in-person and online visitors.** の **both in-person and online visitors を言い換え**たものと考えられます。「従来型とオンライン型の両方を維持する」という内容と「直接来る来館者とオンラインの来館者の両方を組み合わせたスタイルからの収入に頼る必要があるだろう」という内容は一致するため、②が正解です。traditional「従来の」がここではin-person「直接の」と同じ意味になることに気付くのは難しいですが、どちらも重要な表現なので覚えておきましょう。

③は、「若い世代に興味を持たせること」については言及されていないため不正解です。④は、「持続可能な芸術作品の制作」については言及されていないため不正解です。

問33　設問　　音声スクリプト TRACK D15_09

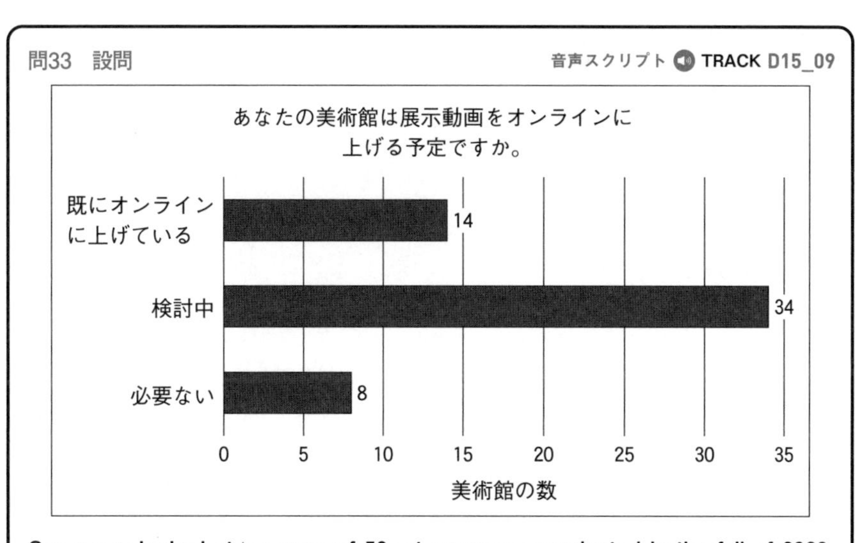

Our group looked at a survey of 56 art museums conducted in the fall of 2020. Many art museums are currently thinking about how to go digital. This survey specifically asked if art museums were putting their exhibition videos on the internet. Here are those survey results.

【訳】私たちのグループは、2020年の秋に行われた、56の美術館を対象とした調査を調べました。多くの美術館が現在、デジタル化の方法を考えています。この調査は、特に美術館が展示動画をインターネットに上げているかどうかを尋ねたものです。調査結果はこのとおりです。

語句 survey 名 調査　specifically 副 特に
conduct ～ 他（調査・実験など）を行う

問33 正解② 問題レベル【やや難】 配点 4点

選択肢

① As visitors want to see art in person, 14 museums decided that putting exhibition videos online is unnecessary.
「来館者が芸術作品を直接見たがっているので、14の美術館が展示動画をオンラインに上げることは不必要だと判断した」

② Despite problems in finding money and staff, more than 10 museums have already put their exhibition videos online.
「お金やスタッフを手に入れるうえでの問題があるにもかかわらず、10を超える美術館がすでに展示動画をオンラインに上げている」

③ Eight museums are putting exhibition videos online, and they will put their physical collections in storage.
「8つの美術館が展示動画をオンラインに上げており、それらの美術館は実物のコレクションを保管するだろう」

④ Most of the 56 museums want to have exhibition videos online because it takes very little effort and the cost is low.
「56の美術館のほとんどが、労力がほとんどいらず費用も低いので、展示動画をオンラインに上げたいと思っている」

語句 despite ～ 前 ～にもかかわらず　put ～ in storage 熟 ～を保管する

❺図と選択肢を先読みする

❺問33の先読みは問32までを解き終えた後になります。グラフのタイトルと項目がどのようなものになっているか確認しましょう。選択肢とグラフ・音声が一致しているか確認していきます。①は、「14の美術館が展示動画をオンラインに上げることは不必要だと判断した」とありますが、グラフでは、「14の美術館は既に展示動画をオンラインに上げた」ことがわかるため、不正解となります。②は、「10を超える美術館がすでに展示動画をオンラインに上げている」とあり、グラフでは「14の美術館が既に展示動画を上げている」とわかるので、②が正解となります。③は、「8つの美術館が展示動画を上げている」とありますが、すでに動画を上げているのは14なので不正解です。④は、「56の美術館のほとんどが展示動画をオンラインに上げたいと思っている」とありますが、グラフでは8つの美術館が「必要ない」と思っていることがわかるため不正解です。

MEMO

Day 15

DAY 16

【講義：シート作成問題】を攻略する「表読の型」「言い換えの型」「照合の型」

英文が読まれるスピードでスムーズに理解できるようになるために、音読を行いましょう。第5問の形式が音読に最適なので、演習を終えたらぜひ音読して復習してください。重要な表現も多く含まれているため、解説で紹介したものは確実に覚えましょう。

「表読・言い換え・照合の型」のステップ

1 「聴き取りの型」を使う

Day 15と同様に、状況、ワークシート、設問、選択肢を先読みします。

2 表読の型

空所を埋めるタイプの問題は表と選択肢を照らし合わせ、どのような内容になるか予測しましょう。先読みで確認しておいた内容に注意し、音声の流れに従って表を埋めていきます。

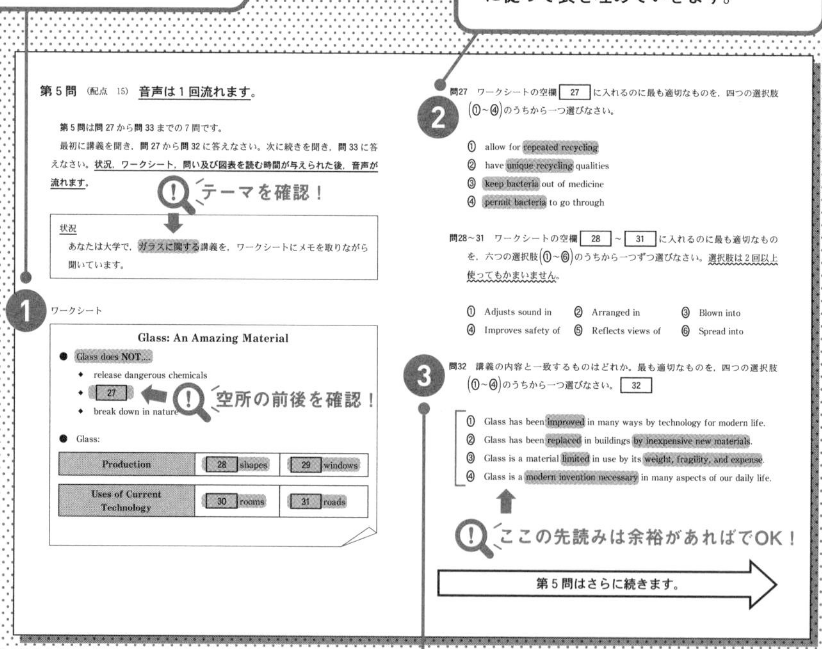

第5問 (配点 15) 音声は1回流れます。

第5問は問27から問33までの7問です。

最初に講義を聞き，問27から問32に答えなさい。次に続きを聞き，問33に答えなさい。状況，ワークシート，問い及び図表を読む時間が与えられた後，音声が流れます。

状況

あなたは大学で，ガラスに関する講義を，ワークシートにメモを取りながら聞いています。

ワークシート

Glass: An Amazing Material

- Glass does NOT....
  - release dangerous chemicals
  - [27]
  - break down in nature
- Glass:

Production	[28] shapes	[29] windows
Uses of Current Technology	[30] rooms	[31] roads

問27 ワークシートの空欄 [27] に入れるのに最も適切なものを，四つの選択肢(①～④)のうちから一つ選びなさい。

① allow for repeated recycling
② have unique recycling qualities
③ keep bacteria out of medicine
④ permit bacteria to go through

問28～31 ワークシートの空欄 [28] ～ [31] に入れるのに最も適切なものを，六つの選択肢(①～⑥)のうちから一つずつ選びなさい。選択肢は2回以上使ってもかまいません。

① Adjusts sound in ② Arranged in ③ Blown into
④ Improves safety of ⑤ Reflects views of ⑥ Spread into

問32 講義の内容と一致するものはどれか。最も適切なものを，四つの選択肢(①～④)のうちから一つ選びなさい。 [32]

① Glass has been improved in many ways by technology for modern life.
② Glass has been replaced in buildings by inexpensive new materials.
③ Glass is a material limited in use by its weight, fragility, and expense.
④ Glass is a modern invention necessary in many aspects of our daily life.

第5問はさらに続きます。

3 言い換えの型

内容一致問題は、聴いた内容をある程度覚えていないと難しくなります。選択肢から音声の内容が言い換えられている箇所を探して選択肢を選びます。

内容 **第5問はこれまでの問題に比べ語彙が少し難しくなりますが、講義の音声なので比較的はっきり発音されます。音声を聴いて解けなかった場合は、普通にスクリプトを読んで解けるか試してみましょう。読んでも解けなかった場合は「読解力」が足りていないのでリーディングを強化しましょう。単語・文法・構文の知識を、英語が読まれるスピードで理解できるかが試されています。**

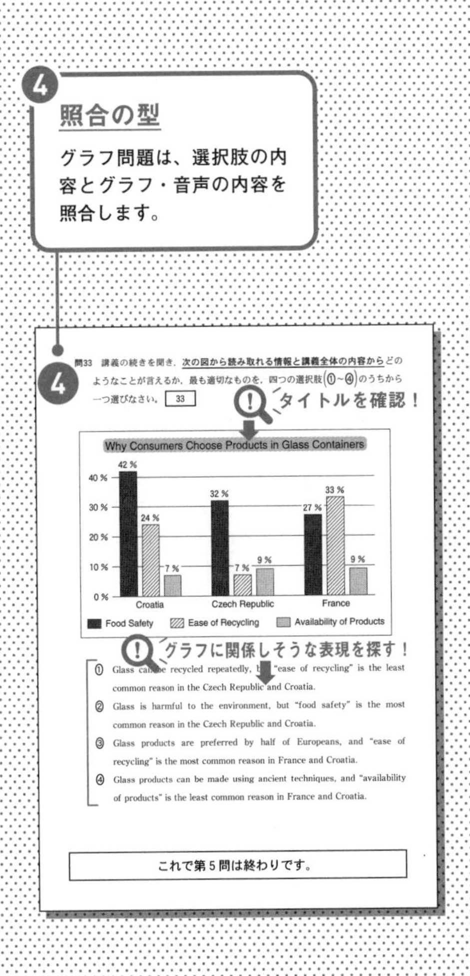

問33　講義の続きを聞き，次の図から読み取れる情報と講義全体の内容からどのようなことが言えるか，最も適切なものを，四つの選択肢（①〜④）のうちから一つ選びなさい。 33

① Glass can be recycled repeatedly, but "ease of recycling" is the least common reason in the Czech Republic and Croatia.

② Glass is harmful to the environment, but "food safety" is the most common reason in the Czech Republic and Croatia.

③ Glass products are preferred by half of Europeans, and "ease of recycling" is the most common reason in France and Croatia.

④ Glass products can be made using ancient techniques, and "availability of products" is the least common reason in France and Croatia.

これで第5問は終わりです。

Day 16

では、この「表読の型」「言い換えの型」「照合の型」を使って、次ページの問題に取り組みましょう！

第5問 （配点　15） 音声は1回流れます。

第5問は問27から問33までの7問です。

最初に講義を聞き，問27から問32に答えなさい。次に続きを聞き，問33に答えなさい。**状況，ワークシート，問い及び図表を読む時間が与えられた後，音声が流れます。**

状況

あなたは大学で，ガラスに関する講義を，ワークシートにメモを取りながら聞いています。

ワークシート

Glass: An Amazing Material

- Glass does **NOT**....
  - release dangerous chemicals
  - [27]
  - break down in nature

- Glass:

Production	[28] shapes	[29] windows
Uses of Current Technology	[30] rooms	[31] roads

問27　ワークシートの空欄 **27** に入れるのに最も適切なものを，四つの選択肢（①～④）のうちから一つ選びなさい。

① allow for repeated recycling
② have unique recycling qualities
③ keep bacteria out of medicine
④ permit bacteria to go through

問28～31　ワークシートの空欄 **28** ～ **31** に入れるのに最も適切なものを，六つの選択肢（①～⑥）のうちから一つずつ選びなさい。選択肢は2回以上使ってもかまいません。

① Adjusts sound in　② Arranged in　③ Blown into
④ Improves safety of　⑤ Reflects views of　⑥ Spread into

問32　講義の内容と一致するものはどれか。最も適切なものを，四つの選択肢（①～④）のうちから一つ選びなさい。 **32**

① Glass has been improved in many ways by technology for modern life.
② Glass has been replaced in buildings by inexpensive new materials.
③ Glass is a material limited in use by its weight, fragility, and expense.
④ Glass is a modern invention necessary in many aspects of our daily life.

第5問はさらに続きます。

問33　講義の続きを聞き，**次の図から読み取れる情報と講義全体の内容から**どのようなことが言えるか，最も適切なものを，四つの選択肢（①～④）のうちから一つ選びなさい。 33

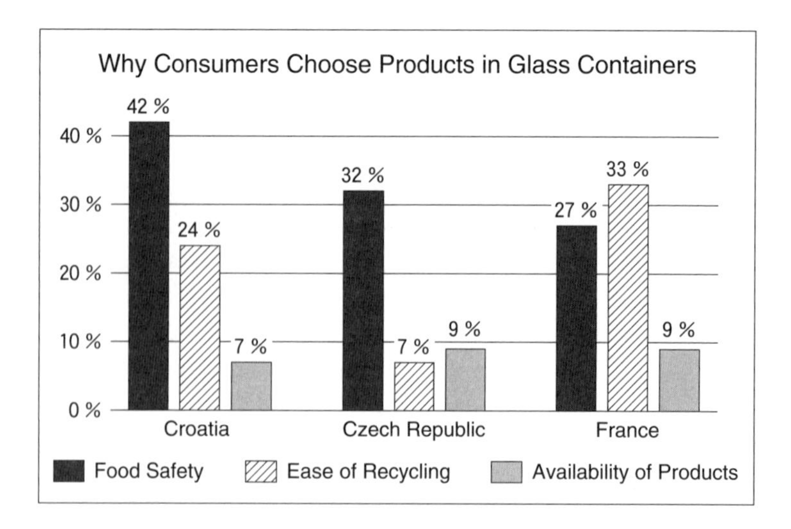

① Glass can be recycled repeatedly, but “ease of recycling” is the least common reason in the Czech Republic and Croatia.

② Glass is harmful to the environment, but “food safety” is the most common reason in the Czech Republic and Croatia.

③ Glass products are preferred by half of Europeans, and “ease of recycling” is the most common reason in France and Croatia.

④ Glass products can be made using ancient techniques, and “availability of products” is the least common reason in France and Croatia.

これで第5問は終わりです。

音声スクリプト TRACK D16_02

This afternoon, we're going to talk about the unique characteristics of glass and recent innovations in glass technology. Glass does not release any dangerous chemicals and bacteria cannot pass through it, which makes it suitable for storing food, drinks, and medicine. Glass can also be cleaned easily, reused many times, and recycled repeatedly, making it friendly to the environment. A surprising characteristic of glass is that it ❶ doesn't break down in nature. This is why we can still see many examples of ancient glass work at museums.
Glass-making began in Mesopotamia roughly 4,500 years ago. Beads and bottles were some of the first glass items made by hand. As glass-making became more common, different ways of shaping glass developed. One ancient technique uses a long metal tube to blow air into hot glass. This technique allows the glassblower to form round shapes which are used for drinking glasses or flower vases. Spreading hot glass onto a sheet of hot metal is the technique used to produce large flat pieces of window glass.
Today, new technology allows glass to be used in exciting ways. 3D printers that can make lenses for eyeglasses have been developed. Smart glass can be used to ❷ adjust the amount of light that passes through airplane windows. Other types of glass can help control sound levels in recording studios or homes. Moreover, tiny pieces of glass in road paint reflect light, making it easier to see the road at night. Due to these characteristics, glass can be found everywhere we go. Our first group investigated the use of glass in some European countries. Group 1, go ahead.

【訳】

今日の午後は、ガラスのユニークな特性と、最近のガラスの技術革新についてお話しします。ガラスは危険な化学物質を出したり細菌を通したりせず、その結果、食べ物、飲み物、薬品の保存に適しています。ガラスはまた、簡単に洗浄でき、何度も再利用でき、繰り返しリサイクルできることから、環境に優しいのです。ガラスの意外な特性は、自然界で分解されないことです。これが、博物館で古代のガラス作品の例を今でもたくさん見ることができる理由です。

ガラスの製造はおよそ4,500年前にメソポタミアで始まりました。手作りされた最初期のガラス製品の中にはビーズや瓶があります。ガラスの製造がより一般的になっていくにつれ、ガラスを成形するさまざまな方法が発達しました。古代の技法の一つは、長い金属の筒を使って熱いガラスに空気を吹き込むものです。この技法によってガラス吹き職人は丸い形を形成することができ、それが飲み物のグラスや花瓶に使われます。熱いガラスを熱い金属板の上に広げるのは、大きく平らな窓ガラスを製造するために使われる技法です。

今日、新技術のおかげでガラスが興味深い方法で利用されるようになっています。眼鏡のレンズを作ることのできる3D プリンターが開発されています。スマートガラスは飛

Day 16

行機の窓を通り抜ける光の量を調節するのに利用できます。他の種類のガラスは、レコーディングスタジオや家庭で音量を調節するのに役立ちます。さらに、道路用の塗料に入っているごく小さなガラス粒は光を反射し、夜間の道路をより見やすくします。

こうした特性のおかげで、私たちは行く先々でガラスを見かけます。最初のグループは、いくつかのヨーロッパ諸国におけるガラスの利用を研究しました。グループ1、どうぞ。

ワークシート

ガラス：驚異の素材

● ガラスが**しない**ことは……

◆ 危険な化学物質を放出する

◆ 27

◆ 自然界で分解する

● ガラス：

製造	形 28	窓 29
最新技術における用途	部屋 30	道路 31

音声のポイント

1 that it は that の [t] が [d] に変化し、連結することで、「ザディッ」のように発音されている。

2 used to は [z] の音が [s] に変化し、[d] の音が脱落することで、「ユーストゥ」のように発音されている。

語句

characteristic	名 特徴、特性	bead	名 ビーズ
recent	形 最近の	tube	名 管
innovation	名 革新	glassblower	名 ガラス吹き職人
release ～	他 ～を放出する	produce ～	他 ～を製造する
chemical	名（通常-sで）化学物質	pass through ～	熟 ～を通り抜ける
bacteria	名 細菌、バクテリア	adjust ～	他 ～を調節する
repeatedly	副 繰り返して	reflect ～	他 ～を反射する
break down	熟 分解する	investigate ～	他 ～を調査［研究］する
roughly	副 およそ、約		

問27 正解④ **問題レベル【普通】 配点 3点**

選択肢 ① allow for repeated recycling「繰り返しのリサイクルを可能にする」
② have unique recycling qualities「独特なリサイクル性能を持つ」
③ keep bacteria out of medicine「薬品に細菌が入らないようにする」
④ permit bacteria to go through「細菌の通り抜けを可能にする」

❶聴き取りの型→❷表読の型

❶テーマは「ガラス」です。先読みの段階では、ワークシートから 27 はGlass does NOT ... に続き、「ガラスがしないこと」が問われていいることを確認しましょう。選択肢①と②で共通している **recycling**、③と④で共通している **bacteria** をキーワードとして意識しておきましょう。❷「ガラスがしないこと」に注意して聴きましょう。音声にはGlass does **not release any dangerous chemicals** and **bacteria cannot pass through it**, which makes it suitable for storing food, drinks, and medicine. とあります。キーワードとしていたbacteriaと、続くpass through itが聴き取れれば、**言い換え**となる④ **permit bacteria to go through** が正解となります。また、この後に続いている〈, which makes it ～〉は「その結果～となる」という意味の重要表現であるため覚えておきましょう。

問28~31 正解28③ / 29⑥ / 30① / 31④ **問題レベル【難】 配点 2点×2**
※問28と問29が2問とも正解の場合のみ2点。問30と問31が2問とも正解の場合のみ2点。

選択肢 ① Adjusts sound in「の中の音を調節する」
② Arranged in「に配置される」
③ Blown into「になるよう空気を吹き込まれる」
④ Improves safety of「の安全を向上させる」
⑤ Reflects views of「の眺めを映し出す」
⑥ Spread into「になるよう広げられる」

❶聴き取りの型→❷表読の型

❶ワークシートから、問28、29は「ガラスの製造」に関する内容で、**shapes** と **windows** がキーワードであることを確認しておきましょう。問30、31は「ガラスの最新技術における用途」に関する内容で、**rooms** と **roads** がキーワードであることを確認しておきましょう。選択肢にもザッと目を通しておきます。❷問28は、「製造」に関する表現に注意して聴くと **Glass-making** began in Mesopotamia roughly 4,500 years ago. と聞こえます。さらに **shapes** に注意して聴いていくと、As glass-making became more common, different ways of **shaping** glass developed. とあり、その具体例として、One ancient technique uses a long metal tube to **blow air into** hot glass. と言われています。選択肢にも③ **Blown into** という同じ表現があるため、 28 には③が入ります。

問29は、ワークシート内の **windows** に注意して聴くと、**Spreading** hot glass onto a sheet of hot metal is the technique used to produce large flat pieces of **window** glass. とあります。よって 29 には「広げて窓にする」という内容となる⑥ **Spread into** が入ります。

問30は、最新技術の用途や **rooms** に注意して聴くと、Other types of glass can help

Day 16

control sound levels in recording studios or homes. とあります。rooms が studios or homes に**言い換え**られていますが、先読みで選択肢の sound が頭に入っていれば気付きやすくなるでしょう。**30** には control sound levels の**言い換え**となる ① Adjusts sound in が入ります。

問31は、roads に注意して聴くと、tiny pieces of glass in road paint reflect light, making it easier to see the road at night とあり、道路の塗料として使われ、夜に道路が見やすくなっていることがわかります。選択肢で該当するのは、「道路が見やすくなることから安全性が高まる」ということで、④ Improves safety of となります。直接的に表現されていないため難しいですが、このくらいまでは言い換えられるという感覚を覚えておきましょう。reflect という同じ単語が使われているからといって⑤を選んだ人は、内容までしっかり考えられるように練習しておきましょう。聞こえた単語だけを根拠に選ぶと間違えてしまいます。

問32 正解 ①　**問題レベル【難】　配点 4点**

選択肢

① Glass has been improved in many ways by technology for modern life.
「ガラスは現代生活のための技術によって多くの点で改善されてきた」

② Glass has been replaced in buildings by inexpensive new materials.
「ガラスは、建物内では安価な新素材に取って代わられてきた」

③ Glass is a material limited in use by its weight, fragility, and expense.
「ガラスは、その重さ、壊れやすさ、費用から、用途の限られている素材だ」

④ Glass is a modern invention necessary in many aspects of our daily life.
「ガラスは、私たちの日常生活の多くの側面で必要な、現代の発明品だ」

語句

inexpensive	形 高価でない、安価な	invention	名 発明、発明品
fragility	名 壊れやすさ	aspect	名（物事の）側面
expense	名 費用		

❶聴き取りの型→❸言い換えの型

❶第5問の内容一致問題（問32）は選択肢の英文が長く、文法的にもやや複雑です。先読みは余裕があればで OK です。❸選択肢を見て本文の言い換えになっているものを探していきます。①に近い内容は、Today, new technology allows glass to be used in exciting ways. あたりで述べられています。in exciting ways が in many ways に、Today, new technology が technology for modern life に言い換えられていると考えてよいでしょう。またこの文で使われている〈S allow O to do〉は「S のおかげで O は～できる」という意味の重要表現なので確実に覚えておきましょう。また、それ以降の文では、3D プリンターで作れるメガネのレンズ、光量を調節できるスマートガラス、音量を調節できるガラス、道路の反射ガラスなどの具体例が述べられています。いずれかが聴き取れていれば①が正解として選べるでしょう。

②と③は、そもそも「ガラスのユニークな特性と、最近のガラスの技術革新」という講義全体の趣旨に合っていません。ワークシートのタイトル Glass: An Amazing Material からもプラスの内容が語られることが読み取れるため、選んではいけない選択肢です。④はプラスの内容であるため、少し悩むかもしれませんが、音声で Glass-making began in

Mesopotamia roughly 4,500 years ago. のように、古代から存在する素材であることが述べられています。a modern invention という記述が矛盾するため、④は不正解です。

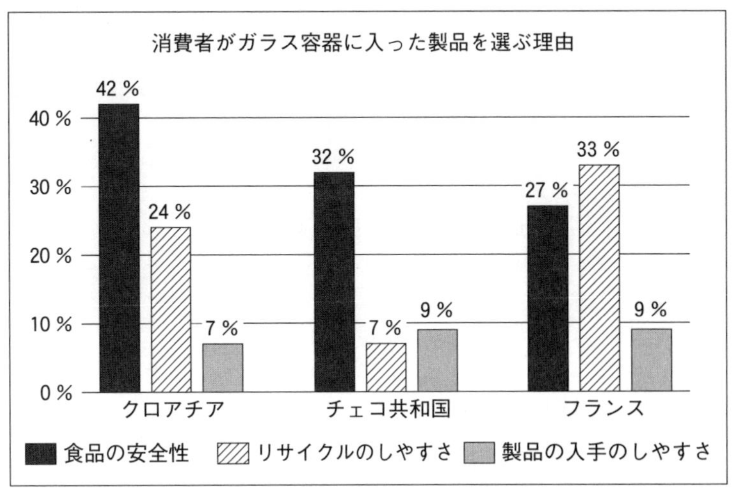

Given a choice of buying a product in a glass container or a different kind of container, approximately 40% of Europeans choose glass. Our group researched why: reasons include food safety, ease of recycling, and availability of products. We focused on the following three countries: Croatia, the Czech Republic, and France. Let's look at the information in detail.

【訳】

ガラス容器に入っている製品を買うか、それとも違う種類の容器に入っている製品を買うかで選択できるなら、ヨーロッパ人の約40%がガラスを選びます。私たちのグループは理由を調査しました。理由には、食品の安全性、リサイクルのしやすさ、製品の入手のしやすさが含まれます。私たちは次の3カ国に注目しました。クロアチア、チェコ共和国、フランスです。情報を詳しく見ていきましょう。

語句

container	名 容器	availability	名 入手可能であること
approximately	副 おおよそ、約	in detail	熟 詳しく
ease	名 容易さ		

Day 16

問33　正解④　**問題レベル【やや難】　配点 4点**

選択肢

① Glass can be recycled repeatedly, but "ease of recycling" is the least common reason in the Czech Republic and Croatia.
「ガラスは繰り返しリサイクルできるが、チェコ共和国とクロアチアでは『リサイクルのしやすさ』が最も回答率の低い理由だ」

② Glass is harmful to the environment, but "food safety" is the most common reason in the Czech Republic and Croatia.
「ガラスは環境に有害だが、チェコ共和国とクロアチアでは『食品の安全性』が最も回答率の高い理由だ」

③ Glass products are preferred by half of Europeans, and "ease of recycling" is the most common reason in France and Croatia.
「ガラス製品はヨーロッパ人の半数に好まれており、『リサイクルのしやすさ』はフランスとクロアチアで最も回答率の高い理由だ」

④ Glass products can be made using ancient techniques, and "availability of products" is the least common reason in France and Croatia.
「ガラス製品は古代の技法を使って作ることもでき、『製品の入手のしやすさ』はフランスとクロアチアで最も回答率の低い理由だ」

語句　harmful 形 有害な

❶聴き取りの型→❹照合の型

❶問33の先読みは問32までを解き終えてからにしましょう。グラフのタイトルや項目がどのようなものになっているか確認しましょう。❹選択肢とグラフ・音声を照合していきます。①は、「チェコ共和国とクロアチアでは『リサイクルのしやすさ』の回答率が最も低い」という内容ですが、グラフを見るとクロアチアで最も低いのは「製品の入手のしやすさ」であり、一致しません。

②は、Glass is harmful to the environment「ガラスは環境に有害」という内容が、講義の内容と一致しないため不正解です。環境への影響については、最初の音声でmaking it friendly to the environmentと述べられていました。後半の「チェコ共和国とクロアチアでは『食品の安全性』が最も回答率が高い」という内容はグラフと一致しています。

③は、「ガラス製品はヨーロッパ人の半数に好まれている」という内容が音声のapproximately 40% of Europeans choose glass「約40%のヨーロッパ人がガラスを選ぶ」と一致せず、後半の「『リサイクルのしやすさ』はフランスとクロアチアで最も回答率が高い」という内容も、クロアチアで最も回答率が高いのは「食品の安全性」であるため一致しません。

④は、「ガラス製品は古代の技法を使って作ることもできる」は、最初の音声のGlass-making began in Mesopotamia roughly 4,500 years ago.などの発言と一致します。「『製品の入手のしやすさ』はフランスとクロアチアで最も回答率が低い」という内容も、グラフと一致しています。よって④が正解です。

MEMO

第5問 (配点 15) 音声は1回流れます。

第5問は**問27**から**問33**までの7問です。

最初に講義を聞き，**問27**から**問32**に答えなさい。次に続きを聞き，**問33**に答えなさい。**状況，ワークシート，問い及び図表を読む時間が与えられた後，音声が流れます。**

> 状況
> あなたは大学で，農業用ロボットに関する講義を，ワークシートにメモを取りながら聞いています。

ワークシート

Robots in Agriculture: Now and in the Future

- The use of robots in agriculture will [27].

- Apple-farming technology:

	At present, ...	**In the future, ...**
Manual Labor	farmers pick fruit more [28] than robots	robots will be able to pick fruit [29]
Decision Making	experienced farmers do not always [30] forecast harvests	robots will make predictions more [31]

問27　ワークシートの空欄 [27] に入れるのに最も適切なものを，四つの選択肢（①～④）のうちから一つ選びなさい。

① attract older workers to farming
② develop new planting methods
③ help with the lack of workers
④ lead to early retirement

問28～31　ワークシートの空欄 [28] ～ [31] に入れるのに最も適切なものを，六つの選択肢（①～⑥）のうちから一つずつ選びなさい。選択肢は２回以上使ってもかまいません。

① accurately	② actively	③ continuously
④ expectedly	⑤ quickly	⑥ slowly

問32　講義の内容と一致するものはどれか。最も適切なものを，四つの選択肢（①～④）のうちから一つ選びなさい。 [32]

① Advanced technology could cause problems for fruit farms.
② Agricultural robots could take over farming from humans.
③ Future advances in technology will result in job shortages.
④ Robots will help humans improve agricultural production.

Day 16

第５問はさらに続きます。

問33 講義の続きを聞き，**次の図から読み取れる情報と講義全体の内容から**どのようなことが言えるか，最も適切なものを，四つの選択肢（①～④）のうちから一つ選びなさい。 33

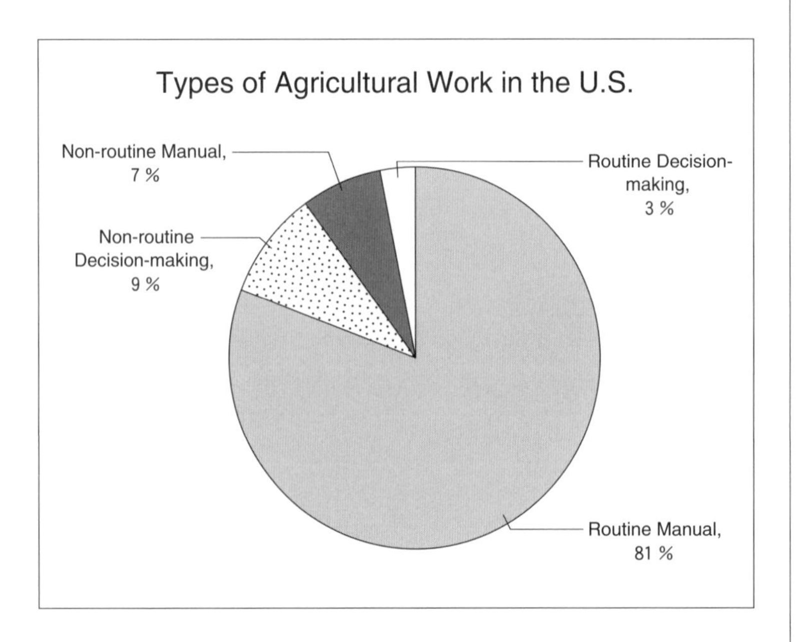

① Non-routine decision-making work makes up the least amount of agricultural work but it can be done by humans.

② Non-routine manual work is 7% of all agricultural work but it cannot be done by humans.

③ Robots will be able to do every decision-making task and that work makes up 9% of agricultural work.

④ Robots will not be able to do every manual task and the majority of agricultural work is routine manual.

これで第５問は終わりです。

音声スクリプト TRACK D16_07

Today, we will learn about robots in agriculture. Robots are already used for planting, harvesting, and other jobs. Now, farm workers are retiring and there are not enough workers to take their place. Robots have the potential to help with this labor shortage and improve agricultural production. Let's look at the apple industry and consider how robots can help with manual work and decision-making.
On apple farms in the U.S., both robots and humans do manual work. Now, robots are slower than humans at picking apples. However, in the future, advanced robots will be more effective because they will be able to keep working without a break, unlike humans. As technology improves, robots will better assist people in doing routine manual work like picking apples.
Currently, humans rather than robots make decisions. For example, farmers do an amazing job of anticipating how many apples they can harvest each year. However, even growers with a lot of experience are not always accurate and this can cause financial loss. In the future, data-collecting robots and AI are expected to work together to make more precise predictions about apple harvesting.
Does this mean all work, including non-routine work, will be done by robots? No, not at all. Some non-routine decision-making work and some manual work will still be done by humans. For example, robots have difficulty picking apples from trees of different shapes and sizes. Humans will still need to manage the trees by deciding the best shapes for harvesting, and cut the trees by hand.
Our first team will talk about the connection between robots and different types of agricultural work. Team 1, please start.

【訳】

今日は、農業におけるロボットについて学びます。ロボットはすでに植え付け、収穫、その他の作業に使われています。今は農業従事者が引退しつつあり、彼らに代わる働き手が十分にいません。ロボットには、この労働力不足に役立ち、農業生産を向上させる可能性があります。リンゴ業界に目を向けて、ロボットが肉体労働や意思決定にどう役立つのか考察してみましょう。

アメリカのリンゴ農場では、ロボットと人間の両方が肉体労働を行っています。今は、ロボットのほうが人間よりもリンゴを摘み取るのが遅いです。しかし、将来的には、高性能ロボットのほうが効率がよくなるでしょう。なぜなら人間と違ってロボットは休むことなく働き続けられるでしょうから。技術が向上するにつれ、ロボットはリンゴの摘み取りのような定型の肉体労働を人間が行うのをもっと上手に補佐するようになるでしょう。

現在のところ、ロボットよりもむしろ人間が意思決定をしています。例えば、農業従事者は毎年どのくらいの数のリンゴを収穫できるかを見事に予想します。しかし、経験豊かな栽培者であっても、いつも正確というわけにもいかず、このことが金銭的な損失を引き起こすことがあり得ます。将来的には、リンゴの収穫のより正確な予測をするために、データ収集ロボットとAIが連携すると考えられています。

このことは、非定型業務も含む、すべての労働がロボットによって行われるようになることを意味するのでしょうか？　いいえ、そのようなことはまったくありません。一部の非定型の意思決定業務と、一部の肉体労働は、依然として人間によって行われるでしょう。例えば、ロボットは形や大きさの異なる木からリンゴを摘み取るのを苦手とします。人間が依然として、収穫に最適な形を判断して木々を管理して、手作業で木のせん定をする必要があるでしょう。

最初のチームは、ロボットとさまざまな種類の農作業との関連について話してくれます。チーム1、始めてください。

ワークシート

農業におけるロボット：現在と未来

- 農業におけるロボット使用は 27 だろう。
- リンゴ農業のテクノロジー：

	現在は……	将来は……
肉体労働	農業従事者はロボットよりも 28 果実を摘み取る	ロボットは 29 果実を摘み取ることができるようになるだろう
意思決定	経験豊かな農業従事者がいつも 30 収穫量を予想するわけではない	ロボットがもっと 31 予想を立てるだろう

音声のポイント

1 not enough は [t] が [d] の音に変化し、連結することで、「ノディナf」のように発音されている。

2 shortage は「ショーテイジ」ではなく「ショーティッジ」[ʃɔ́:rtidʒ] のように発音されるので注意する。

3 without a は [t] が [d] の音に変化し、連結することで、「ウィズアウダ」のように発音されている。

4 not at all は変化・連結により、「ノダドl」のように発音されている。

5 please start は please の [z] が脱落し、「プリースターt」のように発音されている。

語句

planting	名 植え付け、種まき	shortage	名 不足
harvesting	名 収穫	production	名 生産
retire	自 退職する、引退する	manual work	名 肉体労働
take ～'s place	熟 ～の代わりを務める	unlike ～	前 ～と違って
potential	名 潜在能力、可能性	routine	形 決まりきった、定型の
labor	名 労働者		

assist ～ in -ing	熟 ～が…するのを手助けする	harvest ～	他 ～を収穫する
		accurate	形 正確な
currently	副 現在のところ	financial	形 金銭的な
(A) rather than (B)	熟 BよりもむしろA	precise	形 正確な、精密な
anticipate ～	他 ～を予想する	prediction	名 予測、予想

問27　正解③　問題レベル【普通】　配点 3点

選択肢

① attract older workers to farming
「年齢の高い労働者を農業に呼び込む」

② develop new planting methods
「新しい植え付け方法を発展させる」

③ help with the lack of workers
「労働者の不足に役立つ」

④ lead to early retirement
「早期退職につながる」

語句 method　名 方法　retirement　名 退職、引退

❶聴き取りの型→❷表読の型

❶テーマは「農業におけるロボット」です。先読みの段階では 27 の前が The use of robots in agriculture will となっており、「農業におけるロボットの使用の未来」が問われることを確認しておきましょう。選択肢では、それぞれのキーワード、older workers、new planting methods、the lack of workers、early retirement を確認しておきましょう。❷「農業におけるロボットの使用の未来」に注意して聴くと、Robots have the potential to **help with** this **labor shortage** and improve agricultural production. とあり、こちらが選択肢③の内容と一致します。labor shortage が③の **the lack of workers に言い換え**られています。

問28~31　正解28⑤ / 29③ / 30① / 31①　問題レベル【普通】　配点 2点×2

※問28と問29が2問とも正解の場合のみ2点。問30と問31が2問とも正解の場合のみ2点。

選択肢

① accurately「正確に」　② actively「積極的に」
③ continuously「絶え間なく」　④ expectedly「予期されて」
⑤ quickly「素早く」　⑥ slowly「遅く」

❶聴き取りの型→❷表読の型

❶先読みの段階では、28 は「肉体労働の現在」、29 は「肉体労働の未来」、30 は「意思決定の現在」、31 は「意思決定の未来」が問われることを確認しておきましょう。また、余裕があれば空所の前後の表現も確認しておくと、意味が近い表現が聞こえた時に気付きやすくなります。pick fruit、forecast harvests、predictions をキーワードとして頭に入れておきましょう。❷問28は、「**肉体労働の現在**」、**pick fruit** を意識して聴くと、On apple farms in the U.S., both robots and humans do **manual work. Now**, robots are slower than humans at **picking apples.** と聞こえます。ここでは、ロボットのほうが人間より遅いと述べられているため、「農業従事者はロボットよりも [28] 果実を摘み取る」となっている [28] には「速く」という意味の⑤ **quickly** が入ります。

問29は、「**肉体労働の未来**」、**pick fruit** に注意して聴くと、However, **in the future,** advanced robots will be more effective because they will be able to keep working without a break, unlike humans. と聞こえます。ここではロボットについて **keep working without a break**「休むことなく働き続ける」と述べられています。よって、**言い換えとなる** ③ **continuously** が正解となります。

問30は、「**現在の意思決定**」、**forecast harvests** に注意して聴くと、**Currently,** humans rather than robots **make decisions.** For example, farmers do an amazing job of **anticipating** how many apples they can **harvest** each year. と聞こえます。さらに、空所の前にある **experienced farmers の言い換え**となる表現を含む、However, even **growers with a lot of experience** are not always accurate and this can cause financial loss. が続きます。ここでは、not always という部分否定の表現を使い、経験豊富な栽培者でも必ずしも予測が正確ではないことが述べられています。よって、「経験豊かな農業従事者がいつも [30] 収穫量を予想するわけではない」となっている [30] には「正確に」という意味の① **accurately** が入ります。

問31は、「**未来の意思決定**」、**predictions** に注意して聴くと、**In the future,** data-collecting robots and AI are expected to work together to make more **precise predictions** about apple harvesting. と聞こえます。ここでは、make more **precise predictions** で、より正確な予測が立てられることが述べられています。よって、[31] には① **accurately** が入ります。precise(ly) と accurate(ly) の言い換えは共通テストだけでなく、私大や二次試験の長文でも出題されるので覚えておきましょう。

問32　正解④　**問題レベル【やや難】　配点 4点**

選択肢

① Advanced technology could cause problems for fruit farms.
「先進技術は果樹農家に問題を引き起こすかもしれない」

② Agricultural robots could take over farming from humans.
「農業ロボットは人間から農業を引き継ぐかもしれない」

③ Future advances in technology will result in job shortages.
「将来のテクノロジーの進歩は就職難を引き起こすだろう」

④ Robots will help humans improve agricultural production.
「ロボットは人間が農業生産を向上させる手助けをするだろう」

語句
- take over ～　熟 ～を引き継ぐ
- result in ～　熟 ～の結果になる、～を引き起こす
- job shortage　熟 就職先の不足、就職難

❶聴き取りの型→❸言い換えの型

❶先読みは余裕があればで OK です。余裕がある場合は problems for fruit farms、take over farming from humans、job shortages、improve agricultural production などキー

ワードになりそうなものがチェックできているとよいでしょう。❷選択肢を見て本文の言い換えになっているものを探していきます。①は「先進技術が果樹農家に問題を引き起こす」という内容ですが、講義ではそういった内容は述べられておらず、むしろ第2段落のAs technology improves, robots will better assist people in doing routine manual work like picking apples. などで、ロボットが人々を助けると述べられています。

②は「農業ロボットが人間から農業を引き継ぐ」という内容で、選択肢で使われているtake overによって「全てを引き継ぐ」ニュアンスが出ます。講義では第4段落のSome non-routine decision-making work and some manual work will still be done by humans. から、一部の作業は引き続き人間によって行われることがわかるため、一致しません。

③は「将来のテクノロジーが就職難を引き起こす」という内容ですが、本文では就職難については触れられていません。講義では第1段落のRobots have the potential to help with this labor shortage and improve agricultural production. で、労働力不足を助けるのにロボットが役立つことが述べられています。

残った④が正解となります。④は「ロボットは人間が農業生産を向上させる手助けをする」という内容で、講義では第1段落でRobots **have the potential** to help with this labor shortage and **improve agricultural production.** と述べられていました。willが**have the potential to**に**言い換え**られていますが、後はほとんど同じ表現が使われています。

問33　設問　　音声スクリプト TRACK D16_09

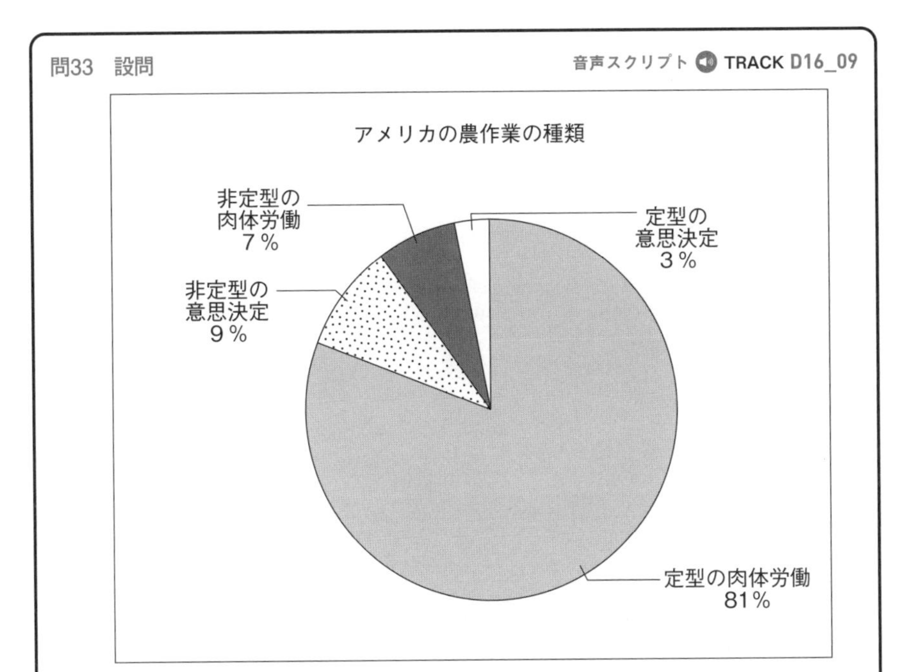

Agricultural robot research could solve the problem of labor shortages and help farmers with their work. First, let's examine the kinds of jobs that people are doing in agriculture in the U.S. Look at this chart. You can see that only 12% of current jobs require decision-making.

【訳】農業ロボットの研究は、労働力不足の問題を解決して、農業従事者の仕事を手助けするかもしれません。まず、アメリカの農業で人々が行っている仕事の種類を考察しましょう。こちらのグラフをご覧ください。現在の仕事のうち意思決定を必要とするものは12%だけだとわかります。

音声のポイント

❶ could は弱形で「クッ」のように発音されている。このように [d] の音が脱落して聴き取りにくくなるため、助動詞が来るべき位置で「ク」の音が聞こえたら、まずは could を考えましょう。

❷ shortages は「ショーテイジズ」ではなく「ショーティッジz」[ʃɔ́:tidʒiz] のように発音されるので注意する。

語句 examine ～ 自 ～を考察する　require ～ 他 ～を必要とする

問33 正解④　**問題レベル【やや難】　配点 4点**

選択肢

① Non-routine decision-making work makes up the least amount of agricultural work but it can be done by humans.
「非定型の意思決定業務が農作業のうち最も低い割合を占めているが、それは人間が行うことができる」

② Non-routine manual work is 7% of all agricultural work but it cannot be done by humans.
「非定型の肉体労働は農作業全体の７%だが、それは人間が行うことができない」

③ Robots will be able to do every decision-making task and that work makes up 9% of agricultural work.
「ロボットはすべての意思決定の仕事を行うことができるだろうが、それは農作業のうちの９%を占めている」

④ Robots will not be able to do every manual task and the majority of agricultural work is routine manual.
「ロボットはすべての肉体労働はできないだろうし、農作業の大多数は定型の肉体労働である」

語句 make up ～ 熟（割合）を占める、～を構成する　task 名 仕事　majority 名 大多数、大部分

❶聴き取りの型→❹照合の型

❶問33の先読みは問32までを解き終えた後になります。グラフのタイトルと項目がどのようなものになっているか確認しましょう。❹選択肢とグラフ・音声を照合していきましょう。①は、前半の「非定型の意思決定業務が農作業のうち最も低い割合を占めている」がグラフの内容と一致しないため不正解と判断して OK です。

②は、前半はグラフの内容と一致しています。しかし、後半は、それを人間が行うことができないという内容なのに対し、講義では最終段落で Some non-routine decision-making work and **some manual work** will still be **done by humans**. と述べられていたため、一致

しません。

③は、上の②で触れた英文からもわかるように、「ロボットは**すべての**意思決定の仕事を行うことができる」という内容が不適切です。選択肢にeveryやallなどが入ると誤りのことが多いので警戒しておきましょう。後半の９％についても、音声でYou can see that only 12% of current jobs require decision-making.と述べていることや、グラフのNon-routine（9%）とRoutine（3%）のDecision-makingの合計が12%であることから、一致しません。

④は、前半は②でも触れた講義のsome manual work will still be done by humansの部分から、一部の仕事は人間が行い続けることがわかるため、一致すると判断できます。後半は「農作業の大半が定型の肉体労働である」という内容で、グラフでは81%を占めているため一致します。よって④が正解です。

Day 16

DAY 17 【会話:要点把握問題】を攻略する「聴き取りの型」

第6問Aでは2人の対話の要点を問う問題が出題されます。問われる内容は問題に書かれているので先読みが重要となります。今日は先読みの注意点を押さえ、それぞれの話者の意見を把握する訓練をしましょう。

「聴き取りの型」のステップ

❶ 状況、問いと選択肢を先読みする

問題の説明が流れている間に状況、設問（問い）と選択肢を先読みします。状況と設問を読む時間は与えられているので先読みの際は問いをしっかり読み込み、選択肢の相違点に注目しましょう。相違点が明確でない場合は軽く目を通す程度でOKです。

▼

第6問（配点 14） 音声は1回流れます。

第6問はAとBの二つの部分に分かれています。

A 第6問Aは問34・問35の2問です。二人の対話を聞き，それぞれの問いの答えとして最も適切なものを，四つの選択肢（①〜④）のうちから一つずつ選びなさい。（問いの英文は書かれています。）**状況と問いを読む時間が与えられた後，音声が流れます。**

テーマを確認！

❶ 状況

David と母の Sue が，ハイキングについて話をしています。

問いの内容を確認！

問34 Which statement would David agree with the most? 34

① Enjoyable hiking requires walking a long distance.
② Going on a group hike gives you a sense of achievement.
③ Hiking alone is convenient because you can choose when to go.
④ Hiking is often difficult because nobody helps you.

❷

問35 Which statement best describes Sue's opinion about hiking alone by the end of the conversation? 35

最終的な意見に注意！

① It is acceptable.
② It is creative.
③ It is fantastic.
④ It is ridiculous.

これで第6問Aは終わりです。

内容 第６問Ａは２人の対話・議論の内容を問う問題です。テーマは「ハイキング」「旅行」など日常的なものですが、いわゆる雑談ではなく、２人がお互いの意見を述べて議論しています。やや難しい問題も出題されていますが、２人の意見を混同しなければ得点しやすい問題です。

2

選択肢を絞る

音声が流れている間は、「問い」の内容を常に意識して聴きましょう。選択肢の相違点が明確な場合は、他の選択肢と異なる部分に注目しながら、聴き取った内容に相当する選択肢を選びます。

では、この「聴き取りの型」を使って、次ページの問題に取り組みましょう！

問題番号は実際の番号のままです。

第6問 (配点 14) 音声は1回流れます。

第6問はAとBの二つの部分に分かれています。

A 第6問Aは問34・問35の2問です。二人の対話を聞き，それぞれの問いの答えとして最も適切なものを，四つの選択肢(①～④)のうちから一つずつ選びなさい。(問いの英文は書かれています。)状況と問いを読む時間が与えられた後，音声が流れます。

状況
David と母の Sue が，ハイキングについて話をしています。

問34 **Which statement would David agree with the most?** 34

① Enjoyable hiking requires walking a long distance.
② Going on a group hike gives you a sense of achievement.
③ Hiking alone is convenient because you can choose when to go.
④ Hiking is often difficult because nobody helps you.

問35 **Which statement best describes Sue's opinion about hiking alone by the end of the conversation?** 35

① It is acceptable.
② It is creative.
③ It is fantastic.
④ It is ridiculous.

これで第6問Aは終わりです。

音声スクリプト TRACK D17_02

David①: Hey, Mom! Let's go to Mt. Taka tomorrow. We've always wanted to go there.
Sue① : Well, I'm tired from work. I want to stay home tomorrow.
David②: Oh, too bad. Can I go by myself, then?
Sue② : What? People always say you should never go hiking alone. What if you get lost?
David③: Yeah, I thought that way too, until I read a magazine article on solo hiking.
Sue③ : Huh. What does the article say about it?
David④: It says it takes more time and effort to prepare for solo hiking than group hiking.
Sue④ : OK.
David⑤: But you can select a date that's convenient for you and walk at your own pace. And imagine the sense of achievement once you're done, Mom!
Sue⑤ : That's a good point.
David⑥: So, can I hike up Mt. Taka by myself tomorrow?
Sue⑥ : David, do you really have time to prepare for it?
David⑦: Well, I guess not.
Sue⑦ : Why not wait until next weekend when you're ready? Then you can go on your own.
David⑧: OK, Mom

【訳】
デビッド①：ねえ、ママ！　明日、タカ山に行こうよ。僕たち、ずっとそこに行きたいと思ってたから。
スー① ：うーん、私は仕事で疲れてるのよ。明日は家にいたいわ。
デビッド②：そうか、残念。それじゃあ、僕一人で行っていい？
スー② ：何ですって？　決して一人でハイキングに行くものじゃないってみんなが常々言っているでしょ。もし迷子になったらどうするの？
デビッド③：うん、僕もそう考えていたんだよ、ソロ・ハイキングについての雑誌の記事を読むまではね。
スー③ ：ふうん。その記事にはソロ・ハイキングについて何て書いてあるの？
デビッド④：ソロ・ハイキングはグループ・ハイキングよりも準備するのに時間と労力がかかると書いてあるよ。
スー④ ：なるほど。
デビッド⑤：でも、自分に都合のいい日を選ぶことができて、自分のペースで歩けるんだ。それに、ひとたびやり遂げた時の達成感を想像してみてよ、ママ！
スー⑤ ：それは一理あるわね。
デビッド⑥：それじゃあ、明日は僕一人でタカ山をハイキングで登っていい？

スー⑥　：デビッド、そのための準備をする時間は本当にあるの？
デビッド⑦：うーん、ないみたいだな。
スー⑦　：来週末、準備ができるまで延期したらどう？　それなら一人で行ってもいいわよ。
デビッド⑧：わかったよ、ママ。

音声のポイント

❶ What if の What の [t] は [d] に変化し、if と連結して「ワディ f」のように発音されている。

❷ read a の read は過去形なので「レド」と発音される。a と連結して「レダ」のように発音されている。

❸ wait の [t] は [d] に変化し、「ウェイ d」のように発音されている。

語句
What if ～？ 熟 もし～ならどうなるだろうか？　achievement 名 達成
article 名 記事　on one's own 熟 一人で

問34　正解③　問題レベル【普通】　配点 3点

問い

Which statement would David agree with the most?
「デビッドが最も同意しそうな文はどれか」

選択肢

① Enjoyable hiking requires walking a long distance.
「楽しいハイキングには長距離を歩くことが必要だ」

② Going on a group hike gives you a sense of achievement.
「グループ・ハイキングに行くと達成感が得られる」

③ Hiking alone is convenient because you can choose when to go.
「いつ行くか選べるので、一人でハイキングするのは好都合だ」

④ Hiking is often difficult because nobody helps you.
「誰も助けてくれないので、ハイキングはしばしば大変だ」

語句 require ～ 他 ～を必要とする　distance 名 距離

❶状況、問いと選択肢を先読みする→❷選択肢を絞る

❶「デビッドが最も同意しそうな文」が問われています。デビッドの考えに注意して聴きましょう。選択肢はやや長いので、それぞれキーワードになりそうなものを確認しておきましょう。❷デビッドの考えに注意して聴いていくと、彼の２回目の発言 **Can I go by myself, then?** からデビッドは「一人でハイキングに行きたい」と考えており、５回目の発言 you can **select a date** that's **convenient** for you and walk at your own pace から、その理由は「自分に都合のいい日が選べて、自分のペースで歩けるから」と考えていることがわかります。選択肢から近い内容を探すと、③で convenient はそのまま使われており、**select a date が choose when to go に言い換え**られています。よって③が正解となります。①は、「距離」については言及されていないので不正解です。②は、「グループで行くと達成感が得られる」となっており、デビッドの「一人で行くと達成感が得られる」という考えに矛盾するため不正解

です。④がやや紛らわしいですが、母親の２回目の発言 People always say you should never go hiking alone. What if you get lost?「決して一人でハイキングに行くものじゃないってみんなが常々言っているでしょ。もし迷子になったらどうするの？」に対し、Yeah, I thought that way too, **until** ～「**～するまでは**、僕もそう考えていた」と答えていることなどから、「最も同意しそうな文」とは言えないため不正解となります。

問35 正解① **問題レベル【易】 配点 3点**

問い

Which statement best describes Sue's opinion about hiking alone by the end of the conversation?

「会話の終わりの時点での、一人でハイキングすることについてのスーの意見を最もよく表している文はどれか」

選択肢

① It is acceptable. 「許容できる」

② It is creative. 「創造性がある」

③ It is fantastic. 「素晴らしい」

④ It is ridiculous. 「とんでもない」

語句 acceptable 形 許容できる　ridiculous 形 とんでもない、話にならない

❶問いに「会話の終わりの時点でのスーの意見」とあるので、**特に終盤に注意**して聴きましょう。選択肢は短いので、それぞれの意味を確認しておきましょう。❷一人でハイキングに行くことに対するスーの考えは、最後の発言の Why not wait until next weekend when you're ready? Then you can go on your own.「来週末、準備ができるまで延期したらどう？ それなら一人で行ってもいいわよ」から、「来週まで待てば行ってもよい」と考えていることがわかります。選択肢の中では、①の **acceptable** が最も近く、これが正解となります。

問題番号は実際の番号のままです。

第６問 （配点 14） 音声は１回流れます。

第６問はAとBの二つの部分に分かれています。

A 第６問Aは問34・問35の２問です。二人の対話を聞き，それぞれの問いの答えとして最も適切なものを，四つの選択肢（①～④）のうちから一つずつ選びなさい。（問いの英文は書かれています。）**状況と問いを読む時間が与えられた後，音声が流れます。**

状況

Raymond と Mana が，今度行く旅行について話をしています。

問34 **Which statement best describes Mana's opinion?** [34]

① Bringing a camera and lenses on a trip is necessary.
② Getting the latest smartphone is advantageous.
③ Packing for an international trip is time-consuming.
④ Updating software on the phone is annoying.

問35 **Which of the following statements would both speakers agree with?** [35]

① It's expensive to repair broken smartphones.
② It's impossible to take photos of running animals.
③ It's unpleasant to carry around heavy luggage.
④ It's vital for both of them to buy a camera and lenses.

これで第６問Aは終わりです。

音声スクリプト TRACK D17_05

Raymond①: Our trip is getting close, Mana!
Mana①: Yes, I need to buy a new bag to protect my camera and lenses.
Raymond②: Aren't they heavy? I'm just going to use my smartphone to take pictures. With smartphone software you can edit your photos quickly and easily.
Mana②: Yeah, I guess so.
Raymond③: Then, why do you want to bring your camera and lenses?
Mana③: Because I'm planning to take pictures at the wildlife park. I want my equipment to capture detailed images of the animals there.
Raymond④: I see. Then, I'll take pictures of us having a good time, and you photograph the animals.
Mana④: Sure! I have three lenses for different purposes.
Raymond⑤: That's going to be a lot of stuff. I hate carrying heavy luggage.
Mana⑤: I do, too, but since I need my camera and lenses, I have no choice. I think it'll be worth it, though.
Raymond⑥: I'm sure it will. I'm looking forward to seeing your pictures!
Mana⑥: Thanks.

【訳】

レイモンド①：僕たちの旅行が近付いてきたね、マナ！
マナ①：そうね、カメラとレンズを保護する新しいバッグを買わなくちゃ。
レイモンド②：カメラとレンズは重くないの？　僕は写真を撮るためにスマートフォンを使うだけにするよ。スマホのソフトを使えば、素早く簡単に写真を編集できるよ。
マナ②：ええ、そう思うわ。
レイモンド③：それじゃあ、どうしてカメラとレンズを持って行きたいの？
マナ③：野生動物公園で写真を撮るつもりだからよ。私の機材で、そこの動物のきめ細かな画像をとらえたいの。
レイモンド④：なるほど。それじゃあ、僕は僕らが楽しんでいるところの写真を撮るから、君は動物の写真を撮るといいよ。
マナ④：いいわよ！　異なる目的用にレンズを３つ持っているのよ。
レイモンド⑤：それは大荷物になりそうだな。僕は重い荷物を運ぶのが大嫌いなんだ。
マナ⑤：私もそうなんだけど、カメラとレンズが必要だから、仕方ないわ。でも、それだけの価値はあると思う。
レイモンド⑥：確かにそうだろうね。君の写真を見るのが楽しみだよ！
マナ⑥：ありがとう。

音声のポイント

❶ getting の [t] は [d] に変化し「ゲディン」のように発音されている。

Day 17

🎙❷ close は「近い」の意味なので「クロウ z」ではなく「クロウ s」となることに注意する。
🎙❸ to は弱形で短く弱く発音されている。

語句

lens	名 レンズ	image	名 画像
edit ～	他 ～を編集する	photograph ～	他 ～の写真を撮る
equipment	名 機器、機材	purpose	名 目的
capture ～	他 ～を記録する、～をとらえる	luggage	名（旅行の）荷物
		have no choice	熟 他に選択の余地がない、仕方がない
detailed	形 詳細な、きめ細かい		

問34　正解 ①　**問題レベル【普通】　配点 3点**

問い

Which statement best describes Mana's opinion?
「マナの意見を最もよく表している文はどれか」

選択肢

① Bringing a camera and lenses on a trip is necessary.
「カメラとレンズを旅行に持って行くことは必要だ」
② Getting the latest smartphone is advantageous.
「最新のスマートフォンを手に入れると有利だ」
③ Packing for an international trip is time-consuming.
「海外旅行の荷造りは時間がかかる」
④ Updating software on the phone is annoying.
「スマホのソフトウェアをアップデートするのはいらいらする」

語句

advantageous	形 有利な	time-consuming	形 時間がかかる
pack	自 荷造りする	annoying	形 いらいらさせる

❶状況、問いと選択肢を先読みする→❷選択肢を絞る

❶「マナの意見を最もよく表している文」が問われているので、マナの主張に注意して聴きましょう。主張が問われるタイプの問題は、**繰り返し述べている意見に注意**します。このタイプの問題の場合は、選択肢は軽く目を通すだけで OK です。❷ I need to buy a new bag to protect my camera and lenses. から「カメラとレンズを保護するバッグが必要」と考えていることがわかります。また、Because I'm planning to take pictures at the wildlife park. I want my equipment to capture detailed images of the animals there. から「カメラとレンズが必要なのは、動物を撮るため」だとわかります。さらに since I **need** my camera and lenses, I have no choice. I think it'll be worth it, though. から、「カメラとレンズが必要だから、（荷物が重くなるのは）仕方ない。（荷物は重くなるが）その価値がある」と考えていることがわかります。選択肢の中では、①に、「カメラとレンズを旅行に持って行くことは必要だ」という内容があり、こちらが正解だとわかります。**need ～が necessary に言い換え**られていると考えましょう。②は、マナは「最新のスマートフォン」については言及していないので不正解です。③は、マナは「海外旅行の荷造りに時間がかかる」ことについては言及していないので不正解です。④は、マナは「ソフトウェアのアップデート」については言及していな

いので不正解です。

問35 正解③ **問題レベル【普通】 配点 3点**

問い

Which of the following statements would both speakers agree with?

「次の文のうちどれなら、両方の話者が同意すると思われるか」

選択肢

① It's expensive to repair broken smartphones.
「故障したスマートフォンを修理するのは高くつく」

② It's impossible to take photos of running animals.
「走っている動物の写真を撮るのは不可能だ」

③ It's unpleasant to carry around heavy luggage.
「重い荷物を持ち歩くのは不愉快だ」

④ It's vital for both of them to buy a camera and lenses.
「２人ともカメラとレンズを買うことが不可欠だ」

語句 unpleasant 形 不愉快な vital 形 不可欠な、極めて重要な

❶「両者が同意する内容」が問われているので、**相づちに注意**して聴きましょう。選択肢の先読みの段階で、It's の後ろの形容詞が両者の意見の核になると考えられるので、それらを意識しながら聴きましょう。❷選択肢の先読みである程度キーワードを確認しておけると、同意を示している箇所のうち、レイモンドの５回目の発言 I **hate** carrying **heavy luggage**. に対してマナが **I do, too** と答えていることから、「２人とも重い荷物を運ぶのは嫌」だと考えていることがわかります。選択肢の中では、③に **hate の言い換えとなる unpleasant** が見つかり、heavy luggage はそのまま使われているため、こちらが正解だとわかります。①は、「故障したスマートフォン」については言及されていないので不正解です。②は、「走っている動物」については言及されていないので不正解です。④は、「カメラとレンズを買うこと」については言及されていないので不正解です。

同意を表す表現

Absolutely.	絶対にそうです。	I couldn't agree more.	まったく同感です。
Exactly.	そのとおりです。	You've got a point there.	一理ありますね。
Definitely.	確かにそうです。	That makes sense.	なるほど、納得です。
Right on.	まさにそのとおり。	No doubt about it.	それは間違いありません。
Indeed.	確かに。	You can say that again.	そのとおりです。
That's true.	それは本当です。	You took the words right out of my mouth.	まさに私が言おうとしていたことです。
I agree.	私も同意見です。		
You're right.	そのとおりです。		
I'm with you.	あなたに賛成です。		
I feel the same way.	私も同じ気持ちです。		

Day 17

DAY 18

【会話：要点把握問題】を攻略する「照合の型」

今日は「音声と選択肢の照合」に焦点を合わせます。問題にはいくつかパターンがあるので、話者の発言内容を選ぶ問題は、選択肢からキーワードとなりそうなものを見つけましょう。２人が同意するであろう文を選ぶ問題では、「相づち」に注意して聴きましょう。

「照合の型」のステップ

1 聴き取りの型を使う

Day 17で学んだ聴き取りの型を使って先読みします。何が問われているかに注意して聴くのが最も重要なので、問題文をしっかり読んでおきましょう。

第６問　(配点　14)　音声は１回流れます。

第６問はＡとＢの二つの部分に分かれています。

A　第６問Ａは問 34・問 35 の２問です。二人の対話を聞き，それぞれの問いの答えとして最も適切なものを，四つの選択肢（①～④）のうちから一つずつ選びなさい。（問いの英文は書かれています。）状況と問いを読む時間が与えられた後，音声が流れます。

テーマを確認！

1

状況
Michelle が，いとこの Jack と旅行中の移動の方法について話をしています。

問34　Which opinion did Michelle express during the conversation?　34

2

① Booking a hotel room with a view would be reasonable.
② Looking at the scenery from the ferry would be great.
③ Smelling the sea air on the ferry would be unpleasant.
④ Taking the ferry would be faster than taking the train.

最終的な意見に注意！

問35　What did they decide to do by the end of the conversation?　35

① Buy some medicine
② Change their hotel rooms
③ Check the ferry schedule
④ Take the train to France

これで第６問Ａは終わりです。

内容 Day 17と同様の第６問Ａの形式です。会話形式のため第５問の講義形式よりもなじみやすいテーマが多いですが、音声は自然な英語に近づき、音声変化が起こりやすくなります。問題を解き終えたら、音声のポイントに注意して自分でも発音して練習しておきましょう。

2
選択肢と照合する

音声の内容と選択肢を照合します。その際、言い換えに注意しましょう。

Day 18

では、この「照合の型」を使って、次ページの問題に取り組みましょう！

TRACK D18_01～

問題番号は実際の番号のままです。

第６問 (配点 14) 音声は１回流れます。

第６問はＡとＢの二つの部分に分かれています。

A 第６問Ａは問 34・問 35 の２問です。二人の対話を聞き，それぞれの問いの答えとして最も適切なものを，四つの選択肢(①～④)のうちから一つずつ選びなさい。(問いの英文は書かれています。)状況と問いを読む時間が与えられた後，音声が流れます。

状況

Michelle が，いとこの Jack と旅行中の移動の方法について話をしています。

問34 **Which opinion did Michelle express during the conversation?**

34

① Booking a hotel room with a view would be reasonable.
② Looking at the scenery from the ferry would be great.
③ Smelling the sea air on the ferry would be unpleasant.
④ Taking the ferry would be faster than taking the train.

問35 **What did they decide to do by the end of the conversation?**

35

① Buy some medicine
② Change their hotel rooms
③ Check the ferry schedule
④ Take the train to France

これで第６問Ａは終わりです。

音声スクリプト TRACK D18_02

Michelle①: Jack, did you know that there's a ferry from England to France? I've always wanted to see the English coast from the ferry. I imagine it would be so beautiful.

Jack①: Hmm, but I thought we should go by train. It'd be much easier.

Michelle②: Come on. We can also smell the sea air and feel the wind.

Jack②: That's true. But actually, I get seasick whenever I travel by boat.

Michelle③: Oh, I didn't know that. Have you tried taking medicine for it?

Jack③: Yeah, I've tried, but it never works for me. I know you want to take the ferry, but ...

Michelle④: It's OK. I understand. Well, I suppose it is faster to take the train, isn't it?

Jack④: Yes. And it's much more convenient because the train takes us directly to the center of the city. Also, the station is close to the hotel we've booked.

Michelle⑤: I see. It does sound like the better option.

Jack⑤: Great. Let's check the schedule.

【訳】

ミシェル①：ジャック、イングランドからフランスに行くフェリーがあるって知ってた？私、フェリーからイングランドの海岸をずっと見てみたかったの。きっとすごく美しいだろうなと想像してるのよ。

ジャック①：うーん、だけど僕は列車で行くほうがいいと思ってたんだ。そのほうがずっと楽だろうから。

ミシェル②：何言ってるの。海の空気をかいで風を感じることもできるのよ。

ジャック②：それはそうだけど。でも実は、僕は船に乗るといつも船酔いするんだよ。

ミシェル③：あら、それは知らなかった。船酔いの薬を飲んでみたことはある？

ジャック③：うん、試してみたけど、僕にはどうしても効かないんだ。君がフェリーに乗りたいのはわかるんだけど……

ミシェル④：大丈夫。わかったわ。まあ、列車に乗るほうが速いと思うし。そうなんだよね？

ジャック④：そうだよ。それと、列車だと市の中心部まで直接運んでくれるから、ずっと便利だ。それに、駅は僕らが予約したホテルに近いんだ。

ミシェル⑤：なるほど。確かにそのほうがいい選択のようね。

ジャック⑤：よかった。時刻表を確認しよう。

音声のポイント

❶ ferry［féri］は［r］の音が入るため「フェアリー」（妖精）のように聞こえるかもしれませんが、状況の「旅行中の移動方法について話をしています」の部分を読んでいれば混乱することはありません。

🎙❷ thought は [t] の音が脱落するため「ソー」のように発音されています。saw と聴き間違えないようにしましょう。

🎙❸ It'd は [t] も [d] も弱くなるため、聴き取りが難しいです。後ろの be（動詞の原形）が聞こえた時点で、It'd be だと判断できるようになりましょう。

語句

get seasick	熟 船酔いする	book ～	他 ～を予約する
work for ～	熟 ～に効果がある	option	名 選択（肢）
suppose ～	他 ～と思う	schedule	名 時刻表

問34 正解 ② **問題レベル【普通】 配点 3点**

問い

Which opinion did Michelle express during the conversation?

「会話の中でミシェルが表明した意見はどれか」

選択肢

① Booking a hotel room with a view would be reasonable.
「眺めのいいホテルの部屋を予約するのが妥当だろう」

② Looking at the scenery from the ferry would be great.
「フェリーから景色を見るのは素晴らしいだろう」

③ Smelling the sea air on the ferry would be unpleasant.
「フェリーで海の空気をかぐのは不愉快だろう」

④ Taking the ferry would be faster than taking the train.
「フェリーに乗るほうが列車に乗るより速いだろう」

語句

a room with a view	熟 眺めのいい部屋	scenery	名 景色、風景
reasonable	形 妥当な	unpleasant	形 不愉快な

❶聴き取りの型→❷選択肢と照合する

❶ミシェルの意見が問われています。ミシェルの発言に注意して聴きましょう。選択肢はやや長いので、それぞれキーワードになりそうなものを確認しておきましょう。違いがわかりやすいのは、reasonable、great、unpleasant、faster などの形容詞です。音声ではミシェルの最初の発言に I've always wanted to see the English coast from the ferry. I imagine it would be so **beautiful**. とあります。この beautiful は選択肢②の **great の言い換え**だと考えられそうです。その後、彼女の4番目の発言 Well, I suppose it is **faster** to take the train, isn't it? では、④の faster と同じ単語が使われています。❷選択肢と照合すると、音声の「フェリーからイングランドの海岸をずっと見てみたかった。そしてそれはすごく美しいだろう」という内容が、選択肢②の内容に一致するため、②が正解です。faster については、音声は「列車に乗るほうが速い」という内容ですが、選択肢④は逆の内容になっているため不正解です。reasonable や unpleasant といった内容は音声にはないため、①も③も不正解です。

問35　正解④　**問題レベル【易】　配点 3点**

問い

What did they decide to do by the end of the conversation?

「会話の終わりまでに彼らは何をすると決めたか」

選択肢

① Buy some medicine 「薬を買う」
② Change their hotel rooms 「ホテルの部屋を変更する」
③ Check the ferry schedule 「フェリーの時刻表を確認する」
④ Take the train to France 「フランスまでの列車に乗る」

❶問いに「会話の最後で彼らは何をすると決めたか」とあるので、**特に終盤に注意**して聴きましょう。選択肢は短いのですべてに目を通しておきましょう。後半で、**ミシェルは**4番目の発言で **It's OK. I understand.** Well, I suppose **it is faster to take the train, isn't it?** と言い、列車に乗ることに理解を示しています。**ジャックはそれに対し、Yes.** And it's much more convenient because the train takes us directly to the center of the city. Also, the station is close to the hotel we've booked. と答え、電車に乗ることが確定します。ミシェルの I see. It does **sound like the better option.** という発言も電車に乗ることに関するものです。ジャックの Great. **Let's check the schedule.** という発言の schedule も電車の「時刻表」のことだとわかります。❷これまでの内容を選択肢と照合すると、④の **Take the train to France** が正解となります。

Day 18

問題番号は実際の番号のままです。

第6問 (配点 14) 音声は1回流れます。

第6問はAとBの二つの部分に分かれています。

A 第6問Aは問34・問35の2問です。二人の対話を聞き，それぞれの問いの答えとして最も適切なものを，四つの選択肢(①～④)のうちから一つずつ選びなさい。(問いの英文は書かれています。)状況と問いを読む時間が与えられた後，音声が流れます。

状況
大学生のSophieとMarkが，留学生の歓迎会について話をしています。

問34 **Which opinion did Sophie express during the conversation?** 34

① Going shopping will be fun for the students.
② Inviting all of their friends will be impossible.
③ Ordering a lot of pizzas will be expensive.
④ Viewing cherry blossoms on campus will be nice.

問35 **Which statement would both of them agree with by the end of the conversation?** 35

① They should have a party off campus.
② They should order food and drinks.
③ They should organize an official event.
④ They should reserve a restaurant.

これで第6問Aは終わりです。

音声スクリプト TRACK D18_05

Sophie①: Hey, Mark. The international students will arrive next month. Let's plan a welcome party.

Mark①: OK. We should invite all our friends so that everyone can get to know each other.

Sophie②: Sure. In that case, we need a big place. Maybe we can have a party on campus. We could bring in drinks and order pizzas.

Mark②: But wait a❶ second, the university has already planned an official welcome event on campus. It would be better to have a party somewhere else.

Sophie③: That's true. Well, how about going to a restaurant in town?

Mark③: Hmm, that might be too expensive. Hey, it'll be cherry blossom season, so it'd❷ be nice to have a party outside.

Sophie④: You're right. What about❸ the barbecue area in the park?

Mark④: That sounds nice. We can take some food and drinks there. It won't cost much, either.

Sophie⑤: Yeah, and we could all go to the supermarket together to buy everything. The international students would enjoy that.

Mark⑤: All right!

【訳】

ソフィー①：ねえ、マーク。留学生が来月、到着するの。歓迎会を計画しましょうよ。

マーク①：いいよ。みんなが知り合いになれるように、友達全員を招待したほうがいいね。

ソフィー②：そうね。それなら、広い場所が必要ね。キャンパスでパーティーを開いてもいいかもしれない。飲み物を持ち込んでピザを頼んでもいいし。

マーク②：でもちょっと待って、もう大学がキャンパスでの公式の歓迎イベントを計画してるよ。どこかほかの場所でパーティーを開いたほうがいいだろうな。

ソフィー③：確かに。じゃあ、町のレストランに行くのはどう？

マーク③：うーん、それだとお金がかかり過ぎるかもしれない。そうだ、桜が咲く季節だから、外でパーティーを開くとよさそうだなあ。

ソフィー④：そのとおりね。公園のバーベキュー・エリアはどう？

マーク④：よさそうだね。そこに食べ物や飲み物を持って行けばいい。あまりお金もかからないだろうし。

ソフィー⑤：うん、それに、みんなで一緒にスーパーに行って、いろいろ買ってもいいし。留学生たちは楽しんでくれるでしょうね。

マーク⑤：よし！

音声のポイント

全体的に音の脱落が多めです。

❶ wait a は [t] が [d] に変化し、連結することで、「ウェイダ」のように発音されている。
❷ 例題にも出てきましたが、it'd は [t] も [d] も弱くなるため、聴き取りが難しいです。後ろの be（動詞の原形）が聞こえた時点で、it'd be だと判断できるようになりましょう。
❸ What about は変化・連結・脱落により、「ワダバウ」のように発音されています。

語句 get to know ～ 熟 ～と知り合いになる　in that case 熟 その場合は、それなら

問34　正解①　**問題レベル【普通】　配点 3点**

問い

Which opinion did Sophie express during the conversation?
「会話の中でソフィーが表明した意見はどれか」

選択肢

① Going shopping will be fun for the students.
「買い物に行くのは学生たちにとって楽しいだろう」
② Inviting all of their friends will be impossible.
「彼女たちの友人全員を招くのは不可能だろう」
③ Ordering a lot of pizzas will be expensive.
「ピザをたくさん頼むとお金がかかるだろう」
④ Viewing cherry blossoms on campus will be nice.
「キャンパスで花見をするのがいいだろう」

❶聴き取りの型→❷選択肢と照合する

❶「ソフィーの意見」が問われているので、ソフィーの発言に注意して聴きましょう。先読みでは選択肢のキーワードとなりそうなものを確認しておきましょう。判断のしやすい fun、impossible、expensive、nice などに注目しておきましょう。**expensive** や **nice** はマークの３番目の発言 Hmm, that might be too **expensive**. Hey, it'll be cherry blossom season, so it'd be **nice** to have a party outside. で使われています。発言者がソフィーではないため、おそらく引っかけですが、この後ソフィーは You're right. と同意しているため、ソフィーが「レストランに行くのは高価」で「外でパーティーするのがよい」と思っていることを確認しておきましょう。最後に **fun** に対応しそうな Yeah, and we could all go to the supermarket together to buy everything. The international students would **enjoy** that. がソフィーの最後の発言にあり、「留学生が買い物に行くことを楽しむだろう」という内容になっています。この could は「～してもいいね」という意味です。❷選択肢と照合すると、①に「買い物に行くことは学生たちにとって楽しいだろう」という内容が見つかるので、こちらが正解となります。②は何かが不可能とは言っていないため不正解です。③はピザを頼むことにお金がかかるとは言っていないため不正解です。④は、ソフィーが２番目の発言で Maybe we can have a party on campus. と発言してはいますが、キャンパスで花見をするとは言っていないため不正解です。

問35 正解① **問題レベル【普通】 配点 3点**

問い

Which statement would both of them agree with by the end of the conversation?
「会話の終わりまでに双方が同意しそうな内容はどれか」

選択肢

① They should have a party off campus.
「彼らはキャンパス外でパーティーを開くべきだ」
② They should order food and drinks.
「彼らは食べ物や飲み物を注文すべきだ」
③ They should organize an official event.
「彼らは公式のイベントを計画するべきだ」
④ They should reserve a restaurant.
「彼らはレストランを予約すべきだ」

語句 off campus 熟 キャンパス外で、学外で　organize ～ 他（行事など）を計画する

❶「会話の終わりまでに双方が同意しそうな内容」が問われているので、相づちに注意して聴きましょう。選択肢の先読みである程度キーワードを確認しておきましょう。off campus、order、official event、reserve a restaurant などに注目しておきましょう。後半のマークの３番目の発言 Hey, it'll be cherry blossom season, so it'd be nice to have a party outside. に対し、ソフィーは You're right. と答えています。外で桜を見ながらパーティーをすることに同意しているのです。続けてソフィーが What about the barbecue area in the park? と尋ねると、マークは That sounds nice. と答えています。パーティーは公園で行うと考えてよいでしょう。❷選択肢と照合すると、①に「キャンパス外でパーティーを開く」という内容が見つかるため、①が正解です。②は、マークの４番目の発言と、それに対するソフィーの応答から、食べ物や飲み物は注文するのではなく自分たちで持って行くことがわかるため不正解です。③は公式イベントを計画する話はしていないため不正解です。④はレストランは高いと言っているため不正解です。

DAY 19

【長めの会話：要点把握問題】を攻略する「聴き取りの型」

話者の主張のつかみ方は第６問Ａ、図表の先読みの方法は第４問の形式でも学びましたが、今回はそれらを複合的に行わなければなりません。情報処理がやや複雑になるので、今日と次回でしっかり形式に慣れておきましょう。

「聴き取りの型」のステップ

1 状況、問い、選択肢を先読みする

問題の説明が流れている間に選択肢を先読みします。状況と問いを読む時間が与えられるので確認する時間は十分あります。１問目は、ある意思決定をした人の名前が問われるので、状況を読んで、何について話されるのか確認しておきましょう。２問目は意見に一致する図表を選ぶ問題です。問いを読んで、誰の意見に注意すればよいかを確認しておきましょう。

B　第６問Ｂは問36・問37の２問です。会話を聞き，それぞれの問いの答えとして最も適切なものを，選択肢のうちから一つずつ選びなさい。後の表を参考にしてメモを取ってもかまいません。**状況と問いを読む時間が与えられた後，音声が流れます。**

テーマを確認！

①
状況
寮に住む四人の学生（Mary, Jimmy, Lisa, Kota）が，**就職後に住む場所**について話し合っています。

名前を確認！

②

Mary	○　→×
Jimmy	○
Lisa	×
Kota	×

発言の順にずらしながら○×△を記入する！
同意見とわかる場合は線で結ぶ！

問36　会話が終わった時点で，**街の中心部に住むことに決めた人**を，四つの選択肢（①～④）のうちから一つ選びなさい。 36

テーマを確認！

① Jimmy
② Lisa
③ Jimmy, Mary
④ Kota, Mary

内容 第6問Bは、4人の会話を聴き、それぞれの主張をつかむ問題です。賛成、反対、または意見がはっきりしないなどを把握する必要があります。途中で意見が変わる可能性もあるので、説得されそうな人がいる場合は注意しましょう。また意見に合う図表を選ぶ問題も出題されます。先読みの段階で、誰の意見に注意しておけばいいかを把握しておきましょう。

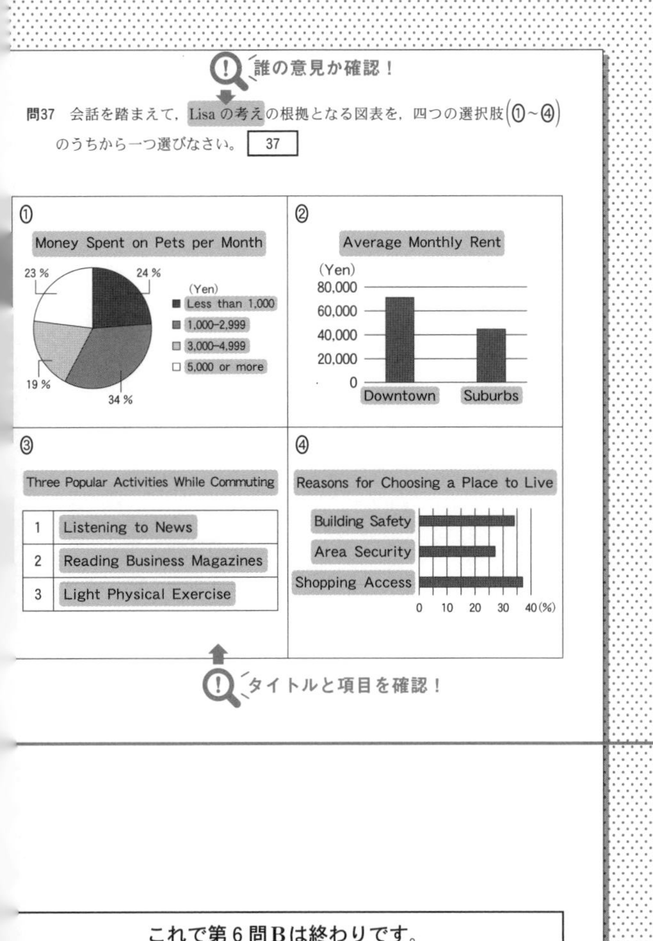

❷ 聴きながら情報を整理する

1問目は人名とその人の意思を表す発言に注意し、問題についている表に、見本のように○、×、△などを書き込みながら整理してもいいでしょう。発言の順に整理していきましょう。さらに、2問目も考えながら聴かなくてはいけません。1人の話者の考えに関する問題なので、その人物の意見を集中して聴きましょう。

では、この「聴き取りの型」を使って、次ページの問題に取り組みましょう！

B　第6問Bは問36・問37の2問です。会話を聞き，それぞれの問いの答えとして最も適切なものを，選択肢のうちから一つずつ選びなさい。後の表を参考にしてメモを取ってもかまいません。**状況と問いを読む時間が与えられた後，音声が流れます。**

状況
寮に住む四人の学生(Mary, Jimmy, Lisa, Kota)が，就職後に住む場所について話し合っています。

Mary	
Jimmy	
Lisa	
Kota	

問36　会話が終わった時点で，**街の中心部に住むことに決めた人**を，四つの選択肢(①～④)のうちから一つ選びなさい。 36

① Jimmy
② Lisa
③ Jimmy, Mary
④ Kota, Mary

問37 会話を踏まえて，Lisa の考えの根拠となる図表を，四つの選択肢（①～④）のうちから一つ選びなさい。 37

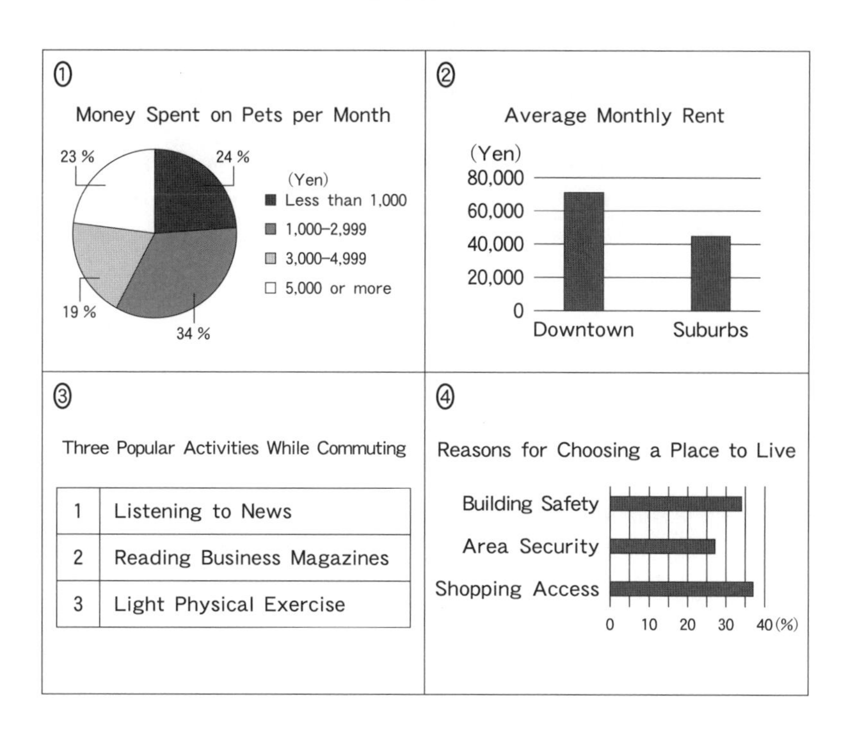

これで第 6 問 B は終わりです。

音声スクリプト TRACK D19_02

Mary① : Yay! We all got jobs downtown! I'm so relieved and excited.

Jimmy① : You said it, Mary! So, are you going to get a ❶ place near your office or in the suburbs?

Mary② : Oh, definitely close to the company. I'm not a ❷ morning person, so I need to be near the office. You should live near me, Lisa!

Lisa① : Sorry, Mary. The rent is too expensive. I want to save money. How about you, Kota?

Kota① : I'm with you, Lisa. I don't mind waking up early and commuting to work by train. You know, while ❸ commuting I can listen to music.

Jimmy② : Oh, come on, you guys. We should enjoy the city life while we're young. There are so many things to do downtown.

Mary③ : Jimmy's right. Also, I want to get a ❹ dog. If I live near the office, I can get home earlier and take it for longer walks.

Lisa② : Mary, don't you think your dog would be happier in the suburbs, where there's a lot more space?

Mary④ : Yeah, you may be right, Lisa. Hmm, now I have to think again.

Kota② : Well, I want space for my training equipment. I wouldn't have that space in a tiny downtown apartment.

Jimmy③ : That might be true for you, Kota. For me, a small apartment downtown is just fine. In fact, I've already found a good one.

Lisa③ : Great! When can we come over?

【訳】

メアリー①：やった！　私たち全員が街の中心部で就職だわ！　すごくほっとしてるし、ワクワクしてる。

ジミー①：全くそのとおりだよ、メアリー！　それで、君は住む場所は職場近くにするつもり、それとも郊外？

メアリー②：ああ、絶対に会社の近くよ。私は朝型じゃないから、職場の近くにいないといけないの。あなたも私の近くに住みなさいよ、リサ！

リサ①：ごめん、メアリー。家賃が高過ぎるわ。お金を節約したいのよ。あなたはどう、コウタ？

コウタ①：同感だよ、リサ。僕は早起きして電車で職場まで通勤するのは構わないんだ。ほら、通勤中に音楽を聴けるしね。

ジミー②：おいおい、君たち。僕らは若いうちに都会生活を楽しむべきだよ。中心部にはすることがすごくたくさんあるよ。

メアリー③：ジミーの言うとおりね。それに、私は犬を飼いたいの。職場の近くに住めば、もっと早く家に帰って、犬をもっと長い散歩に連れて行けるわ。

リサ②：メアリー、犬にとっては郊外のほうが、ずっと広々としたスペースがあるから幸せだと思わない？

メアリー④：うん、そうかもしれないわね、リサ。うーん、それじゃあ考え直さないと。

コウタ②：うーん、僕はトレーニング器具を置くスペースが欲しいなあ。中心部のとても小さなアパートだとそのスペースがないだろうから。

ジミー③：君だとそうかもしれないね、コウタ。僕にとっては、中心部の小さなアパートでも全く大丈夫。実は、もういいアパートを見つけたんだ。

リサ③：すごい！ 私たち、いつ遊びに行っていい？

音声のポイント

❶ get a の get は [t] が [d] に変化し、a と連結して「ゲダ」のように発音されている。

❷ not a の not は [t] が [d] に変化し、a と連結して「ノダ」のように発音されている。

❸ while は「ホワイル」ではなく「ワイゥ」のように発音されるので注意する。

❹ get a の get は [t] が [d] に変化し、a と連結して「ゲダ」のように発音されている。

語句

relieved	形 ほっとした	with ～	前 ～に賛成して、～を支持して
You said it.	熟 全くそのとおりだ。		
definitely	副 絶対に、間違いなく	commute	自 通勤［通学］する
morning person	名 朝型の人、朝が得意な人	come on	熟 おいおい、何を言っているんだ
rent	名 家賃	equipment	名 器具、装置
		be true for ～	熟 ～に当てはまる

問36　正解 ①　問題レベル【やや難】　配点 4点

選択肢　① Jimmy　② Lisa　③ Jimmy, Mary　④ Kota, Mary

❶状況、問い、選択肢を先読みする→❷聴きながら情報を整理する

❶テーマは「就職後に住む場所」です。「**街の中心部に住むことに決める発言**」に注意して音声を聴きましょう。❷ You said it, Mary! So, are you going to get a place **near your office or in the suburbs**? ではメアリーに対して「職場の近く（中心部）に住むか郊外に住むか」尋ねています。それに対しメアリーは Oh, definitely **close to the company**. と答えているので、メアリーは「中心部に住む」と考えられるため表に○を書き込んでおきましょう。次に、You should live near me, Lisa! という発言に対し、リサは **Sorry, Mary. The rent is too expensive.** と答えており、「中心部には住まない」とわかるので×を書き込んでおきましょう。リサの How about you, Kota? に対し、コウタは **I'm with you, Lisa.** と答えており、リサと同意見です。つまりコウタは「中心部には住まない」ので×を書き込んでおきましょう。こうした発言に対し次の話者は Oh, come on, you guys. We should **enjoy the city life** while we're young. There are so many things to do **downtown**. と言っており、この話者は「中心部に住む」と考えられます。この直後に Jimmy's right. とあり、先ほどの発言はジミーのものであるとわかるので、ジミーに○を書き込んでおきましょう。ここでメアリーが犬を飼いたいと言ったのに対し、Mary, don't you think **your dog would be happier in the suburbs**, where there's a lot more space? と問われます。それに対し、メアリーは Hmm, now **I have to think again**. と言っています。メアリーは○でしたが、ここで考え直すと言っているため、×に変更になります。以上から中心部に住むと決めたのはジミーだけなので①が

正解となります。このように途中で意見が変わるパターンも警戒しておきましょう。

Mary	○　→×
Jimmy	○
Lisa	×
Kota	×

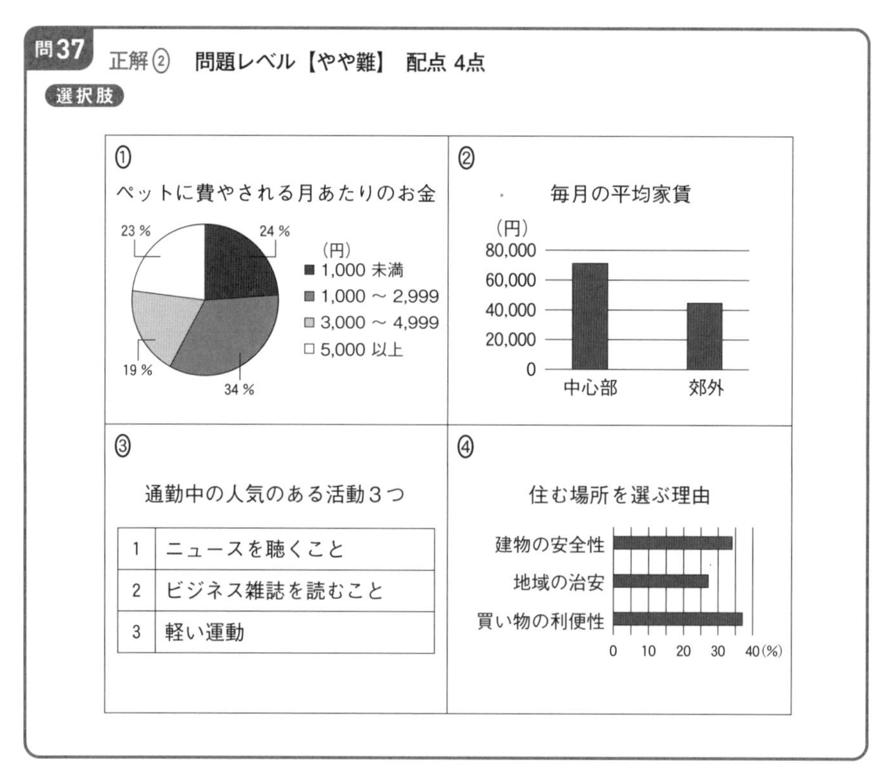

❶図表のタイトル・項目を先読みします。タイトルは①「ペットに費やされる月あたりのお金」、②「毎月の平均家賃」、③「通勤中の人気のある活動３つ」、④「住む場所を選ぶ理由」です。問題文からリサの発言に注意して聴きましょう。❷リサの最初の発言で、図表に関係がありそうな Sorry, Mary. **The rent is too expensive.** I want to save money. がありました。「中心部のほうが家賃が高い」という内容なので、中心部と郊外の家賃の差を表している②が正解となります。

TRACK D19_04～

問題番号は実際の番号のままです。

B **第6問Bは問36・問37の2問です。**会話を聞き，それぞれの問いの答えとして最も適切なものを，選択肢のうちから一つずつ選びなさい。後の表を参考にしてメモを取ってもかまいません。**状況と問いを読む時間が与えられた後，音声が流れます。**

状況
四人の学生（Jeff, Sally, Matt, Aki）が，卒業研究について話をしています。

Jeff	
Sally	
Matt	
Aki	

問36 会話が終わった時点で，**単独での研究**を選択しているのは四人のうち何人でしたか。四つの選択肢（①～④）のうちから一つ選びなさい。 36

① 1人
② 2人
③ 3人
④ 4人

問37 会話を踏まえて，Akiの考えの根拠となる図表を，四つの選択肢（①～④）のうちから一つ選びなさい。 37

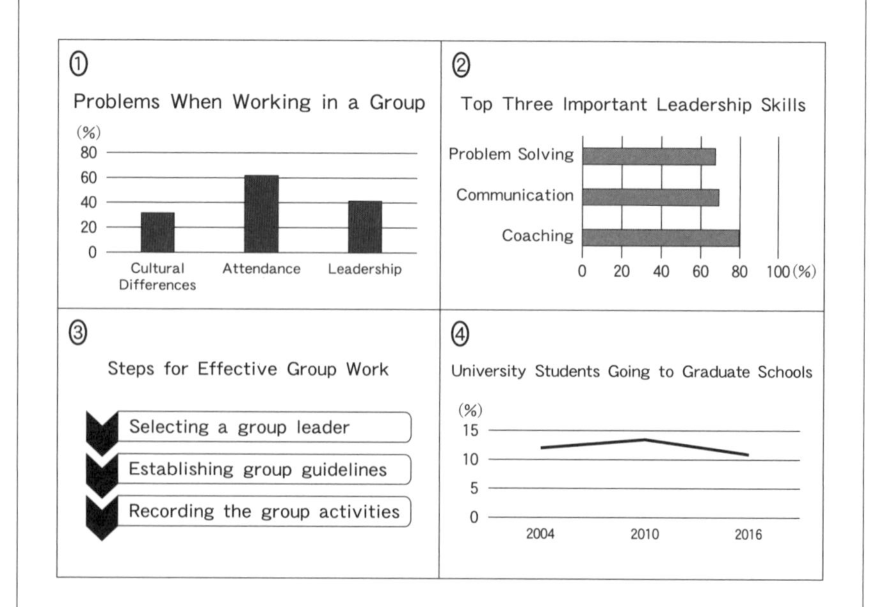

これで第6問Bは終わりです。

音声スクリプト TRACK D19_05

Jeff①：So, Sally, we have to start thinking about graduation research.
Sally①：I know, Jeff.
Jeff②：And we can choose to work together as a group or do it individually. I'm leaning towards the group project. What do you think, Matt?
Matt①：Well, Jeff, I'm attracted to the idea of doing it on my own. I've never attempted anything like that before. I want to try it. How about you, Sally?
Sally②：Same for me, Matt. I want to really deepen my understanding of the research topic. Besides, I can get one-on-one help from a professor. Which do you prefer, Aki?
Aki①：I prefer group work because I'd like to develop my communication skills in order to be a good leader in the future.
Jeff③：Cool. Coming from Japan, you can bring a great perspective to a group project. I'd love to work with you, Aki. Matt, don't you think it'd be better to collaborate?
Matt②：Yes, it does sound fun, Jeff. Come to think of it, I can learn from other students if I'm in a group. We can work on it together. Would you like to join us, Sally?
Sally③：Sorry. It's better if I do my own research because I'm interested in graduate school.
Aki②：Oh, too bad. Well, for our group project, what shall we do first?
Jeff④：Let's choose the group leader. Any volunteers?
Aki③：I'll do it!
Matt③：Fantastic, Aki!

【訳】
ジェフ①：さて、サリー、僕たち卒業研究のことを考え始めないといけないね。
サリー①：そうよね、ジェフ。
ジェフ②：それで、グループとして一緒に作業するか、個別にするか選べるんだ。僕はグループ研究のほうに気持ちが傾いているよ。君はどう思う、マット？
マット①：うーん、ジェフ、僕は一人でするという考えにひかれているんだ。これまでそういうことを試みたことがないし。やってみたいんだ。君はどう、サリー？
サリー②：私も同じよ、マット。研究のトピックへの自分の理解をしっかり深めたいの。そのうえ、教授から一対一の手助けをしてもらえるわ。あなたはどっちのほうがいい、アキ？
アキ①：私はグループワークのほうがいいな。将来、よいリーダーになるためにコミュニケーション技能を鍛えたいから。
ジェフ③：いいね。君は日本から来たんだから、グループ研究にすごくいい視点をもたらすことができるよ。ぜひ君と一緒に研究したいな、アキ。マット、君は協力し

Day 19

て研究したほうがいいだろうとは思わないの？

マット②：うん、確かに楽しそうだね、ジェフ。考えてみると、グループに入っていたら他の学生から学べるし。一緒に取り組んでもいいな。君も僕たちに加わらないかい、サリー？

サリー③：ごめんね。私は大学院に興味があるから自分自身の研究をするほうがいいの。

アキ②　：あら、残念。じゃあ、私たちのグループ研究に向けて、まず何をしたらいいのかしら？

ジェフ④：グループのリーダーを選ぼう。志願者はいる？

アキ③　：私がやる！

マット③：素晴らしいね、アキ！

音声のポイント

❶ attracted は [k] の音が脱落し「アトラティ d」のように発音されている。

❷ doing it は連結と脱落により「ドゥーインギッ」のように発音されている。

語句

individually	副 個別に、それぞれ	one-on-one	形 一対一の
lean towards ～	熟 ～のほうに（気持ちが）傾く	perspective	名 視点、見方
attempt ～	他 ～を試みる	collaborate	自 共同研究［作業］する、協力する
deepen ～	他 ～を深める	volunteer	名 志願者、有志

問36　正解①　問題レベル【難】　配点 4点

選択肢　① 1人　② 2人　③ 3人　④ 4人

❶状況、問い、選択肢を先読みする→❷聴きながら情報を整理する

❶テーマは「卒業研究」です。問いでは「単独での研究を選択している人数」が問われているので、単独かグループかに関する発言に注意して聴きましょう。❷男性の発言で **I'm leaning towards the group project.** とあり、その後に Well, Jeff とあることから、ジェフは「グループ研究に気持ちが傾いている」ことがわかります。まだ決定ではないですが表は×にしておきましょう。続いて、ジェフに What do you think, Matt? と尋ねられて、マットは **I'm attracted to the idea of doing it on my own.** と答えるので、「一人で研究することにひかれている」ことがわかります。こちらもまだ確定ではないですが○にしておきましょう。次に、How about you, Sally? と尋ねられ、サリーは、**Same for me, Matt.** と答え、マットと同じ考えで「単独研究がしたい」のだとわかります。サリーも○にしておきましょう。次に、Which do you prefer, Aki? と尋ねられ、アキは **I prefer group work** と答えているので、×を書き込みましょう。その後のジェフの **I'd love to work with you, Aki.** から、ジェフの「グループワークのほうがいい」という考えは確定したと考えてよいでしょう。続いて、ジェフは Matt, don't you think it'd be better to collaborate? と尋ねています。マットは Yes, it does sound fun, Jeff. Come to think of it, I can learn from other students if I'm in a group. **We can work on it together.** と答えていることから、元は単独での研究を希望していましたが、グループでの研究に考えを変えていると判断できます。マットを×に変えましょう。マットは Would you like to join us, Sally? とサリーに尋ねていますが、サリーは Sorry. **It's**

better if I do my own research because I'm interested in graduate school. と答えることから、「単独研究で行いたい」という考えは変わっていないことがわかります。以上から、単独での研究を選択したのはサリーだけなので、正解は①1人となります。

Jeff	×
Sally	○
Matt	○　→×
Aki	×

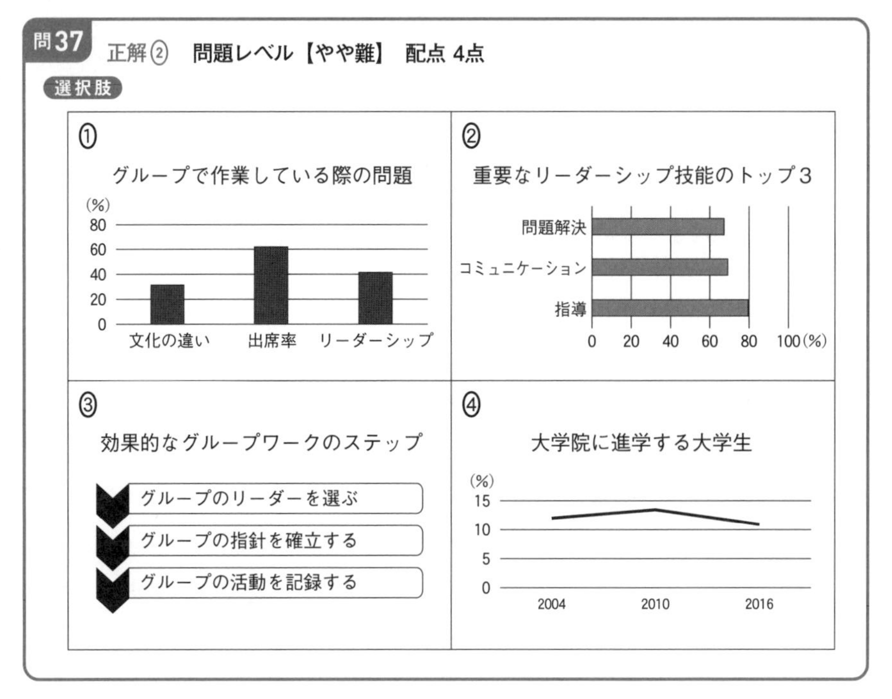

❶図表のタイトル・項目を確認します。各図表のタイトルは①「グループで作業している際の問題」、②「重要なリーダーシップ技能のトップ3」、③「効果的なグループワークのステップ」、④「大学院に進学する大学生」です。問題文では、アキの考えが問われています。❷アキの発言のうち、図表の内容に関係がありそうなのはI prefer group work because I'd like to develop my **communication skills** in order to be a good leader in the future. です。「よいリーダーになるためにコミュニケーション技能を鍛えたい」とありますが、②の図表では、重要なリーダーシップ技能のトップ3にCommunicationが入っています。よってこちらが根拠になると考えられるので、②が正解となります。①は、「グループワークでの問題」については言及されていないので不正解です。③は、「グループワークのステップ」について「リーダーを選ぼう」と言ったのはジェフなので不正解です。④の「大学院への進学」は、アキではなくサリーが言及している話題なので不正解になります。

DAY 20

【長めの会話:要点把握問題】を攻略する「照合の型」

Day 20では、これまで学んだ「型」を最大限に活用して問題に取り組みましょう。例題も練習問題も難易度はやや高めですが、今後に活きるポイントを多く含んでいるので解き終わった後はしっかり復習しましょう。

「照合の型」のステップ

❶ 聴き取りの型を使う

Day 19で学んだ聴き取りの型を使って先読みします。

❷-1 状況と発言を照合する

日本語で書かれた状況と発言を照合します。○×△などで整理しながら聴きましょう。

B 第6問Bは問36・問37の2問です。会話を聞き,それぞれの問いの答えとして最も適切なものを,選択肢のうちから一つずつ選びなさい。後の表を参考にしてメモを取ってもかまいません。<u>状況と問いを読む時間が与えられた後,音声が流れます。</u> ❶

テーマを確認!

<u>状況</u>

四人の学生(Chris, Amy, Haruki, Linda)が,**運動を始めること**について話をしています。

Chris	○→×
Amy	○
Haruki	×
Linda	×

発言の順にずらしながら○×△を記入する!
同意見とわかる場合は線で結ぶ!

問36 会話が終わった時点で,**ウォーキングをすることに決めた人**を,四つの選択肢(①~④)のうちから一つ選びなさい。 36

❷-1

テーマを確認!

① Amy
② Haruki
③ Amy, Chris
④ Chris, Linda

内容 Day 19と同じ第6問Bの形式です。議論の際によく使われる表現や、主張を述べる際によく使われる表現にも注意して聴きましょう。リスニングの対策では、流れてくる音声が長いほど「読解力」が必要となります。リスニングで伸び悩んだ場合でも、リーディングの対策で伸びていくので、本シリーズの「リーディング編」もしっかりやり込みましょう。

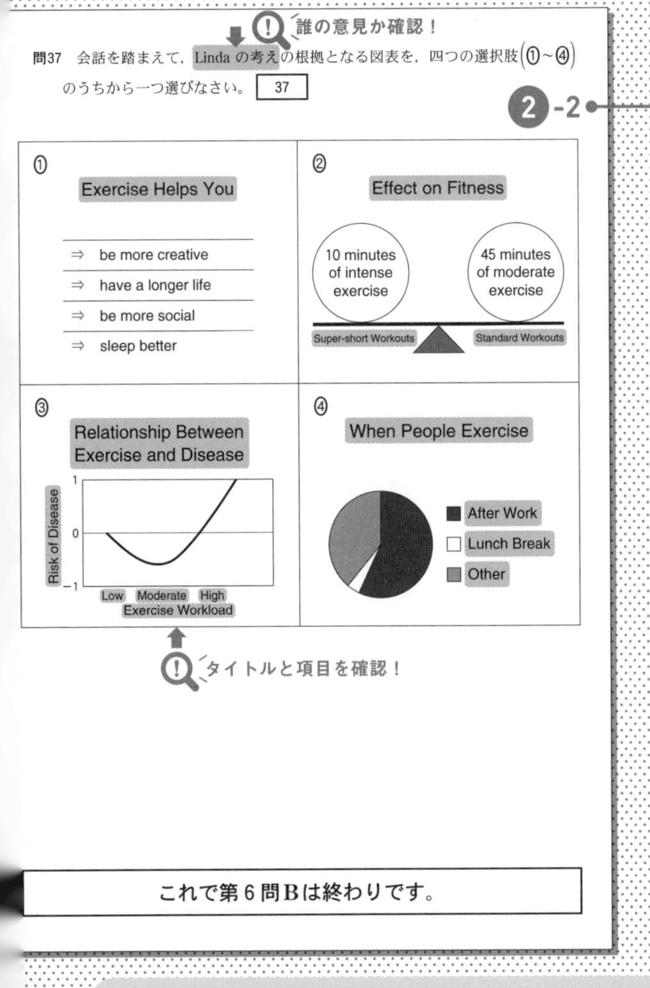

②-2 発言と図表を照合する

図表のタイトル、項目に照らし合わせながら音声を聴きます。

これで第6問Bは終わりです。

Day 20

では、この「照合の型」を使って、次ページの問題に取り組みましょう！

B　**第 6 問 B** は **問 36・問 37** の 2 問です。会話を聞き，それぞれの問いの答えとして最も適切なものを，選択肢のうちから一つずつ選びなさい。後の表を参考にしてメモを取ってもかまいません。**状況と問いを読む時間が与えられた後，音声が流れます。**

状況
四人の学生(Chris, Amy, Haruki, Linda)が，運動を始めることについて話をしています。

Chris	
Amy	
Haruki	
Linda	

問36　会話が終わった時点で，ウォーキングをすることに決めた人を，四つの選択肢(①〜④)のうちから一つ選びなさい。 36

① Amy
② Haruki
③ Amy, Chris
④ Chris, Linda

問37　会話を踏まえて，Linda の考えの根拠となる図表を，四つの選択肢（①～④）のうちから一つ選びなさい。 37

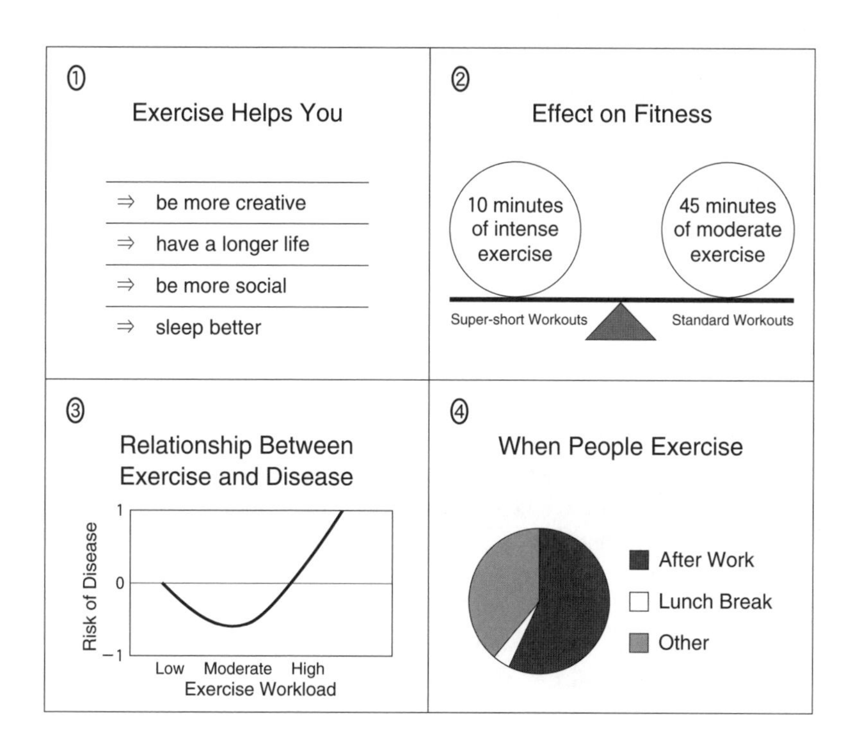

これで第6問Bは終わりです。

音声スクリプト TRACK D20_02

Chris① : For my new year's resolution, I've decided to start doing something healthy. Do you have any good suggestions, Amy?

Amy① : Good for you, Chris! It's important to find something that you won't give up easily. I also want to do something, like walking, for instance. Chris, why don't we walk in the morning together?

Chris② : That sounds good. Haruki, do you want to join us?

Haruki① : Sorry. I started running last year. It's tough, but refreshing. Linda, you exercise a lot, don't you?

Linda① : Yeah, recently I've been trying "super-short workouts." One workout takes only 10 minutes.

Haruki② : Ten minutes? Linda, is that enough? I need at least an hour to feel satisfied.

Linda② : Yes. Super-short workouts are really efficient. You just need to push yourself extremely hard for a short time. Why don't you try them too, Chris?

Chris③ : Yeah, now that I think about it, walking takes too long. But I could easily spare 10 minutes for a workout. That way, I'm definitely not going to quit. Amy, would you like to try the super-short workouts, too?

Amy② : It sounds interesting, but I prefer more moderate exercise. So, I'm going to start walking to the station every day. It's only about 30 minutes, which is fine for me.

Chris④ : OK. So Linda, can we work out together?

Linda③ : Sure. How about this Saturday? It'll be fun!

【訳】

クリス① : 新年の抱負として、僕は何か健康的なことをやり始めることにしたんだ。何かいい提案はあるかい、エイミー？

エイミー① : それはいいね、クリス！　何か簡単にはやめないようなことを見つけるのが大切よ。私も何かしたいなあ、例えば、ウォーキングのような。クリス、私たち、朝に一緒に歩かない？

クリス② : よさそうだな。ハルキ、君も一緒にどう？

ハルキ① : ごめん。僕は去年、ランニングを始めたんだ。きついけど気分爽快だよ。リンダ、君はたくさん運動するんだよね？

リンダ① : ええ、最近は「超短時間ワークアウト」をやってみてるの。一回の運動が10分しかかからないのよ。

ハルキ② : 10分？　リンダ、それで足りるの？　僕は満足感を得るのに最低1時間は必要だけど。

リンダ② : ええ。超短時間ワークアウトはすごく効率がいいの。短い時間、極度に自分を追い込むだけでいいんだから。あなたもやってみたらどう、クリス？

クリス③ ：うん、考えてみると、ウォーキングは時間がかかり過ぎるなあ。だけど、ワークアウトに10分割くのは簡単にできそうだな。そうしたら、絶対にやめたりしないだろう。エイミー、君も超短時間ワークアウトをやってみない？

エイミー② ：面白そうだけど、私はもっと適度な運動のほうがいいな。だから、毎日駅まで歩くことを始めるつもりよ。ほんの30分程度で、それが私にはちょうどいい。

クリス④ ：わかった。それじゃあ、リンダ、一緒にワークアウトしてもいい？

リンダ③ ：もちろん。今週の土曜日はどう？　楽しくなりそう！

音声のポイント

音の脱落はあるが、ゆっくり話しているので聴き取りやすいです。

語句

resolution	名 決意、（新年の）抱負	now that I think about it	熟 考えてみると
refreshing	形 元気づける、爽快にする	spare ～	他 （時間など）を割く
efficient	形 効率のよい	definitely	副 絶対に
push oneself	熟 頑張る、自分を追い込む	moderate	形 適度な、中程度の
extremely	副 極端に、非常に		

問36 正解① 問題レベル【やや難】 配点 4点

選択肢 ① Amy ② Haruki ③ Amy, Chris ④ Chris, Linda

❶聴き取りの型を使う→❷状況と発言を照合する

❶テーマは「運動を始めること」です。問いから「ウォーキングをすることに決める発言」に注意して聴きましょう。❷エイミーは最初の発言 Good for you, Chris! It's important to find something that you won't give up easily. **I also want to do something, like walking,** for instance. で、ウォーキングを始めたいと言っています。表のエイミーの箇所に○を書き込んでおきましょう。続けて、彼女は **Chris, why don't we walk in the morning together?** と言ってクリスを誘い、クリスは **That sounds good.** と答えているので、クリスにも○を書いておきましょう。クリスは **Haruki, do you want to join us?** と言ってハルキを誘っていますが、ハルキは **Sorry.** I started running last year. と答えているため、ハルキには×を書いておきましょう。次にリンダは Yeah, recently **I've been trying "super-short workouts."** と言っているため、ウォーキングはしそうにありません。×を書き込みましょう。また、彼女はクリスに対して **Why don't you try them too, Chris?** と言い、super-short workouts「超短時間ワークアウト」をおすすめしています。クリスは Yeah, **now that I think about it,** walking takes too long. **But I could easily spare 10 minutes for a workout.** と言っていることから、ウォーキングはやめて、超短時間ワークアウトを行うことがわかります。クリスの部分を×に変えましょう。意見が変わるのは定番のパターンでしたね。そして、クリスは **Amy, would you like to try the super-short workouts, too?** と言ってエイミーを誘っていますが、エイミーは It sounds interesting, but I prefer more moderate exercise. So, **I'm going to start walking** to the station every day. と答えているので、彼女はウォーキングを行うことがわかります。よって、ウォーキングを行うのはエイミーのみであるため、①が正解です。

Chris	○→×
Amy	○
Haruki	×
Linda	×

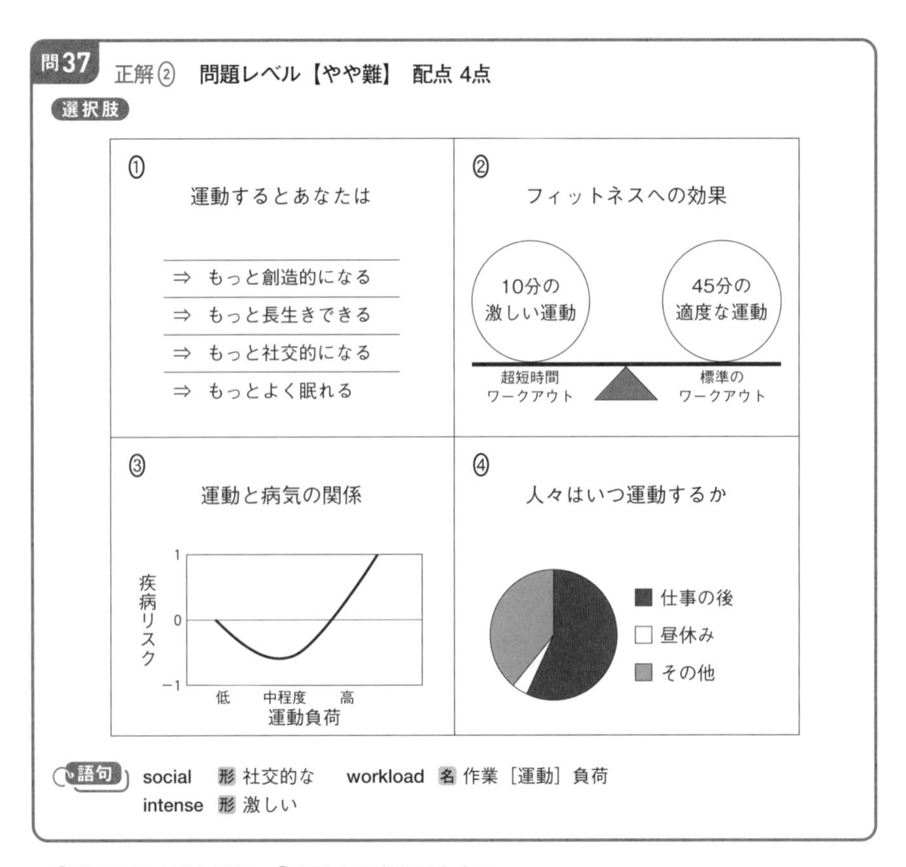

❶聴き取りの型を使う→❷発言と図表を照合する

❶図表のタイトル・項目を先読みします。タイトルは①「運動するとあなたは」、②「フィットネスへの効果」、③「運動と病気の関係」、④「人々はいつ運動するか」です。問題文からリンダの発言に注意して聴きましょう。❷リンダの最初の発言 Yeah, recently **I've been trying "super-short workouts."** One workout takes only 10 minutes. から、リンダは「超短時間ワークアウト」を行っていることがわかります。また２番目の発言では、Yes. Super-short **workouts are really efficient.** You just need to push yourself extremely hard for a short time. と言い、それが効率的であることも述べています。選択肢の中では②がフィットネスへの効果について10分間の激しい運動と45分の適度な運動を比較しているため、こちらが正解となります。他の選択肢についてはリンダは言及していません。

MEMO

Day 20

B **第6問Bは問36・問37の2問です。**会話を聞き，それぞれの問いの答えとして最も適切なものを，選択肢のうちから一つずつ選びなさい。後の表を参考にしてメモを取ってもかまいません。**状況と問いを読む時間が与えられた後，音声が流れます。**

状況

四人の学生(Edward, Susie, Barry, Kyoko)が，今度の旅行で飛行機に乗る際の預け入れ荷物(checked luggage)について話し合っています。

Edward	
Susie	
Barry	
Kyoko	

問36 会話が終わった時点で，**今回荷物を預け入れないことに決めた人**を，四つの選択肢(①～④)のうちから一つ選びなさい。 36

① Edward
② Kyoko
③ Barry, Edward
④ Barry, Susie

問37 会話を踏まえて，Barry の考えの根拠となる図表を，四つの選択肢（①～④）のうちから一つ選びなさい。 **37**

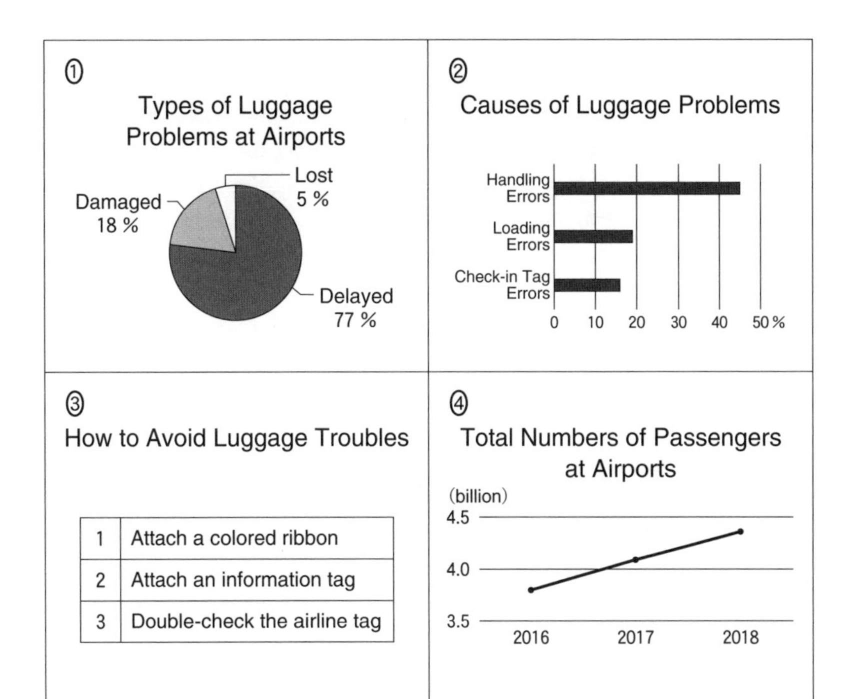

これで第６問Bは終わりです。

音声スクリプト TRACK D20_05

Edward① : Hey, Susie. I'm really excited about our trip to Hawaii!

Susie① : Me, too. But yesterday I read an article about luggage troubles at the airport. Now I'm a little worried. Have you had any problems with your luggage, Edward?

Edward② : Yeah, in fact, my bags were lost twice!

Susie② : Really? Twice?

Edward③ : Yes. So I've decided to put everything into one backpack and carry it with me all the time. That way, I won't lose it. How about you, Barry?

Barry① : You're very unlucky, Edward! I heard that, most of the time, bags are just delayed rather than lost completely. So, I don't mind checking in my suitcase. Luggage almost always comes back in the end.

Edward④ : You mean, you don't worry about it at all?

Barry② : No, I haven't had any problems. What do you think, Kyoko?

Kyoko① : Me? Well, there's always a chance that something unexpected will happen. That's why I'm not going to put anything valuable in my checked luggage.

Barry③ : That's smart.

Kyoko② : Yeah. I use an orange tag on my suitcase so that no one takes mine by mistake. What are you going to do, Susie?

Susie③ : Well, I won't be able to pack all my things in one backpack like Edward does. But I will carry my valuables with me, and I'm going to put a shiny tag on my suitcase.

Kyoko③ : There you go! It should be OK.

【訳】

エドワード① ：ねえ、スージー。僕はハワイ旅行にすごくワクワクしてるよ！

スージー① ：私もよ。でも昨日、空港での手荷物トラブルの記事を読んだの。今、ちょっと心配してるんだ。あなたは自分の手荷物で問題が起きたことがある、エドワード？

エドワード② ：うん、実は、バッグが２回、なくなったんだ！

スージー② ：本当？　２回も？

エドワード③ ：うん。だから僕は、あらゆる物を一つのバックパックに入れて、それをいつでも自分で持ち歩くことにしたんだ。そうしたら失くさないからね。君はどうだい、バリー？

バリー① ：ずいぶん運が悪いんだね、エドワード！　僕が聞いたのは、ほとんどの場合、荷物は完全に行方不明になるんじゃなくて、遅れるだけなんだって。だから、僕はスーツケースを預け入れるのはかまわないんだ。手荷物はたいていの場合、最後には戻って来るからね。

エドワード[4]：つまり、まったく心配しないってこと？
バリー[2]：しないよ、問題が起きたことがないし。君はどう思う、キョウコ？
キョウコ[1]：私？　うーん、何か予期せぬことが起こる可能性はいつでもあるよね。そういうわけで、預け入れ荷物には貴重品は何も入れないようにするつもりよ。
バリー[3]：それは賢明だね。
キョウコ[2]：うん。私、誰かが間違えて持って行かないように、スーツケースにはオレンジ色のタグを使ってるの。あなたはどうするの、スージー？
スージー[3]：そうねえ、エドワードがしてるみたいに、一つのバックパックにすべての物を詰め込むことはできそうにない。でも、貴重品は自分で持ち歩くことにして、スーツケースにはキラキラしたタグを付けるつもりよ。
キョウコ[3]：いいね！　それなら大丈夫なはずよ。

音声のポイント

例題よりはやや速く、聴き取りにくい音が増えています。

1 この read は過去形であるため発音は「レド」[réd]。

2 luggage は「ラゲージ」ではなく「ラゲッジ」[lʌ́gidʒ]。

3 about it at all は変化・連結により、「アバウディ d アドー l」のように発音されている。

4 What are は変化・連結・弱形により「ワダ」のように発音されている。

語句

luggage	名（旅行者の）手荷物	valuable	形 貴重な
			名（～sで）貴重品
most of the time	熟 たいてい（の場合）	checked baggage	名 預入れ荷物
delay ～	他 ～を遅らせる	tag	名 札、タグ
check in ～	熟（荷物）を預け入れる	by mistake	熟 間違えて
almost always	熟 たいてい（の場合）	There you go.	熟 それでいい。
chance	名 可能性		
unexpected	形 予期せぬ、予想外の		

問36　正解 ①　問題レベル【やや難】　配点 4点

選択肢　① Edward　② Kyoko　③ Barry, Edward　④ Barry, Susie

❶聴き取りの型を使う→❷状況と発言を照合する

❶テーマは「旅行の際の預け入れ荷物」です。問いでは「今回荷物を預け入れないことに決めた人」が問われているので、荷物を預ける・預けないといった発言に注意して聴きましょう。この問題は「預けない」という否定の意味になっているため、メモを○×にすると混乱するかもしれません。こういった場合は「あずける・あずけない」のように日本語でメモを書き込んでも OK です。❷荷物を預ける・預けないといった情報に注意して聴くと、エドワードが3番目の発言で So I've decided to **put everything into one backpack and carry it with me** all the time. と言っています。エドワードは荷物を預けないことがわかるため、「あずけない」と表に書いておきましょう。次にバリーは **I don't mind checking in my suitcase.** と言っています。check in ～は「（荷物）を預ける」という意味です。ここからバリーは荷物を預けると考えられます。バリーの部分に「あずける」と書いておきましょう。ちなみにエドワードが

4番目の発言でバリーに You mean, you don't worry about it at all? と尋ね、バリーは No と答えていますが、この No は「心配していない」という意味になるので注意しておきましょう。日本語の感覚で考えると逆の意味で捉えてしまいますが、No はつまり No, I don't worry about it. の意味になります。続いて、バリーはキョウコにどう思うか尋ね、キョウコは That's why **I'm not going to put anything valuable in my checked luggage**. と答えています。この時点で荷物を預けると考えられます。さらに **I use an orange tag on my suitcase** so that no one takes mine by mistake. と言っていることから、キョウコに「あずける」と書いておきましょう。次にスージーは、**I won't be able to pack all my things in one backpack** like Edward does. But I will carry my valuables with me, and I'm going to **put a shiny tag on my suitcase**. と言い、「エドワードのようにバックパックに荷物全部をまとめることはできないこと」と、「スーツケースにタグをつけること」を述べています。よってスージーの部分にも「あずける」と書きましょう。以上から、「あずけない」のはエドワードのみであるため、①が正解です。

Edward	あずけない
Susie	あずける
Barry	あずける
Kyoko	あずける

問37 正解① **問題レベル【やや難】 配点 4点**

選択肢

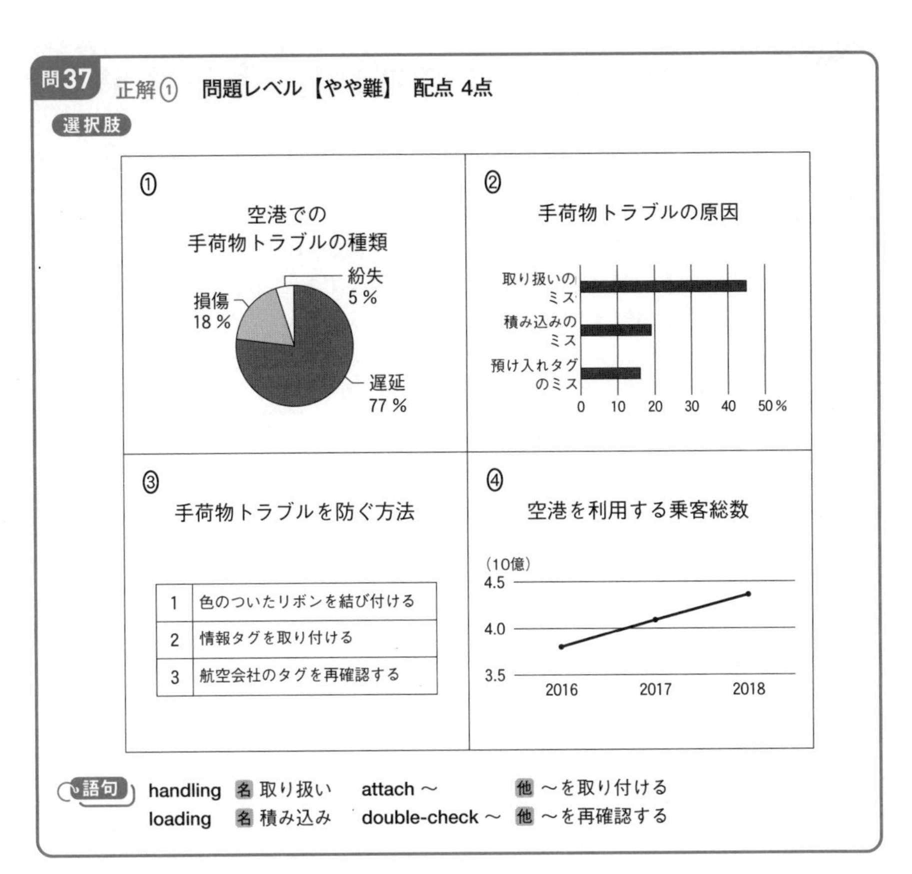

語句 handling 名 取り扱い　attach ～ 他 ～を取り付ける
loading 名 積み込み　double-check ～ 他 ～を再確認する

❶聴き取りの型を使う→❷発言と図表を照合する

❶問題文からバリーの考えに注意して聴きましょう。先読みでは、図表のタイトル・項目を確認します。タイトルは①「空港での手荷物トラブルの種類」、②「手荷物トラブルの原因」、③「手荷物トラブルを防ぐ方法」、④「空港を利用する乗客総数」となっています。❷バリーの発言のうち、図表の内容に関係がありそうなものは、最初の発言中のI heard that, **most of the time, bags are just delayed rather than lost completely.** です。「ほとんどの場合、荷物は完全になくなってしまうと言うよりも、ただ遅れる」と述べており、①の図表ではDelayedが大部分を占めています。よって①が正解です。②については音声で述べられていません。③はタグをつけるというキョウコとスージーの発言に関係しています。④は言及されていないため不正解です。

DAY 21

【講義：シート作成問題】を攻略する「表読の型」「言い換えの型」「照合の型」

ここで扱うのは第５問の新形式です。基本的にはDay 15と16と同様の解き方ですが、問32は、講義後にメンバーの発言を聴いて解く問題なので、講義の内容を覚えておくことに加え、講義に関する短い発言を聴き取らなくてはなりません。

「表読・言い換え・照合の型」のステップ

❶ 状況、ワークシート、設問と選択肢を先読みする

Day 15同様、「状況」に書いてある内容を見てテーマを把握しましょう。ワークシートも可能な限り読み込み、何に注意して聴けばいいのか、どういった単語が使われるのかを確認しましょう。空所の前後、表の内容を中心に確認します。設問と選択肢も先読みします。

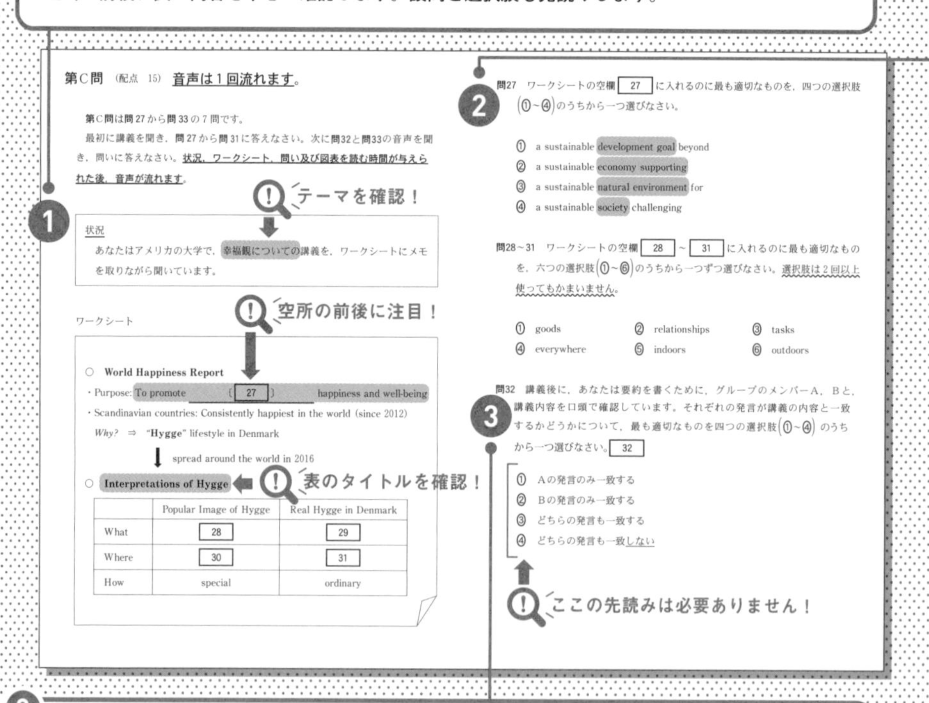

第C問 (配点 15) 音声は１回流れます。

第C問は問27から問33の７問です。

最初に講義を聞き、問27から問31に答えなさい。次に問32と問33の音声を聞き、問いに答えなさい。状況、ワークシート、問い及び図表を読む時間が与えられた後、音声が流れます。

状況

あなたはアメリカの大学で、幸福観についての講義を、ワークシートにメモを取りながら聞いています。

ワークシート

○ World Happiness Report

・Purpose: To promote [27] happiness and well-being

・Scandinavian countries: Consistently happiest in the world (since 2012)

Why? ⇒ "**Hygge**" lifestyle in Denmark

↓ spread around the world in 2016

○ **Interpretations of Hygge**

	Popular Image of Hygge	Real Hygge in Denmark
What	28	29
Where	30	31
How	special	ordinary

問27 ワークシートの空欄 [27] に入れるのに最も適切なものを、四つの選択肢（①～④）のうちから一つ選びなさい。

① a sustainable development goal beyond
② a sustainable economy supporting
③ a sustainable natural environment for
④ a sustainable society challenging

問28～31 ワークシートの空欄 [28] ～ [31] に入れるのに最も適切なものを、六つの選択肢（①～⑥）のうちから一つずつ選びなさい。選択肢は２回以上使ってもかまいません。

① goods ② relationships ③ tasks
④ everywhere ⑤ indoors ⑥ outdoors

問32 講義後に、あなたは要約を書くために、グループのメンバーA、Bと、講義内容を口頭で確認しています。それぞれの発言が講義の内容と一致するかどうかについて、最も適切なものを四つの選択肢（①～④）のうちから一つ選びなさい。[32]

① Aの発言のみ一致する
② Bの発言のみ一致する
③ どちらの発言も一致する
④ どちらの発言も一致しない

❶
テーマを確認！
空所の前後に注目！
表のタイトルを確認！
❷
❸
ここの先読みは必要ありません！

❸ 言い換えの型

問32の新形式の問題も、元の内容一致問題と同様、聴いた内容をある程度覚えていないと難しいです。２人の発言を聴き、講義の内容が言い換えられた内容であるか判断しましょう。

内容 第５問「シート作成問題」の新形式です。「例題」では、大学入試センターが公表している試作問題を扱い、「練習問題」ではオリジナルの予想問題を扱います。問32は、元々あった内容一致問題が無くなり、講義後に２人のメンバーの発言を聴き取って各人の発言が講義の内容と一致するかしないかを判断する問題に変更されます。最後の問題の問33は、元々は講義の続きが流れる問題でしたが、新形式では２人の人物のディスカッションに変更されます。全体としてはDay 15と16の「聴き取りの型」が有効なので、同じようにワークシートを先読みしましょう。

❷ 表読の型

空所を埋めるタイプの問題は表と選択肢を照らし合わせ、どのような内容になるか予測しましょう。先読みで確認しておいた内容に注意し、音声の流れに従って表を埋めていきます。

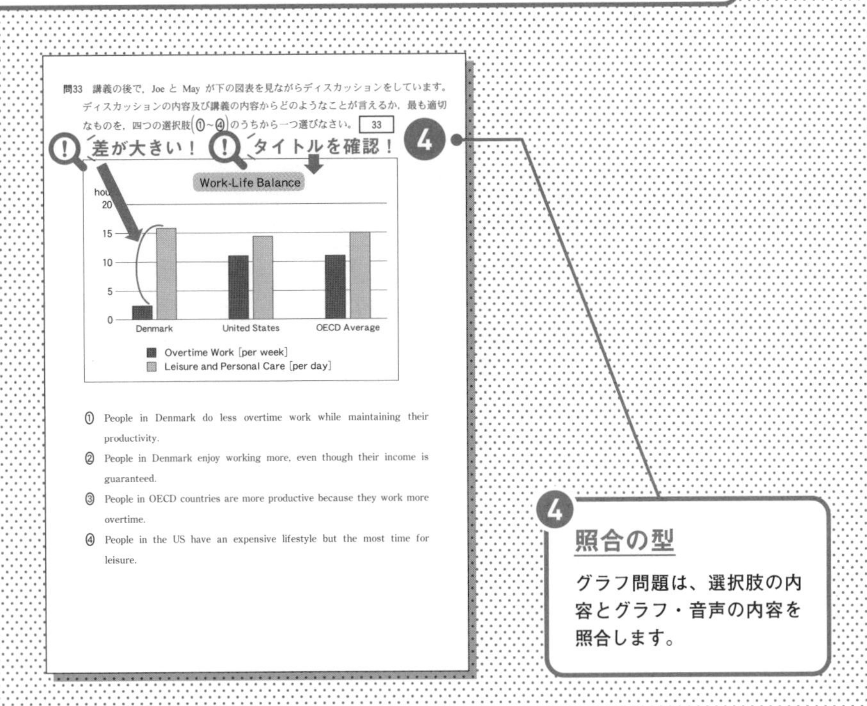

問33　講義の後で，Joe と May が下の図表を見ながらディスカッションをしています。ディスカッションの内容及び講義の内容からどのようなことが言えるか，最も適切なものを，四つの選択肢（①～④）のうちから一つ選びなさい。 33

① People in Denmark do less overtime work while maintaining their productivity.

② People in Denmark enjoy working more, even though their income is guaranteed.

③ People in OECD countries are more productive because they work more overtime.

④ People in the US have an expensive lifestyle but the most time for leisure.

❹ 照合の型

グラフ問題は、選択肢の内容とグラフ・音声の内容を照合します。

では、この「表読の型」「言い換えの型」「照合の型」を使って、次ページの問題に取り組みましょう！

第C問 (配点 15) 音声は1回流れます。

第C問は問27から問33の7問です。

最初に講義を聞き，問27から問31に答えなさい。次に問32と問33の音声を聞き，問いに答えなさい。**状況，ワークシート，問い及び図表を読む時間が与えられた後，音声が流れます**。

状況

あなたはアメリカの大学で，幸福観についての講義を，ワークシートにメモを取りながら聞いています。

ワークシート

○ **World Happiness Report**

・Purpose: To promote ［ 27 ］ happiness and well-being

・Scandinavian countries: Consistently happiest in the world (since 2012)

Why? ⇒ "**Hygge**" lifestyle in Denmark

↓ spread around the world in 2016

○ **Interpretations of Hygge**

	Popular Image of Hygge	Real Hygge in Denmark
What	28	29
Where	30	31
How	special	ordinary

問題番号は実際の番号のままです。

問27　ワークシートの空欄 27 に入れるのに最も適切なものを，四つの選択肢（①～④）のうちから一つ選びなさい。

① a sustainable development goal beyond
② a sustainable economy supporting
③ a sustainable natural environment for
④ a sustainable society challenging

問28～31　ワークシートの空欄 28 ～ 31 に入れるのに最も適切なものを，六つの選択肢（①～⑥）のうちから一つずつ選びなさい。選択肢は２回以上使ってもかまいません。

① goods　② relationships　③ tasks
④ everywhere　⑤ indoors　⑥ outdoors

問32　講義後に，あなたは要約を書くために，グループのメンバーＡ，Ｂと，講義内容を口頭で確認しています。それぞれの発言が講義の内容と一致するかどうかについて，最も適切なものを四つの選択肢（①～④）のうちから一つ選びなさい。 32

① Ａの発言のみ一致する
② Ｂの発言のみ一致する
③ どちらの発言も一致する
④ どちらの発言も一致しない

問33　講義の後で，Joe と May が下の図表を見ながらディスカッションをしています。ディスカッションの内容及び講義の内容からどのようなことが言えるか，最も適切なものを，四つの選択肢(①～④)のうちから一つ選びなさい。 33

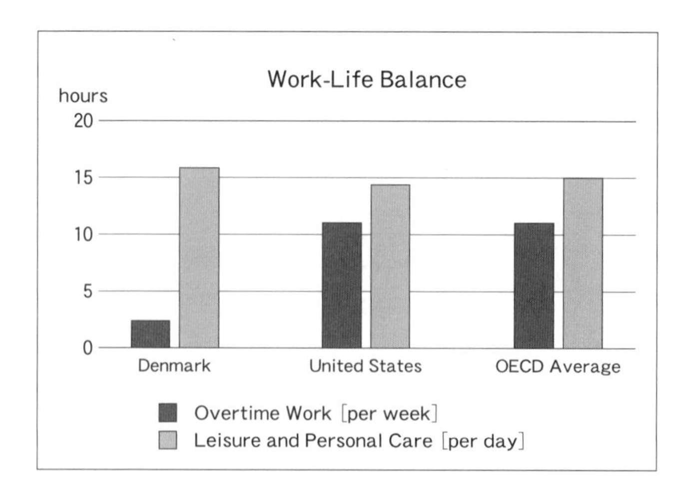

① People in Denmark do less overtime work while maintaining their productivity.

② People in Denmark enjoy working more, even though their income is guaranteed.

③ People in OECD countries are more productive because they work more overtime.

④ People in the US have an expensive lifestyle but the most time for leisure.

音声スクリプト TRACK D21_02

What is happiness? Can we be happy and promote sustainable development? Since 2012, the *World Happiness Report* has been issued by a United Nations organization to develop new approaches to economic sustainability for the sake of happiness and well-being. The reports show that Scandinavian countries are consistently ranked as the happiest societies on earth❶. But what makes them so happy? In Denmark, for example, leisure❷ time is often spent with others. That kind of environment makes Danish people happy thanks to a tradition called "hygge," spelled H-Y-G-G-E. Hygge means coziness or comfort and describes the feeling of being loved.

This word became well-known worldwide in 2016 as an interpretation of mindfulness or wellness. Now, hygge is at risk of being commercialized. But hygge is not❸ about the material things we see in popular images like candlelit rooms and cozy bedrooms with hand-knit blankets. Real hygge happens anywhere – in public or in private, indoors or outdoors, with or without candles. The main point of hygge is to live a life connected with loved ones while making ordinary essential tasks meaningful and joyful.

Perhaps Danish people are better at appreciating the small, "hygge" things in life because they have no worries about basic necessities. Danish people willingly pay from❹ 30 to 50 percent of their income in tax. These high taxes pay for a good welfare system that provides free healthcare and education. Once basic needs are met, more money doesn't guarantee more happiness. While❺ money and material goods seem to be highly valued in some countries like the US, people in Denmark place more value on socializing. Nevertheless, Denmark has above-average productivity according to the OECD.

【訳】幸せとは何でしょうか。幸せになりながらも、持続可能な開発を進めることはできるのでしょうか。2012年以来、幸福と健康のための経済的持続可能性への新たな取り組みを進めるために、「世界幸福度報告」が国連の機関によって発行されてきました。この報告書によると、北欧諸国は常に地球上で最も幸福な社会としてランクされています。しかし、なぜそれらの国々はそんなに幸せなのでしょうか。例えば、デンマークでは、人々は余暇の時間をしばしば他の人たちと一緒に過ごします。そのような環境がデンマーク人を幸せにしているのですが、それは H、Y、G、G、E とつづられる、「ヒュッゲ」と呼ばれる伝統のおかげなのです。ヒュッゲは、居心地のよさや快適さを意味して、愛されているという感覚を表しています。

　この言葉は、マインドフルネスやウェルネスを説明する言葉として 2016 年に世界中に知られるようになりました。現在、ヒュッゲは商業化される危険にさらされています。しかし、ヒュッゲは、ろうそくに照らされた部屋や、手編みの毛布がある居心地のよい寝室といった、一般的なイメージで見られる物質的な物ではありません。本当のヒュッゲはどこでも起こります。公共の場でも私的な場でも、屋内でも屋外でも、ろうそくがあってもなくても起こるのです。ヒュッゲの要点は、普段の必要不可欠な仕事を有意義で楽しいものにしながら、愛する人たちとつながった生活を送ることなのです。

おそらくデンマーク人のほうが生活の中のちょっとした「ヒュッゲ」的なことを認めるのが得意でしょう。なぜなら彼らには生活に必要な基本的なものを得るための心配がないからです。デンマーク人は、収入の30～50パーセントを税金として納めることをいといません。こうした高い税金は、無償の医療や教育を提供する充実した福祉制度の資金源になります。ひとたび生活に必要なものが満たされれば、もっとお金があればもっと幸せを感じられるということにはならないのです。アメリカのような国では、お金や物質的な物に高い価値が置かれているようですが、デンマークの人々は人付き合いに、より高い価値を置いています。それにもかかわらず、OECDによれば、デンマークの生産性は平均以上なのです。

ワークシート

○ **世界幸福度報告**

・目的：幸福と健康 〔 27 〕 を促進するため

・北欧の国々：常に世界で最も幸福（2012年以来）

なぜ？ ⇒ デンマークでの「**ヒュッゲ**」の生活様式

2016年に世界中に広がった

○ **ヒュッゲの説明**

	ヒュッゲの一般的なイメージ	デンマークの本当のヒュッゲ
何	28	29
どこ	30	31
どのような	特別な	普段の

音声のポイント

1 on earth は**連結**して「オナース」のように発音されている。

2 leisure［líːʒər］は「レジャー」ではなく「リージャー」のように発音されている。

3 not は [t] が**脱落**し「ナッ」のように発音されている。

4 from は**弱形**で「フｒム」のように発音されている。

5 while は**弱形**で「ワゥ」のように発音されている。

語句

promote ～	他 ～を促進する	well-being	名 幸福、健康
sustainable	形 持続可能な	Scandinavian	形 スカンジナビアの、北欧の
issue ～	他 ～を出版［発行］する	consistently	副 絶えず、常に
approach	名 取り組み（方）	leisure	名 余暇
sustainability	名 持続可能性	Danish	形 デンマークの
for the sake of ～	熟 ～のために	coziness	名 居心地のよさ

describe ~	他 ~を言い表す
interpretation	名 解釈、説明
mindfulness	名 よく生きること、マインドフルネス
wellness	名 (心身の) 健康、ウェルネス
commercialize ~	他 ~を商業化する
material	形 物質的な
candlelit	形 ろうそくに照らされた
cozy	形 居心地のよい
hand-knit	形 手編みの
loved one	名 愛する人、大切な人
ordinary	形 通常の、普段の
meaningful	形 意義のある
appreciate ~	他 ~を認識する
necessity	名 (しばしば複数形で) 必需品
willingly	副 進んで、いとわず
welfare	名 福祉
once	節 いったん[ひとたび] ~すると
needs	名 (複数形で) 必要な物
meet ~	他 (要求など) を満たす
guarantee ~	他 ~を保証する
socialize	自 (社交的に) 付き合う (socializingは動名詞)
nevertheless	副 それにもかかわらず
productivity	名 生産性
OECD	名 経済協力開発機構 (= Organization for Economic Co-operation and Development)

問27 正解② **問題レベル【普通】 配点 3点**

選択肢

① a sustainable development goal beyond
「~を超えた持続可能な開発目標」

② a sustainable economy supporting
「~を支える持続可能な経済」

③ a sustainable natural environment for
「~のための持続可能な自然環境」

④ a sustainable society challenging
「~に挑む持続可能な社会」

❶聴き取りの型→❷表読の型

❶テーマは「幸福観」です。先読みの段階では、ワークシートから 27 はTo promote 27 happiness and well-being「幸福と健康 27 を促進するため」となり、World Happiness ReportのPurpose「目的」が問われていることを確認しておきましょう。選択肢はsustainableが共通しています。❷「目的」に注意して聴くとthe *World Happiness Report* has been issued by a United Nations organization **to develop new approaches to economic sustainability for the sake of happiness and well-being.** とあります。**develop** はワークシートでは **promote に言い換え**られていると考えられるので、 27 に入るのはnew approaches to economic sustainabilityに近い内容の選択肢、つまり②が正解となります。

問28~31 正解28 ① / 29 ② / 30 ⑤ / 31 ④ **問題レベル【やや難】 配点 2点×2**
※問28と問29が2問とも正解の場合のみ2点。問30と問31が2問とも正解の場合のみ2点。

選択肢 ① goods「品物」 ② relationships「人間関係」
③ tasks「仕事」 ④ everywhere「どこでも」
⑤ indoors「屋内で」 ⑥ outdoors「屋外で」

❶聴き取りの型→❷表読の型

❶問28 ～ 31では、選択肢①②③は表に What とある 28 29 のいずれかに入り、選択肢④⑤⑥は Where とある 30 31 のいずれかに入ることを確認しておきましょう。ワークシートから「Popular Image（一般的なイメージ）」と「Real（実際、本当）」がキーワードとなります。❷ But hygge is not about the **material things** we see in popular images like **candlelit rooms** and **cozy bedrooms** with hand-knit blankets. から、「家の中の物」について述べられていることがわかります。したがって 28 には① **goods**、 30 には⑤ **indoors** が入ります。Real hygge happens **anywhere** — in public or in private, indoors or outdoors, with or without candles. から、本当のヒュッゲは「どこにでもある」ので 31 には④ **everywhere** が入ります。また、The main point of hygge is to live a life **connected with loved ones** while making ordinary essential tasks meaningful and joyful. から、**「人とのつながり」**が重要視されているので、 29 には② **relationships** が入ります。

問32 設問 音声スクリプト TRACK D21_04

Student A: Danish people accept high taxes which provide basic needs.
Student B: Danish people value spending time with friends more than pursuing money.

【訳】
学生 A：デンマーク人は生活に必要なものを提供してくれる高い税金を受け入れている。
学生 B：デンマーク人は金銭を追求することよりも友人と時間を過ごすことを重んじている。

語句 value ～ 他 ～を重んじる

問32 正解③ **問題レベル【やや難】 配点 4点**

選択肢 ① A の発言のみ一致する
② B の発言のみ一致する
③ どちらの発言も一致する
④ どちらの発言も一致しない

❶聴き取りの型→❷言い換えの型

❶ A、B の発言と講義の内容が一致するかどうかを判断する問題のため、先読みは不要です。❷ A の発言では、「デンマーク人が生活に必要なものを提供してくれる高い税金を受け入れていること」が述べられています。high taxes をキーワードに講義の内容を思い返すと、

Danish people willingly pay from 30 to 50 percent of their income in tax. These **high taxes** pay for **a good welfare system** that provides free healthcare and education. とありました。また次の文にも Once **basic needs** are met, 〜とあることから、a good welfare system 以下が **basic needs に言い換え**られていると考えられるので、A の発言は一致します。

B の発言では、「お金を稼ぐことよりも友人と過ごすことを重んじること」が述べられています。spending time with friends をキーワードに講義の内容を思い返すと、While money and material goods seem to be highly valued in some countries like the US, people in Denmark **place more value on socializing.** とあります。place more value on が **value** に、socializing が **spending time with friends に言い換え**られていると考えられます。よって B の発言も一致するため、③が正解です。

音声スクリプト TRACK D21_06

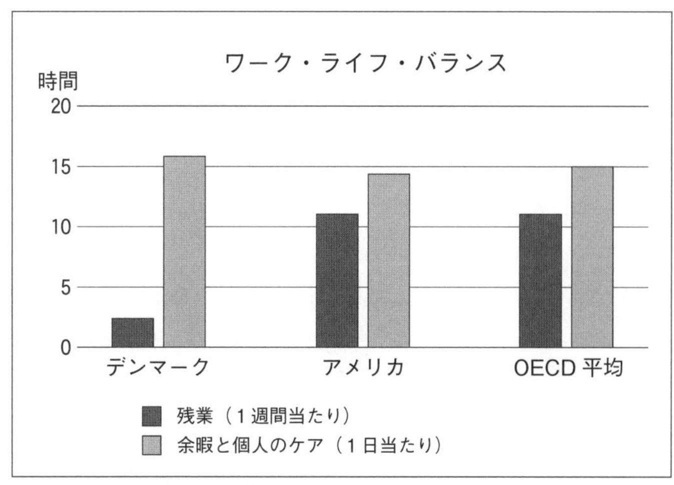

Joe① **: Look at this graph, May. People in Denmark value private life over work. How can they be so productive?**

May① **: Well, based on my research, studies show that working too much overtime leads to lower productivity.**

Joe② **: So, working too long isn't efficient. That's interesting.**

【訳】

ジョー①：メイ、このグラフを見てよ。デンマークの人々は仕事よりも個人の生活を重んじるんだね。彼らはどうしたらそんなに生産的でいられるのかな？

メイ①　：そうねえ、私がリサーチしたところ、過度に残業することは生産性低下につながるという研究結果があるわ。

ジョー②：つまり、あまりに長く働くことは効率的ではないんだ。興味深いね。

語句
productive 形 生産的な　　efficient 形 効率的な
lead to 〜 熟 〜につながる

問33 正解① 問題レベル【やや難】 配点 4点

選択肢

① People in Denmark do less overtime work while maintaining their productivity.
「デンマークの人々は生産性を維持しながらも残業は少ない」

② People in Denmark enjoy working more, even though their income is guaranteed.
「デンマークの人々は収入が保証されているにもかかわらず、より長い時間働くことを楽しんでいる」

③ People in OECD countries are more productive because they work more overtime.
「OECD 諸国の人々は残業がより多いため、より生産的である」

④ People in the US have an expensive lifestyle but the most time for leisure.
「アメリカの人々はお金のかかる生活様式だが、余暇の時間が最も長い」

語句 maintain ～ 他 ～を維持する

❶聴き取りの型→❷照合の型

❶問33の先読みは問32までを解き終えてからにしましょう。グラフのタイトルや項目がどのようなものになっているか確認しましょう。グラフのタイトルは Work-Life Balance です。各国の Overtime Work「残業」と Leisure and Personal Care「余暇と個人のケア」の時間が比較されていることに注目しておきましょう。❷選択肢とグラフ・音声を照合していきます。①には People in Denmark do less overtime work「デンマークの人々は残業が少ない」とあり、グラフの内容に一致しています。選択肢の while maintaining their productivity は、音声のジョーの最初の発言 People in Denmark value private life over work. **How can they be so productive?** で述べられている「どうしたらそんなに生産的でいられるのか（=とても生産的だ）」という内容に一致します。つまり①が正解です。②は enjoy working more「より長い時間働くことを楽しんでいる」とありますが、グラフではデンマークの残業時間は短いので不正解です。③は OECD では残業が多く、グラフと一致しているが、生産的（productive）かどうかは言及されていないので不正解です。④は選択肢にアメリカが余暇の時間が最も長いとありますが、グラフを見るとデンマークのほうが長いので不正解です。

MEMO

第5問 （配点 15） 音声は1回流れます。

第5問は問27から問33の7問です。

最初に講義を聞き，問27から問31に答えなさい。次に問32と問33の音声を聞き，問いに答えなさい。状況，ワークシート，問い及び図表を読む時間が与えられた後，音声が流れます。

> 状況
> あなたはアメリカの大学で，スウェーデンの慣習についての講義を，ワークシートにメモを取りながら聞いています。

ワークシート

○ **Dostadning**
- Dostadning is a Swedish custom of getting rid of things you don't need.
- The idea is to reduce your possessions [27].

How?

○ **Some suggestions**

Actions	What	Where
Convert	[28]	[29]
Gift	[30]	[31]
Sell	devices	second-hand stores

問27 ワークシートの空欄 [27] に入れるのに最も適切なものを，四つの選択肢（①〜④）のうちから一つ選びなさい。

① at a turning point in life
② before you die
③ when you get sick
④ by buying less

問28〜31 ワークシートの空欄 [28] 〜 [31] に入れるのに最も適切なものを，六つの選択肢（①〜⑥）のうちから一つずつ選びなさい。選択肢は２回以上使ってもかまいません。

① charity　② the internet　③ their homes
④ photographs　⑤ recycling centers　⑥ valuables

問32 講義後に，あなたは要約を書くために，グループのメンバーA，Bと，講義内容を口頭で確認しています。それぞれの発言が講義の内容と一致するかどうかについて，最も適切なものを四つの選択肢（①〜④）のうちから一つ選びなさい。[32]

① Aの発言のみ一致する
② Bの発言のみ一致する
③ どちらの発言も一致する
④ どちらの発言も一致しない

第５問はさらに続きます。

問33 講義の後で，RobとAmy が下の図表を見ながらディスカッションをしています。ディスカッションの内容及び講義の内容からどのようなことが言えるか，最も適切なものを，四つの選択肢（①～④）のうちから一つ選びなさい。 33

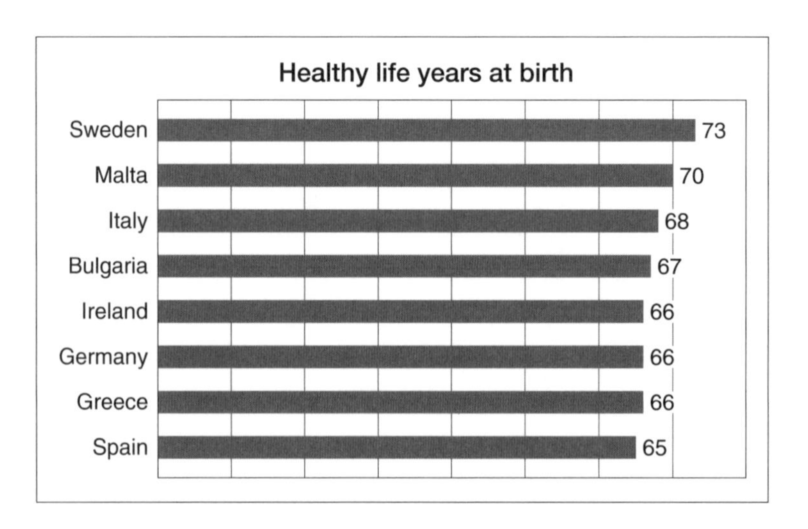

① People in the UK might find it easier if they start dostadning earlier than people in Italy.

② Dostadning is unpopular in the UK because people have more possessions and shorter lives.

③ People in Italy live longer because they follow the British tradition of dostadning.

④ Swedish people created the tradition of dostadning because they live longer than other Europeans.

これで第５問は終わりです。

音声スクリプト TRACK D21_08

Today, I want to talk about dostadning. It is a Swedish tradition in which people get rid of things they no longer need. A recent book by Margareta Magnusson called *The Gentle Art of Swedish Death Cleaning* explains that dostadning is about taking responsibility for our belongings and not leaving them as a burden for our family and friends when we are dead.

Margareta Magnusson suggests that the right time to start this process is around the age of 65, while ❶ we are still healthy and mobile ❷. Magnusson encourages keeping things with good memories but also emphasizes the need to avoid overwhelming our loved ones with stuff they don't need.

Now, let's talk about how a lot of Swedish people do dostadning. First, many people convert their physical photographs into digital images and store them online. This is a great way to preserve memories without taking up physical space. Next, valuable items. If you have things that [d] are meaningful or valuable, consider giving them to family members now. It's much more enjoyable to see them enjoy these items in their own homes.

Clothing is another area to address. If you have clothes ❸ that you don't wear regularly, it's time to let them go. This not only frees up space but also simplifies your life. And what about those extra devices and kitchen gadgets we have but rarely use? If you're not using them, it's time to sell them. Chances are, your family and friends already have what they need, and we can all use a little more money.

There are a couple of points you should keep in mind regarding dostadning. While the purpose of dostadning is to make it easy for your family to clean up after you die, it's a strong Swedish tradition to ask for their assistance in getting rid of your things. Also, it's not something you do once and move on from. It becomes part of your lifestyle, and it only ends when you die.

【訳】今日は、ドスタドニングについて話したいと思います。それは、人々が不要になった物を処分するという、スウェーデンの慣習です。*The Gentle Art of Swedish Death Cleaning*（邦題：『人生は手放した数だけ豊かになる』）という書名のマルガレータ・マグヌセンの近著では、ドスタドニングとは、自分の持ち物に責任を持ち、自分が死んだ時にその持ち物を家族や友人の重荷として残さないことだと説明しています。

マルガレータ・マグヌセンは、まだ健康で体が動くあいだの65歳頃が、このプロセスを始めるのにいい時期だと提案しています。マグヌセンは、いい思い出のある物は取っておくよう勧めていますが、また、不要な物で愛する人たちを困らせることは避ける必要があることも強調しています。

　さて、スウェーデン人の多くがどのようにドスタドニングをしているのかお話ししましょう。まず、多くの人が、物理的な写真をデジタル画像に変えてオンラインに保存しています。これは、物理的なスペースをとることなく思い出を保存するための、とてもいい方法です。次に、貴重品です。重要な物や貴重な物を持っているなら、今のうちに家族に譲ることを考えましょう。彼らがこうした物を自宅で楽しむのを見るほうが、ずっと喜ばしいことです。

衣類ももう一つの対処すべき分野です。定期的に着ない服があるなら、手放すべき時です。これによってスペースが空くだけでなく、生活がシンプルにもなります。それと、持っているけれどほとんど使わない、余分な道具や台所道具はどうでしょうか？　使っていないのなら、それらを売るべき時です。たぶん、あなたの家族や友人も必要な物は既に持っているでしょうし、誰だってお金が少し増えるのはうれしいものです。

ドスタドニングに関しては留意しておくべき点が２つあります。ドスタドニングの目的は、自分の死後に家族が片付けるのを楽にすることでありますが、持ち物の処分の手伝いを家族に頼むのがスウェーデンの強固な慣習になっています。また、一度やってしまえば区切りが付くというものでもありません。ドスタドニングは自分の生活スタイルの一部になるので、自分が亡くなるまで終了しないのです。

ワークシート

○ ドスタドニング

・ドスタドニングは、不要なものを処分するスウェーデンの慣習。

・その意図は、 27 所有物を減らすこと。

方法は？

○ いくつかの提案

行動	何を	どこへ
変える	28	29
贈る	30	31
売る	道具	中古品店

音声のポイント

❶ while は「ワイゥ」のように発音されるので注意する。

❷ mobile は「モウブｌ」[móubəl] のように発音されている。「モウバイル」[móubail] と発音されることもある。

❸ clothes は基本的に th を発音せず「クロウズ」[klóuz] と発音するので注意する。

語句

tradition	名 伝統、慣習	encourage (V)ing	熟 ～するよう勧める
take responsibility for ～	熟 ～に責任を持つ	emphasize ～	他 ～を強調する
belongings	名 (～sで) 所有物、持ち物	overwhelm ～	他 ～を (数量で) 圧倒する、困惑させる
burden	名 重荷、負担	stuff	名 物
mobile	形 動くことができる	convert (A) into (B)	熟 AをBへと変える
		physical	形 物理的な
		image	名 画像、映像

preserve ～	他 ～を保存する	Chances are ～.	熟 たぶん～だ。
take up ～	熟（場所など）を占める、とる	can use ～	熟 ～があってもいい、～が必要だ
valuable	形 貴重な	regarding ～	前 ～に関して
meaningful	形 重要な	move on	熟 次へと移る、きっぱり区切りを付ける
address ～	他 ～に対処する		
let ～ go	熟 ～を手放す	only ～ when ...	熟 …して初めて～する、…するまで～しない
free up ～	熟（場所など）を使えるようにする		
simplify ～	他 ～を簡単にする	〈ワークシート〉	
device	名 装置、道具	possessions	名（～sで）所有物
gadget	名 装置、道具	second-hand	形 中古の

問27 正解② **問題レベル【普通】 配点 3点**

選択肢

① at a turning point in life 「人生の転換期に」
② before you die 「死ぬ前に」
③ when you get sick 「病気になった時に」
④ by buying less 「買う物を減らすことで」

❶聴き取りの型→❷表読の型

❶テーマは「ドスタドニング」です。馴染みがない言葉だと思いますが、ワークシートの中でDostadning is a Swedish custom of getting rid of things you don't need.「ドスタドニングは、不要なものを処分するスウェーデンの慣習」と説明されています。27 はThe idea is to reduce your possessions 27 .「その意図は、27 所有物を減らすこと」となっていることを確認しておきましょう。❷ドスタドニングの意図に注意して聴きましょう。音声にはdostadning is about taking responsibility for our belongings and not leaving them as a burden for our family and friends **when we are dead**とあり、「自分が死んだ時に家族や友人に持ち物などの負担を残さないこと」と説明されています。よって言い換えとなる② **before you die**が正解です。

問28~31 正解28 ④ / 29 ② / 30 ⑥ / 31 ③ **問題レベル【普通】 配点 2点×2**
※問28と問29が2問とも正解の場合のみ2点。問30と問31が2問とも正解の場合のみ2点。

選択肢

① charity「慈善団体」
② the internet「インターネット」
③ their homes「自宅」
④ photographs「写真」
⑤ recycling centers「リサイクルセンター」
⑥ valuables「貴重品」

❶聴き取りの型→❷表読の型

❶ワークシートから、問28と29はConvert「変える」という行動の、What（対象）、Where（場所）が問われています。問30と31はGift「贈る」という行動の、What、Whereが問われています。選択肢にも目を通しておきましょう。❷問28と29は、Convertをキーワードにして聴いていきましょう。First, many people **convert** their physical **photographs** into digital images and store them **online**. とあり、「多くの人が、物理的な写真をデジタル画像に変えてオンラインに保存していること」が述べられています。よって 28 には④ **photographs** が入り、 29 にはonlineの**言い換え**となる② **the internet** が入ります。

問30と31は、Giftをキーワードに聴きましょう。Next, **valuable items**. If you have things that are meaningful or valuable, consider **giving** them to family members now. It's much more enjoyable to see them enjoy these items in **their own homes**. で、「貴重品を家族に譲り、彼らの自宅で楽しむこと」が述べられています。よって 30 には⑥ **valuables** が入り、 31 には③ **their homes** が入ります。

問32 設問　　音声スクリプト TRACK D21_10

Student A: Swedish people get rid of their things alone so that they do not cause trouble for their families.

Student B: Swedish people can enjoy their final years knowing that their dostadning is complete.

【訳】

学生A： スウェーデン人は、自分の家族に面倒をかけないように、一人で所有物を処分する。

学生B： スウェーデン人は、ドスタドニングが完了したとわかって、晩年を楽しむことができる。

語句 final years 名 最後の年月、晩年

問33 正解 ④ **問題レベル【やや難】 配点 4点**

選択肢
① Aの発言のみ一致する
② Bの発言のみ一致する
③ どちらの発言も一致する
④ どちらの発言も一致しない

❶聴き取りの型→❸言い換えの型

❶A、Bの発言と講義の内容が一致するかどうかを判断する問題のため、先読みは不要です。❸Aの発言では、「家族に面倒をかけないように、一人で所有物を処分すること」が述べられています。講義では、家族に面倒をかけないように所有物を処分することについては述べられていますが、「一人で」とは述べられておらず、むしろ it's a strong Swedish tradition to **ask for their assistance** in getting rid of your things で、「家族に手伝いを頼むことが強い慣習となっている」と説明されています。よってAは一致しません。Bの発言では、「ドスタドニングが終われば晩年を楽しめる」と述べられています。しかし講義の最後で **it only ends when you die**「それは死ぬ時まで終わらない」と述べられているため、Bも一致しません。よって④が正解です。

問33　設問　　音声スクリプト TRACK D21_12

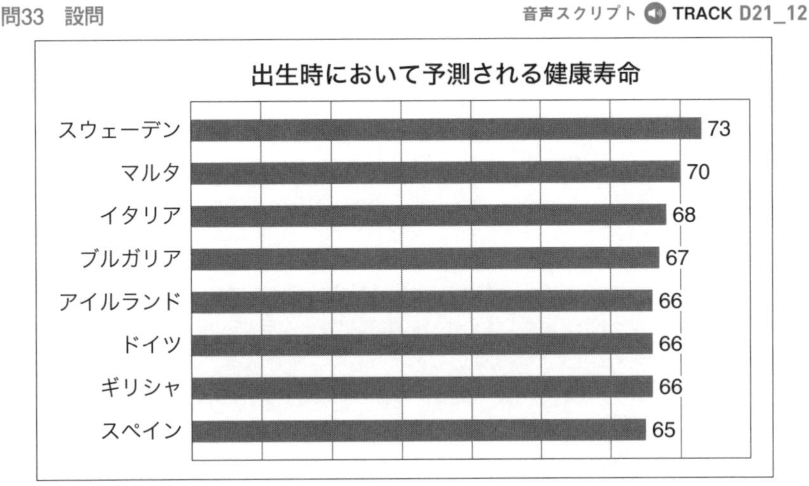

Rob①: Look at this graph. It shows that people in Italy live without disabilities until the age of 68 on average.

Amy①: Wow. I heard that on average, people here in the UK only live to about 63 without disabilities.

Rob②: I guess they should consider that when they plan for dostadning.

【訳】

ロブ①　：このグラフを見てよ。イタリアの人たちは平均して68歳まで体に不自由なく生活していることがわかるよ。

エイミー①：わあ。私の聞いたところでは、ここイギリスで体に不自由なく生活できるのは、平均して63歳ぐらいまででしかないそうよ。

ロブ①　：彼らがドスタドニングを計画する時は、そのことを考慮に入れたほうがよさそうだね。

語句　disability 名 障害、身体が不自由であること

問33　正解①　**問題レベル【やや難】　配点 4点**

選択肢

① People in the UK might find it easier if they start dostadning earlier than people in Italy.
「イギリスの人々はイタリアの人々よりも早くドスタドニングを始めたほうが楽だと思うかもしれない」

② Dostadning is unpopular in the UK because people have more possessions and shorter lives.
「人々の所有物が多くて寿命が短いので、イギリスではドスタドニングは人気がない」

③ People in Italy live longer because they follow the British tradition of dostadning.
「ドスタドニングというイギリスの慣習を守っているので、イタリアの人々は長生きしている」

④ Swedish people created the tradition of dostadning because they live longer than other Europeans.
「スウェーデンの人々は他のヨーロッパの人々よりも長生きするので、ドスタドニングの慣習を作り上げた」

❶聴き取りの型→❹照合の型

❶問33の先読みは問32までを解き終えてからにしましょう。グラフのタイトルや項目がどのようなものになっているか確認しましょう。❹選択肢とグラフ・音声を照合していきます。①は、「イギリス人はイタリア人よりも早くドスタドニングを始めたほうが楽だと思うかもしれない」という内容ですが、ディスカッションの音声では、イタリア人の平均健康寿命は68歳、イギリス人は63歳と述べられており、最後のI guess they should consider that when they plan for dostadning. から、「ドスタドニングを計画する際には健康寿命を考慮したほうがよい」と考えていることがわかります。イギリス人のほうが健康寿命が短いことから、ドスタドニングは早く始めたほうがいいと考えられるので、①の内容と一致します。②の内容は、ディスカッションやグラフからは判断できません。③は、ドスタドニングはスウェーデンの慣習であるため一致しません。④は、健康寿命の長さがグラフには一致すると考えられますが、長生きであることとドスタドニングの慣習が作られたことの因果関係については説明されていません。

共通テスト
英語リスニング
実戦模擬試験

正解と解説

この模擬試験は、2025年実施予定の大学入学共通テストを予想した出題項目と、やや難しめの難易度で作成されています。
各問題の解説は、必要な型を再確認できるよう、問題に応じた型の流れに沿って説明しています。
正解した問題も解説を読んで思考の流れを整理しましょう。

第1問A［解説］

問 1　正解④　**問題レベル【易】　配点 4点**　　音声スクリプト TRACK M03

M: Helen, don't leave the window open. The heater is on, and electricity is expensive.

【訳】「ヘレン、窓を開けっぱなしにしないでくれよ。暖房がついているし、電気代は高いんだよ」

選択肢

① The speaker is asking Helen **to turn on the heater.**
「話者はヘレンに暖房をつけるように頼んでいる」

② The speaker is telling Helen **to leave the room.**
「話者はヘレンに部屋を出ていくように言っている」

③ The speaker is asking Helen **to help with an electricity bill.**
「話者はヘレンに電気代の支払いを手助けするように頼んでいる」

④ The speaker is telling Helen **to close the window.**
「話者はヘレンに窓を閉めるように言っている」

語句　electricity 名 電気　　bill 名 請求書、請求金額

ここで使うのは、【短い発話：内容一致問題】を攻略する「精読（文法）の型」と「言い換えの型」（Day 04）

❶先読みで選択肢の相違点を確認する→❷音声で使われている文法を考える→❸言い換えを探す

❶各選択肢の前半はほぼ同じなので後半の to 以下に注意しましょう。話者がヘレンに「何をしてほしいか」を聴き取ります。❷ **don't leave the window open**「窓を開けっぱなしにしないでくれ」では第5文型（SVOC）が使われています。❸選択肢の中から言い換えを探すと、**close the window** が見つかり、④が正解だとわかります。①は、The heater is on「暖房がついている」と言っているので不正解です。②は、そういった発言はないため不正解です。leave という同じ単語が使われていますが、選択肢のように**< leave ＋場所>**という形で使うと「**(場所) を離れる**」という意味になります。同じ単語が使われていても不正解になることはよくあるので注意しておきましょう。③は、electricity is expensive「電気代が高い」と言ってはいますが、「支払いを助けてほしい」とは言っていないので不正解です。

問 2 正解④ 問題レベル【普通】 配点 4点 音声スクリプト TRACK M04

M: I've been to the airport, but I didn't take a flight.

【訳】「空港に行ってきたけれど、飛行機には乗らなかった」

音声のポイント

❶ been to は短く「ビントゥ」のように発音されている。

選択肢

① The speaker is at the airport. 「話者は空港にいる」
② The speaker flew in a plane. 「話者は飛行機で移動した」
③ The speaker is waiting for his flight. 「話者は自分のフライトを待っている」
④ The speaker visited the airport. 「話者は空港を訪れた」

❶選択肢から、「空港」や「飛行機」に関する表現に注意して聴きましょう。❷ I've been to the airport「私は空港に行ってきた」では、現在完了形の have been to ～「～に行ってきた」という表現が使われています。この表現は「その場所に行ってから、もといた場所に帰ってきた」ことを表します。❸選択肢から言い換えを探すと、visited the airport「空港を訪れた」が見つかります。visited という過去形で表現されていることから、「空港に行ったが、今は空港にはいない」と判断でき、④が正解だとわかります。①は、have been to the airport から「今は空港にはいない」ことがわかるため不正解です。②は、I didn't take a flight「飛行機に乗らなかった」と言っているため不正解です。③は、「今は空港にいない」ことや、「フライトを待っている」といった発言はないので不正解です。

問 3 正解① 問題レベル【普通】 配点 4点 音声スクリプト TRACK M05

M: Have you seen the pictures I took when I was in New Zealand?

【訳】「あなたは、私がニュージーランドにいた時に撮った写真を見たことがありますか」

選択肢

① The speaker took some photographs in New Zealand. 「話者はニュージーランドで写真を撮った」
② The speaker would like to see some photographs of New Zealand. 「話者はニュージーランドの写真を見たいと思っている」
③ The speaker plans to take some photographs of New Zealand. 「話者はニュージーランドの写真を撮る予定だ」
④ The speaker is admiring some photographs of New Zealand. 「話者はニュージーランドの写真を鑑賞している」

語句 admire ～ 他 ～を鑑賞する、～に見とれる

❶選択肢では、「ニュージーランド」と「写真」は全ての選択肢で共通しています。相違点である、took「撮った」、would like to see「見たい」、plans to take「撮る予定だ」、is admiring「鑑賞している」の部分を確認し、言い換えに注意して聴きましょう。❷ the pictures I took when I was in New Zealand「私がニュージーランドにいた時に撮った写真」では、I took ～の前の関係代名詞の which[that] が省略されています。❸選択肢から言い換

えを探すと、took some photographs in New Zealand「ニュージーランドで写真を撮った」が見つかり、①が正解だとわかります。②は、音声と同じseeという動詞が使われていますが、音声ではHave you seen the pictures「写真を見たことがあるか」を問い、選択肢のwould like to see some photographs「写真を見たい」と内容が一致しないため不正解です。③は、plans to take「撮る予定だ」という点が一致しないため、不正解です。④は、admireがやや難しい単語ですが、is admiringで現在進行形が使われており、音声では「今何かをしている」という表現はないため、不正解だとわかります。

問4 正解① **問題レベル【普通】 配点 4点** 音声スクリプト TRACK M06

M: I made 24 cookies for my classmates, but two people didn't come to school.

【訳】「クラスメートのためにクッキーを24個作ったけど、２人が学校に来なかった」

選択肢

① There are **more than enough cookies** for the class.	「クラスの生徒たちに**十分な数以上のクッキーがある**」
② There are **not enough cookies** for the class.	「クラスの生徒たちに**十分なクッキーがない**」
③ There are **more than 24 students** in the class.	「クラスには**24人よりも多くの生徒がいる**」
④ There are **too many students** in the class.	「クラスの**生徒数が多過ぎる**」

❶選択肢から、「クッキーが十分にあるのか」、「生徒がどのくらいいるのか」に注意して聴きましょう。❷文法的に難しい箇所はありません。「24個クッキーを作り、２人が来なかった」という内容を聴き取りましょう。❸選択肢から言い換えを探すと、①は、「十分クッキーがある」という内容で、音声も「２人が来なかった」ことから「クッキーが余る」と考えられるため、正解だと判断できます。②は、「クッキーが十分にない」という点が音声と一致しないため不正解です。③は、24個クッキーを作ったという点から、最大24人来る予定だったとわかり、そこから２人来なかったため、実際に来た人数は22人以下と判断できます。よって、不正解です。④は、「生徒が多過ぎる」という点が音声と一致しないため不正解です。

第1問B［解説］

問5　正解①　問題レベル【難】　配点 3点　音声スクリプト TRACK M09

W: Almost half of the students are wearing glasses.

【訳】「もう少しで半分の生徒がメガネをかけている」

選択肢

①

②

③

④

ここで使うのは、【短い発話：イラスト選択問題】を攻略する「精読（文法）の型」（Day 06）

❶イラストを先読み→❷数量、色、形、位置関係の表現に注意→❸条件を満たす選択肢を選ぶ

❶選択肢のイラストから、「メガネをかけている人の人数」が問われることを予測しましょう。こういった問題では、数字は直接述べられず、most、half、almost といった表現が使われることが多いことを覚えておきましょう。❷ almost half と述べられていますが、今回の問題ではalmostを「ほぼ」と覚えていると、3人か5人か区別できなくなります。almostは「もう少しで、ほとんど」という意味で覚えましょう。❸「もう少しで半分」となるため、メガネをかけているのが3人である①が正解となります。

問6　正解④　問題レベル【難】　配点 3点　音声スクリプト TRACK M10

W: I'm looking for my umbrella. Oh, it is hanging by the door.

【訳】「私の傘を探しているのです。ああ、ドアのそばに掛かっています」

選択肢

❶選択肢のイラストから、「傘とドアの位置関係」に注意して聴きましょう。❷ hanging「掛かっている、ぶら下がっている」と by the door「ドアのそばに」が流れます。by はあくまで「そばに」という意味で、ドアに直接掛かっている場合はonで表現されるので注意しましょう。❸「ドアのそばに掛かっている」④が正解です。①のようにドアの取っ手に掛かっている場合はhanging on the door handleとなります。②のように傘立てに立ててある場合はstanding in the umbrella standとなります。③のように壁に立てかけてある場合は、leaning against the wallや、standing near the doorのように表現します。

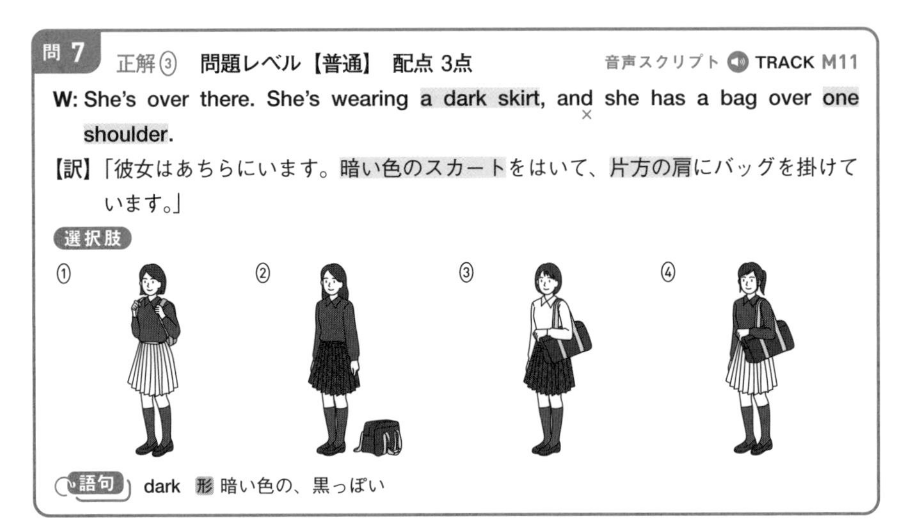

問 7　正解③　**問題レベル【普通】　配点 3点**　　音声スクリプト TRACK M11

W: She's over there. She's wearing a dark skirt, and she has a bag over one shoulder.

【訳】「彼女はあちらにいます。暗い色のスカートをはいて、片方の肩にバッグを掛けています。」

選択肢

① ② ③ ④

語句　dark 形 暗い色の、黒っぽい

❶イラストの先読みでは、「スカートの色」と「カバンの持ち方」に違いがあることを確認しておきましょう。❷ a dark skirt「暗い色のスカート」と has a bag over one shoulder「片方の肩にバッグを掛けている」が流れます。❸「暗い色のスカート」から②と③に絞り、「片方の肩に掛けている」から③が正解だとわかります。

問 8　正解③　**問題レベル【普通】　配点 4点**　音声スクリプト TRACK M14

M①: You need to set the oven temperature before you start making the cookies.
W①: I've done that. See?
M②: Well done.
W②: Those ingredients look well-mixed. Shall I get a tray for you to put them on?
M③: Thanks. I'll need a big one.
W③: Here you are. This one should be large enough.
Question: What is the next stage in the process?

【訳】男性①：クッキーを作り始める前に、オーブンの温度を設定しないといけないよ。
女性①：それは済ませたわ。ほらね？
男性②：ちゃんとできてるね。
女性②：材料はよく混ざっているようね。あなたが材料を乗せるトレーを持って来ましょうか？
男性③：ありがとう。大きいのが必要だな。
女性③：はい、どうぞ。これなら十分に大きいはずだわ。
質問：調理過程の次の段階はどれか。

音声のポイント

❶ oven は「オーブン」ではなく「アｖン」[ʌ́vn] のような発音なので注意しておく。

選択肢

①

②
③
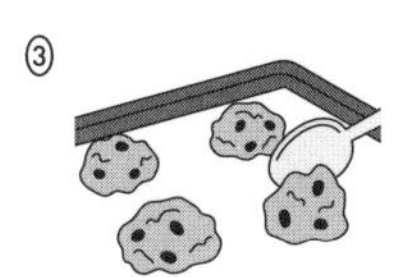
④

語句
temperature 名 温度　process 名 過程、手順
ingredient 名 材料

ここで使うのは、【短い対話：イラスト選択問題】を攻略する「識別の型」（Day 08）
❶イラストを先読みし音声の内容を予想する→❷音声の情報から選択肢を識別する

❶イラストから、クッキーを焼く手順のいずれかが問われることがわかります。oven「オーブン」（発音は「アヴン」に近い音）などを予測しておきましょう。❷ 1回目の聴き取りでは、問われる質問がわからないため、ある程度内容が把握できたらOKです。質問は What is the next stage in the process?「調理過程の次の段階はどれか」なので、会話の最後がどの段階になっているかに注意して2回目を聴きましょう。会話の後半で女性が Shall I **get a tray for you** to put them on?「あなたが材料を乗せるトレーを持って来ましょうか？」と言い、男性は I'll **need a big one.**「大きいのが必要だな」と答え、最後に女性が **Here you are.**「はい、どうぞ」と言ってトレーを渡していることがわかります。よって次の段階となるのはクッキーの生地をトレーに乗せている③となります。

問 9　正解③　**問題レベル【やや難】　配点 4点**　　音声スクリプト TRACK M15

W[①]: You'll need a warm jacket and boots.

M[①]: All right. **Should I wear these too?**

W[②]: Oh, yes. **You'd better keep your hands warm.**

M[②]: OK.

Question: What item is the boy holding?

【訳】女性[①]：あなたは暖かい上着とブーツが必要ね。

男性[①]：わかった。**これも身に着けたほうがいいかな？**

女性[②]：ああ、そうね。**手は温かくしておいたほうがいいから。**

男性[②]：オーケー。

質問：少年が持っている物は何か。

選択肢

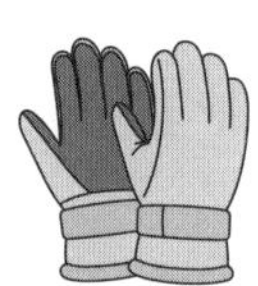

❶イラストから、jacket、boots、gloves（発音は「グラヴz」に近い音）、hat もしくは cap を予測しておきましょう。❷最初の発言で jacket と boots が言及されています。次に Should I wear **these** too?「これも身に着けたほうがいいかな？」と聞こえたら、these が表しているものに注意しておきましょう。共通テストの第2問では that、these、those など代名詞の内容を予測させる問題が出題されています。次の発言で女性が You'd better keep **your hands** warm.「手は温かくしておいたほうがいい」と言っています。質問は What item is the boy holding?「少年が持っている物は何か」なので、手袋の③が正解となります。今回は出てきませんでしたが、gloves「手袋」は正しい発音で覚えておきましょう。

問10　正解④　**問題レベル【難】　配点 4点**　　音声スクリプト TRACK M16

M①: That one won't fit in our living room.

W①: How about this one, then? It comes with something to rest your feet on.

M②: I like it, but I prefer the modern-looking one.

W②: Me, too.

Question: Which sofa does the man like?

【訳】男性①：あれはうちのリビングには入らないな。

女性①：それじゃあ、これは？　何か足を乗せる物が付いてくるわ。

男性②：いいけど、ぼくは現代的な見た目のソファのほうが好きだな。

女性②：私も。

質問：男性はどのソファを気に入っているか。

音声のポイント

❶ with は弱形で弱く短く発音されている。

選択肢

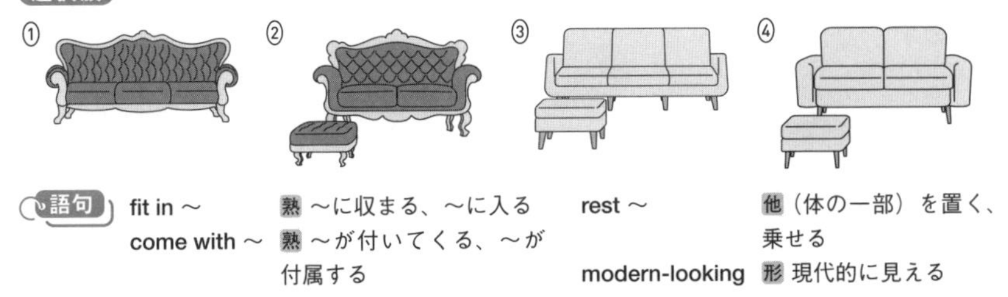

語句

fit in ～　熟 ～に収まる、～に入る

come with ～　熟 ～が付いてくる、～が付属する

rest ～　他（体の一部）を置く、乗せる

modern-looking　形 現代的に見える

❶イラストから、「どのソファを選ぶのか」が問われると予測しましょう。大きさや、アンティーク調かどうか、オットマン（足を乗せる物）が付いているかどうかなどの違いがあります。❷この問題は1回目の聴き取りで解くのは難しいので、質問を確認した2回目で正解を選べるようにしましょう。質問は Which sofa does the man like?「男性はどのソファを気に入っているか」です。男性は初めに That one **won't fit in our living room**.「あれはうちのリビングには入らないな」と言い、あるソファが大きくて入らないことを伝えています。このことから小さいものである②と④に絞れます。次に女性が How about this one, then? It comes with **something to rest your feet on**.「それじゃあ、これは？　何か足を乗せる物が付いてくるわ」と言ったのに対し、男性が I like it と答えていることから、足を乗せるオットマンが付いている物を選ぶことがわかるため、この情報からも②と④に絞ることができます。ここで使われている come with ～「～が付いてくる」は、食事のセットなどにデザートが付いてくるといった表現にも使われるので覚えておきましょう。最後に I prefer the **modern-looking** one「ぼくは現代的な見た目のソファのほうが好きだな」と言っているため、アンティーク調ではなく、現代的な見た目の④が正解と判断できます。

問11 正解③ 問題レベル【やや難】 配点 4点 音声スクリプト TRACK M17

W①: What do you want to eat?

M①: I don't care. As long as it tastes good.

W②: I don't want to spend a lot of money.

M②: This place looks perfect, but it mightn't be very clean.

Question: Where will the speakers probably have lunch?

【訳】女性①：何が食べたい？

男性①：何でもいいよ。おいしければね。

女性②：私はあまりお金をかけたくないな。

男性②：ここだとぴったりみたいだけど、あまり清潔ではないかもしれない。

質問：彼らはどこで昼食を食べることになりそうか。

音声のポイント

❶ mightn't の１つ目の [t] はつまったような音に変化している。最後の [t] は脱落している。

選択肢

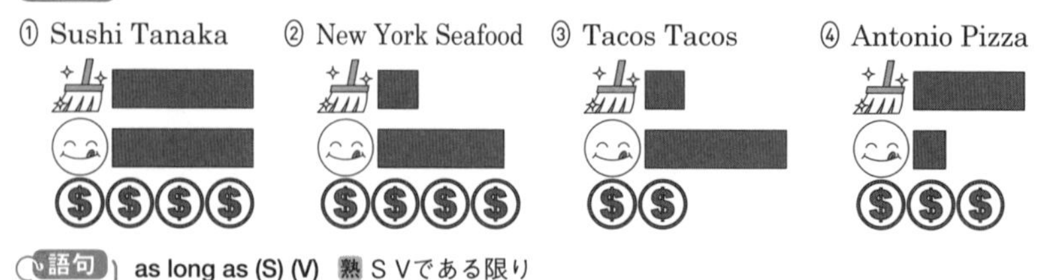

語句 as long as (S) (V) 熟 S V である限り

❶イラストから「レストランのレビュー」であることを予測しましょう。❷２回目の聴き取りで正解を選べば OK なので、質問を確認しましょう。質問は Where will the speakers probably have lunch?「彼らはどこで昼食を食べることになりそうか」です。アイコンが示す内容に注意して聴くと、I don't care. As long as it tastes good.「何でもいいよ。おいしければね」という、味について言及している発言があります。真ん中のアイコンが味を示すと考えられるため、評価が低い④は不正解だと考えられます。次に I don't want to spend a lot of money.「私はあまりお金をかけたくないな」とあり、金額は高くない所を選ぶはずなので、①と②を選ぶ可能性は低いです。ここまでの情報で残りは③のみになります。最後の発言に it mightn't be very clean「あまり清潔ではないかもしれない」という清潔さに言及した発言があります。③のホウキのアイコンは評価が低くなっているため、③が正解となることが確定します。

第3問［解説］

問12　正解③　**問題レベル【普通】　配点 3点**　　音声スクリプト　TRACK M20

W①: I'm making an apple pie. How many apples should I buy?

M①: Generally, you need about five or six. It'll be cheaper to buy a bag of apples, though. How about this one? There are 10 green apples in it.

W②: These bags have 12 apples for the same cost.

M②: Those are smaller apples, and they're red. Green apples are the best for a pie.

W③: OK, if you say so.

【訳】女性①：アップルパイを作るのですが。リンゴは何個買えばいいでしょうか？

男性①：一般的には、5、6個くらいは必要です。でも、リンゴを一袋買ったほうが安くなりますよ。こちらはどうですか？　青リンゴが10個入っています。

女性②：こっちの袋は同じ値段で12個入っていますけど。

男性②：そちらは小さめで、赤リンゴです。パイには青リンゴが一番合いますよ。

女性③：わかりました、そういうことなら。

音声のポイント

❶ bag of は連結して、「バッゴ v」のように発音されている。

❷ in it は連結して、「イニッ t」のように発音されている。

問いと選択肢

How many apples will the woman probably buy?

「女性はリンゴをおそらく何個買うか」

① Two apples 「リンゴ2個」

② Six apples 「リンゴ6個」

③ 10 apples 「リンゴ10個」

④ 12 apples 「リンゴ12個」

語句　generally 副 一般的に言って　　cost 名 値段、費用

ここで使うのは、【短い対話：応答問題】を攻略する【言い換えの型】(Day 10)

❶場面と問いを先読み→❷音声の情報から言い換えを探す

❶問いは、「女性が買うであろうリンゴの数」で、選択肢は全てリンゴの数になっていることを確認しておきましょう。❷個数に注意して聴くと、男性の How about this one? There are **10 green apples** in it.「こちらはどうですか？　青リンゴが10個入っています」という発言に対し、女性は These bags have **12 apples** for the same cost.「こっちの袋は同じ値段で12個入っています」と言っています。この段階で男性は10個、女性は12個を提案していますが、男性はその後 Those are smaller apples, and they're red. Green apples are the best for a pie.「そちらは小さめで、赤リンゴです。パイには青リンゴが一番合います」と言い、それに対して女性は OK と言っているので、男性の提案である10個のほうを買うと判断できます。よって③が正解です。

問13 正解④ **問題レベル【易】 配点 3点** 音声スクリプト TRACK M21

W①: I want to visit the art gallery to see the latest exhibition.

M①: I'm going with my class next week. How about seeing a movie instead?

W②: I'm seeing a movie with your father on Saturday night.

M②: I see. Well, I heard about a new hamburger restaurant.

W③: That sounds good. I'd rather not make lunch on the weekend.

M③: Great.

【訳】女性①：私は最新の展覧会を見に美術館に行きたいわ。
男性①：来週、クラスのみんなと行くんだ。代わりに映画を見るのはどう？
女性②：土曜の夜にお父さんと映画を見るのよ。
男性②：そうか。ねえ、新しいハンバーガー・レストランのことを耳にしたんだけど。
女性③：よさそうね。週末はお昼ご飯を作りたくないから。
男性③：よかった。

問いと選択肢

What will they do together on the weekend? 「彼らは週末に、一緒に何をするか」

① They will make lunch at home. 「家で昼食を作る」
② They will watch a movie. 「映画を見る」
③ They will go to an art gallery. 「美術館に行く」
④ They will eat at a restaurant. 「レストランで食事をする」

語句 art gallery 名 美術館、アートギャラリー exhibition 名 展覧会

❶問いは、「２人が週末に何をするか」です。選択肢は短いのでそれぞれの内容を確認しておきましょう。❷２人の意見が一致している表現に注意して聴くと、男性の I heard about a new hamburger restaurant.「新しいハンバーガー・レストランのことを耳にした」という発言に対し、女性は That sounds good. と答えています。よって２人はレストランで食べることがわかります。選択肢から言い換えを探すと、eat at a restaurant が見つかり、④が正解だとわかります。

問14 正解② 問題レベル【易】 配点 3点 音声スクリプト TRACK M22

W[1]: Can you give me your phone number? I want to call you about our homework project tonight.

M[1]: Sure, lend me your phone. I'll put it in.

W[2]: Here you are. You know, it might be better if we meet up at the library to discuss the project in person.

M[2]: I don't feel like going to the library at night. I have basketball practice tonight, anyway.

W[3]: OK. We'll have to do it tomorrow night, then. Let's talk about our plans tomorrow.

【訳】女性[1]：あなたの電話番号を教えてくれる？　今夜、宿題のプロジェクトのことで電話をかけたいの。

男性[1]：いいよ、電話を貸して。番号を入れるから。

女性[2]：はい、どうぞ。ねえ、図書館で会って直接プロジェクトについて話し合ったほうがいいかもしれないわ。

男性[2]：夜に図書館に行く気にはならないな。どっちみち、今夜はバスケットボールの練習があるし。

女性[3]：わかった。じゃあ、明日の夜にしなくちゃいけないわね。明日、予定の相談をしましょう。

問いと選択肢

What will the boy do tonight? 「男の子は今夜、何をするか」

① He will go to the library. 「図書館に行く」

② He will play a sport. 「スポーツをする」

③ He will discuss a homework project. 「宿題のプロジェクトについて話し合う」

④ He will borrow the girl's phone. 「女の子の電話を借りる」

語句 meet up 熟（待ち合わせて）会う　in person 熟 直接、じかに

❶問いは、「男の子の今夜の予定」です。選択肢は短いのでそれぞれの内容を確認しておきましょう。❷男の子の今夜の予定に注意して聴くと、I have basketball practice tonight「今夜はバスケットボールの練習がある」という発言があります。選択肢から言い換えを探すと、play a sport という表現が見つかり、②が正解だとわかります。

問15 正解② 問題レベル【やや難】 配点 3点 音声スクリプト TRACK M23

M①: Who are all these people in the photo with you?
W①: The three on my left are my siblings, and the two on my right are my cousins.
M②: Where are your parents?
W②: My mother was with us, but she was the one taking the photo.
M③: I wish I could have gone to the amusement park, too.

【訳】男性①：君と一緒に写真に写っているこの人たちはみんな誰なの？
女性①：私の左側の３人は私のきょうだいで、右側の２人はいとこよ。
男性②：ご両親はどこ？
女性②：母が一緒だったんだけど、この写真を撮ってくれてる人がそうなのよ。
男性③：僕も遊園地に行けたらよかったんだけど。

問いと選択肢

Who is the girl with in the photograph? 「女の子は誰と一緒に写真に写っているか」

① One of her parents 「両親のうちの１人」
② Her relatives 「親族たち」
③ Her friends and family 「友人と家族」
④ Her mother's sister 「母親の姉［妹］」

語句 sibling 名（男女問わず）きょうだい relative 名 親族

❶問いは、「女の子が誰と写真に写っているか」です。選択肢は短いのでそれぞれの内容を確認しておきましょう。❷男性に誰と写っているか尋ねられ、The three on my left are **my siblings**, and the two on my right are **my cousins**.「私の左側の３人は私のきょうだいで、右側の２人はいとこです」と答えています。選択肢から言い換えを探すと、**siblings や cousins の言い換えとなる relatives** が見つかり、②が正解だとわかります。siblings や cousins などの血縁のある人たちをまとめて relatives と呼びます。

問16 正解④ 問題レベル【やや難】 配点 3点 音声スクリプト TRACK M24

W①: Hi, Jim. I'm sorry I'm late.

M①: What happened? Did you forget that you had an appointment?

W②: It wasn't that. I came to work on the bus this morning.

M②: The buses are often late here.

W③: Yes, but I misread the schedule. I accidentally took the one to Milton.

M③: I see. Is your car getting repaired or something?

W④: No. It's just cheaper to take the bus.

【訳】女性①：こんにちは、ジム。遅れてごめんなさい。

男性①：どうしたんだい？ 約束があることを忘れてたの？

女性②：そういうわけではないの。今朝はバスで職場に来たのよ。

男性②：このあたりではバスはよく遅れるよね。

女性③：ええ、でも私が時刻表を読み間違えてしまって。うっかりミルトン行きのバスに乗ってしまったの。

男性③：なるほど。自分の車は修理中か何かなの？

女性④：いいえ。バスに乗るほうが安上がりというだけよ。

音声のポイント

1 schedule は「スケジュール」ではなく、今回のように「シェジュール」と発音されることもあるので注意。

2 getting は [t] の音が [d] に変化し「ゲディン」のように発音されている。

問いと選択肢

Why was the woman late for the appointment? 「女性はなぜ約束に遅れたのか」

① Her bus was delayed. 「彼女のバスが遅れた」

② Her car was not running. 「彼女の車が故障していた」

③ She forgot the start time. 「開始時間を忘れていた」

④ She took the wrong bus. 「バスに乗り間違えた」

語句 misread ～ 他 ～を読み間違える accidentally 副 誤って、うっかり
schedule 名 時刻表

❶問いは、「女性が約束に遅れた理由」です。選択肢は短いのでそれぞれの内容を確認しておきましょう。❷女性が約束に遅れた理由に注意して聴きます。まず I came to work **on the bus** this morning.「今朝はバスで職場に来た」から、女性はバスで来たことがわかります。男性は The buses are often late here.「このあたりではバスはよく遅れる」と言っていますが、女性は Yes, but **I misread the schedule**. I accidentally **took the one to Milton**.「ええ、でも私が時刻表を読み間違えてしまって。うっかりミルトン行きのバスに乗ってしまったの」と答えているので、女性が遅れたのはバスが遅れたからではなく、バスを間違えたからだとわかります。選択肢から言い換えを探すと、**took the wrong bus** が見つかり、④が正解だとわかります。①は、男性が The buses are often late here. と言ってはいますが、女性の返答から「時刻表を読み間違えたこと」が原因とわかるため不正解です。②は、Is your car getting repaired or something? に対し No. と答えており、車は故障中ではないため不正解です。③は、

misread the schedule という発言があるため紛らわしいですが、女性は「バスの時刻表を読み間違えた」という意味で言っているので一致せず、不正解です。

問17 正解② 問題レベル【普通】 配点 3点 音声スクリプト TRACK M25

M①: I heard that we are going to have a practice evacuation after lunch today.
W①: What does evacuation mean?
M②: It means that everyone has to leave the building. We're practicing in case there is a fire or something in the future.
W②: I see. I don't know where to go. Do you mind if I follow you?
M③: Of course not. We all meet outside on the grass.

【訳】男性①：今日の昼食後に避難訓練をするって聞いたんだけど。
女性①：避難ってどういう意味？
男性②：全員が建物を出なくてはいけないっていう意味さ。この先、火事か何かがあった場合に備えて、訓練するんだ。
女性②：なるほど。どこへ行けばいいのかわからないわ。あなたについて行ってもいい？
男性③：もちろんいいよ。全員、外の芝生に集まるんだよ。

問いと選択肢

What are the speakers going to do? 「話者たちはどうするか」

① Have lunch on the grass 「芝生の上で昼食を食べる」
② Exit the building 「建物を退去する」
③ Learn to put out a fire 「火の消し方を習う」
④ Meet with a manager 「部長と会う」

語句

evacuation	名 避難	exit ～	他 ～を退去する
in case (S) (V)	熟 S Vの場合に備えて	put out ～	熟（火など）を消す
the grass	名 芝生		

❶問いは、「話者たちのこれからの行動」です。選択肢は短いのでそれぞれの内容を確認しておきましょう。❷男性の I heard that we are going to have a practice evacuation after lunch today.「今日の昼食後に避難訓練をするって聞いた」から、女性も含めて避難訓練をすることがわかります。具体的には It means that everyone **has to leave the building.**「全員が建物を出なくてはいけないという意味だ」から、建物から出る訓練だということがわかります。選択肢から言い換えを探すと、**Exit the building** が見つかり、②が正解だとわかります。

問 18-21 正解18 ① / 19 ③ / 20 ④ / 21 ②　音声スクリプト TRACK M28

問題レベル【普通】 配点 4点 ※問18-21全部正解の場合のみ4点。

Every year since 2012, we've taken a survey of our second-year dormitory students to learn how they spend their evenings. Now that 10 years have❶ passed, we can see how they've changed. We've learned that fewer and fewer people have been❷ working in the evenings. They haven't been using their extra time to read books. That number has stayed roughly the same for the whole 10 years. In the last four years, the number of people playing video games has grown dramatically. While❸ there have been ups and downs, chatting❹ with friends has remained the most popular pastime over the whole 10 years.

【訳】

私たちは2012年から毎年、２年生の寮生に、夜をどう過ごしているかを知るための調査を行ってきました。10年たった今、彼らがいかに変化してきたかを見ることができます。夜に働いている人はますます減っていることがわかりました。彼らは余った時間を読書に使っているわけではありません。その人数は10年間ずっと、だいたい同じままです。この４年間で、テレビゲームをしている人数が劇的に増えています。増減はあるものの、友人とのおしゃべりは、10年間全体にわたり最も人気のある気晴らしであり続けています。

音声のポイント

❶ have は弱形で弱く短く発音されている。

❷ been は弱形で短く「ビン」のように発音されている。

❸ While は「ホワイル」ではなく「ワイゥ」のように発音されるので注意。

❹ chatting の [t] は [d] に変化し、「チャディン」のように発音されている。

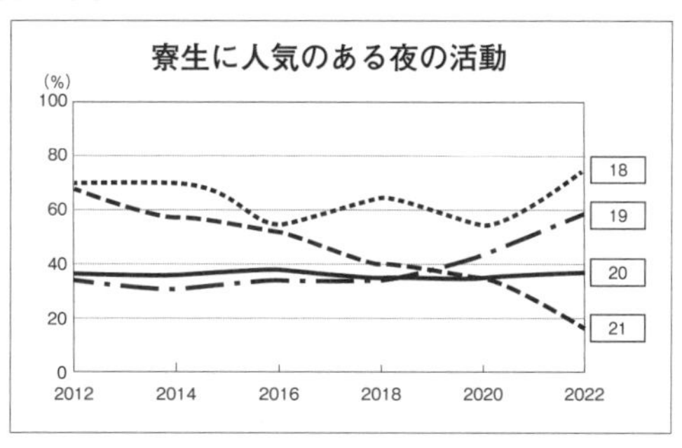

選択肢 ① Chatting with friends 「友人とおしゃべりする」

② Doing part-time jobs 「アルバイトをする」

③ Playing video games 「テレビゲームをする」

④ Reading books 「本を読む」

語句

survey 名 調査　now that (S) (V) 熟 （今や）ＳＶなので、ＳＶした今

dormitory 名 寮　extra 形 余分な、余った

roughly	副 おおよそ、だいたい	chat	自 おしゃべりする
dramatically	副 劇的に、著しく	pastime	名 娯楽、気晴らし
ups and downs	熟 浮き沈み、増減		

ここで使うのは【モノローグ：表読み取り問題】を攻略する「表読・分類の型」(Day 12)
❶問題文、図表、選択肢を先読み→❷グラフ問題（問18～21）：数値表現に注意して解く→❷表問題（問22～25）：条件を聴いて分類する

❶グラフのタイトルは「寮生に人気のある夜の活動」です。選択肢を見て、どういった活動があるのか確認しておきましょう。❷各項目の移り変わりを表す表現に注意して聴くと、We've learned that **fewer and fewer** people have been **working in the evenings.**「夜に働いている人はますます減っていることがわかった」とあります。**working** は選択肢②の **Doing part-time jobs に言い換え**られていると考えましょう。**fewer and fewer** から、グラフの中で「減少し続けているもの」を探すと、21 が該当します。よって 21 には②が入ります。

次に、They haven't been using their extra time to **read books.** That number has **stayed roughly the same** for the whole 10 years.「彼らは余った時間を読書に使っているわけではない。その人数は10年間ずっと、だいたい同じままだ」から、「本を読む人の数」が「変わっていない」ことがわかります。よってグラフの中でもっとも安定している 20 に④が入るとわかります。

続いて、**In the last four years,** the number of people **playing video games has grown dramatically.**「この4年間で、テレビゲームをしている人数が劇的に増えている」とあり、「この4年間」で「ゲームをする人が増えた」ことがわかります。グラフを見ると、19 が2018年から2022年の4年間で増えているため、こちらに③が入るとわかります。

残った 18 には①が入ります。確認すると While there have been **ups and downs, chatting with friends** has remained **the most popular pastime** over the whole 10 years.「増減はあるものの、友人とのおしゃべりは、10年間全体にわたり最も人気のある気晴らしであり続けている」とあり、「増減があること」や「最も人気があること」が当てはまっています。

問 22-25　正解22⑥ / 23③ / 24③ / 25④　　音声スクリプト TRACK M31

問題レベル【やや難】　配点各1点

Well, it's time to announce the prizes. We're showing the table of winners on the screen now. The top four teams will all get a certificate showing their scores in the contest. The team who sang *Danny Boy* the best will get tickets to a concert by the Stirling Orchestra when they do their world tour. The top team in the A Cappella category will get a trophy, and the team that won in the Original Song category will win an invitation to take part in the GTU International Song Contest next month.

【訳】

では、賞品を発表する時間です。今、画面には受賞チームの表が映っています。上位4チーム全てが、コンテストのスコアが入った証明書を受け取ります。「ダニー・ボーイ」を最も上手に歌ったチームには、スターリング・オーケストラがワールドツアーを行う際のコンサート・チケットが贈られます。アカペラ部門の最優秀チームにはトロフィー

が贈られ、オリジナル曲部門で優勝したチームは来月のGTU国際合唱コンテストへの招待参加権を獲得します。

最終結果のまとめ――国際オンライン合唱コンテスト

上位4チーム	ダニー・ボーイ	アカペラ	オリジナル曲	賞品
アストロ・アコースティック	1位	2位	1位	22
コーラス・キングス	4位	3位	3位	23
ミュージック・マスターズ	3位	4位	2位	24
ボイス・フォース	2位	1位	4位	25

選択肢

① Concert tickets 「コンサート・チケット」
② Trophy 「トロフィー」
③ Certificate 「証明書」
④ Certificate, Trophy 「証明書、トロフィー」
⑤ Certificate, Trophy, Invitation 「証明書、トロフィー、招待」
⑥ Certificate, Concert tickets, Invitation 「証明書、コンサート・チケット、招待」

語句
table 名 表　a cappella 形 楽器伴奏なしの、アカペラの
certificate 名 証明書　category 名 部門、カテゴリー

❶問題文から「合唱コンテストの賞品」についての音声であることがわかります。表と選択肢から、各項目での順位によって賞品が決まることを確認しておきましょう。❷まず、**The top four teams** will all get **a certificate** showing their scores in the contest.「上位4チーム全てが、コンテストのスコアが入った証明書を受け取る」から、4位までは証明書がもらえるとわかるため、表内の全てのチームが証明書をもらえることになります。Certificateの頭文字「C」などを 22 ～ 25 にメモしておきましょう。次にThe team who **sang *Danny Boy* the best** will get **tickets to a concert**「『ダニー・ボーイ』を最も上手に歌ったチームはコンサート・チケットを受け取る」から、*Danny Boy*で1位だったチームがコンサートのチケットをもらえることがわかります。Astro Acousticが1位だったので、 22 にticketの「チ」などを書き込んでおきましょう。続いて、**The top team in the A Cappella category** will get **a trophy**「アカペラ部門の最優秀チームはトロフィーを受け取る」から、A Cappellaで1位のVoice Forceがトロフィーをもらえるとわかります。 25 にトロフィーの「ト」などを書き込んでおきましょう。最後にthe team that **won in the Original Song category** will win **an invitation** to take part in the GTU International Song Contest next month「オリジナル曲部門で優勝したチームは来月のGTU国際合唱コンテストへの招待参加権を獲得する」から、Original Songで1位であるAstro Acousticが招待を受けることがわかります。 22 にInvitationの「I」などを書き込みましょう。まとめると 22 は証明書、チケット、招待を受け取るので、⑥が入ります。 23 は証明書のみで③が入ります。 24 は証明書のみで③が入ります。 25 は証明書とトロフィーを受け取るので、④が入ります。

第4問B［解説］

問26　正解③　問題レベル【普通】　配点 4点　　音声スクリプト TRACK M34～37

① Hi. I'm Russel Hill. I'm here to introduce the fencing club. We meet on Tuesday, Wednesday and Friday evenings in the school gym. We've been given the space to use between 5:30 and 7:00 p.m. The school lends us all the equipment we need, so it won't cost anything. We're a really friendly group and we enjoy chatting online after practice in the evenings.

② Hello. My name's Mandy Jones. I'm the leader of the photography club. This is a great club for shy people because we do most of our activity alone. You'll need to buy a fairly good camera. They cost between two and three hundred dollars. We meet every Tuesday in the art room during lunch. We look at each other's photographs and listen to advice from the art teacher.

③ Hey, guys! I'm Greg Delaney. How about joining the manga club? It's a great way to make friends. We read manga at home and talk about them in the library after school. Most of our members try to catch the 4:45 train, but you can stay later if you like. There are a lot of manga in the library, so you don't need to buy them.

④ Hi. I'm Lucy Day. I lead the running club. We're not a very serious club. We go running in the afternoon twice a week after school with Mr. Nichol. We leave at 4:30 and we're always back by 5:00. We're usually too tired to talk very much. You don't need to buy anything – we go running in our P.E. clothes.

【訳】①こんにちは。ラッセル・ヒルです。フェンシング部の紹介をしに来ました。私たちは火曜、水曜、金曜の夕方に学校の体育館に集まっています。午後5時30分から7時までの間に使える場所が割り当てられています。必要な用具は全て学校が貸してくれるので、お金は全然かかりません。とても仲のいいグループなので、夕方の練習後はオンラインでおしゃべりをして楽しんでいます。

②こんにちは。私の名前はマンディ・ジョーンズです。私は写真部の部長です。ここは人見知りの人にはぴったりの部です、と言うのも、ほとんどの活動を単独で行うからです。かなりいいカメラを買う必要があります。カメラは200ドルから300ドルします。毎週火曜の昼休みの間に美術室に集まります。お互いの写真を見て、美術の先生からのアドバイスを聴きます。

③やあ、皆さん！　僕はグレッグ・デラニーです。マンガ部に入りませんか？　友達を作るのにうってつけの方法ですよ。僕たちは自宅でマンガを読んで、放課後に図書館でマンガについて話をします。部員の大半が4時45分の電車に乗ろうとしますが、もっと遅くまでいたければ、そうしても構いません。マンガは図書館にたくさんあるので、買う必要はありません。

④こんにちは。ルーシー・デイです。ランニング部のリーダーをしています。私たちはあまり本格的なクラブではありません。週に2回、放課後の午後に、ニコル先生と一緒にランニングに行きます。4時30分に出発して、いつも5時までに戻ります。たいていは、とても疲れているのであまり話をしません。何も買う必要はあり

ませんよ。体育着を着てランニングに行きますから。

音声のポイント

①1 to の [t] は [d] に変化し、「ドゥ」のように発音されている。

①2 clothes は「クロウズ」[klóuz] のように発音するので注意する。

問いと選択肢

[26] is the club you are most likely to choose.

「[26] が、あなたが選ぶ可能性の最も高いクラブである」

① Fencing 「フェンシング」　② Photography 「写真」

③ Manga 「マンガ」　④ Running 「ランニング」

語句
equipment 名 器具、用具　lead ～ 他 ～を率いる
fairly 副 かなり　P.E. 名 体育（= physical education）

第4問 B

ここで使うのは、【モノローグ：発話比較問題】を攻略する「照合の型」（Day 14）

❶状況と条件を先読み→❷条件と情報を照合する

❶「入部するクラブを決めるため説明を聴いている」という**状況を確認**しておきましょう。❷3つの条件を確認し、音声を聴きながら照らし合わせていきます。1人目は、We've been given the space to use **between 5:30 and 7:00 p.m.**「午後5時30分から7時までの間に使える場所が割り当てられている」から、Aが×になり不正解です。費用については、**it won't cost anything** とあることからBは○。コミュニケーションについては、We're a really friendly group and we **enjoy chatting online** after practice in the evenings. とあることから、Cは○となります。

2人目は、**we do most of our activity alone** からCが×となり不正解です。You'll need to buy a fairly good camera. **They cost between two and three hundred dollars.** から、Bも×となります。活動時間についてはWe meet every Tuesday in the art room **during lunch.** とあることから、Aは○です。

3人目は、**It's a great way to make friends.** やWe read manga at home and **talk about them** in the library after school. から、Cは○となります。時間については**Most of our members try to catch the 4:45 train,** but you can stay later if you like. とあり、5時までには活動が終わっていて、それ以降残るかどうかは任意だとわかるので、Aは○です。費用についてはThere are a lot of manga in the library, so **you don't need to buy them.** とあることから、Bは○となります。よって③が正解となります。

4人目も確認しておくと、**We leave at 4:30 and we're always back by 5:00.** に「5時までに戻る」とありますが、「終わりの時間」は明言されていないため、Aは△です。コミュニケーションについては、We're usually **too tired to talk very much.** とあることから、Cは×です。Bは、**You don't need to buy anything** から、○となります。

Club	Condition A	Condition B	Condition C
① Fencing	×	○	○
② Photography	○	×	×
③ Manga	○	○	○
④ Running	△	○	×

第5問［解説］

音声スクリプト TRACK M40

In the early days of offices, business owners didn't think of employee satisfaction when they designed their offices. Being productive was all that mattered. Over the years, different office designs have been experimented with. Today, we'll look at the open-plan office, the action office and the cubicle office.

First, the open-plan office is a large office where many people work together in rows or groups without walls or barriers between them. One of the earliest examples of the open-plan office concept is called Taylorism, which emerged in the early 20th century. It's named after Frank Taylor, a mechanical engineer who wanted to make it easier for managers to watch their staff. This design was popular because it encouraged people to communicate. However, this type of office can be noisy and distracting, making it hard to focus.

Next, let's discuss the action office. This design was popular from the 1940s to the 1970s. The action office has different areas for different kinds of work. For example, there might be a quiet area for focused work and a separate space for meetings. The action office was designed to be flexible so as to support different types of work, but it requires more space and can be expensive to set up❶.

Finally, we have the cubicle office, which became popular in the 1980s. In a cubicle office, each person has their own small area separated by walls that are usually about waist-high. This provides some privacy but allows employees to talk to their neighbors. The cubicle office is less expensive than the action office and gives people more privacy than the open-plan office. However, the walls can make people feel isolated and separated from their colleagues.

Interestingly, since the 2000s, more and more offices around the world have been returning to an open-plan office design. Since the coronavirus pandemic in 2020, however, remote work has been gaining popularity due to health considerations.

【訳】

初期のオフィスでは、経営者はオフィスをデザインする際に従業員の満足のことは考えませんでした。生産的であることだけが重要だったのです。長年にわたって、さまざまなオフィス・デザインが試されてきました。今日は、オープンプラン・オフィス、アクション・オフィス、そしてキュービクル・オフィスについて見てみましょう。

まず、オープンプラン・オフィスとは、壁や仕切りで分けずに、大勢が並んだりグループになったりして一緒に働く広いオフィスです。オープンプラン・オフィスの構想の最初期の例の一つがテイラー型と呼ばれるもので、20世紀初頭に登場しました。それはフランク・テイラーにちなんだ名前ですが、彼は管理職がスタッフに目配りするのを楽にしようとした機械技術者でした。このデザインは人々がコミュニケーションを取ることを促進したため、人気がありました。しかし、この種のオフィスは、うるさくて気が散り、集中するのが困難になることもあります。

次に、アクション・オフィスの話をしましょう。このデザインは1940年代から1970年代にかけて人気でした。アクション・オフィスでは、異なる種類の仕事用に異なるエリアがあります。例えば、集中して行う仕事のための静かなエリアや、ミーティングのための分離したスペースがあるかもしれません。アクション・オフィスはさまざまな種類の仕事をサポートするために融通が利くようデザインされましたが、より広いスペースが必要で、設置が高額になる場合があります。

最後に、キュービクル・オフィスですが、これは1980年代に人気となりました。キュービクル・オフィスでは、一人一人が、通常は腰までの高さの壁で区分けされた自分専用の小さなエリアを持ちます。これにより、ある程度のプライバシーが与えられますが、従業員は周囲の人たちと話すこともできます。キュービクル・オフィスはアクション・オフィスほど高額でなく、オープンプラン・オフィスよりも人々にプライバシーを与えます。しかし、壁のせいで、人々は孤立して同僚から引き離された気持ちになることがあります。

興味深いことに、2000年代以降、世界中で、ますます多くのオフィスがオープンプラン・オフィスのデザインに戻りつつあります。けれども、2020年のコロナウイルスの世界的流行以来、健康への配慮からリモートワークが人気を得ています。

ワークシート

○ オフィス・デザインの進化

・当初、雇用主は従業員の満足が、生産的であること [27] とは考えなかった。

・長年にわたり、さまざまなオフィス・デザインが使われてきた。

○ いくつかの例

	利点	欠点
オープンプラン	コミュニケーション	雑音
アクション	[28]	[29]
キュービクル	[30]	[31]

音声のポイント

1 set up は t の音がやや d に変化し、up と連結して「セダッ p」のように発音されている。

語句

productive 形 生産的な
matter 自 重要である
experiment with ～ 熟 ～を試してみる
cubicle 名（パーテーションで1人ずつ区切った）仕事スペース、小個室
row 名 列、並び
barrier 名 障壁、仕切り
concept 名 考え、構想
distracting 形 気を散らせる
focus 自 集中する
flexible 形 柔軟な、融通の利く
so as to (V) 熟 Vするために
waist-high 形 腰までの高さの
isolated 形 孤立した、隔絶した
colleague 名 同僚
pandemic 名（病気の）世界的流行
health considerations 名 健康への配慮

〈ワークシート〉

evolution 名 進化、発展
initially 副 当初は

問27 正解④ **問題レベル【普通】 配点 3点**

選択肢

① could cause delays in 「に遅れをもたらし得る」
② meant giving up on「を断念することを意味する」
③ relied heavily on「に大きく依存している」
④ was related to「に関わりがある」

語句 give up on ～ 熟 ～を断念する、あきらめる

ここで使うのは、【講義：シート作成問題】を攻略する「聴き取りの型」「表読の型」「言い換えの型」「照合の型」（Day 21）

❶状況、ワークシートを先読み→❷問27 ～ 31：内容を予測し、音声の流れに従って表を埋める→❸問32：発言から言い換えを探す→❹問33：選択肢の内容とグラフ・音声の内容を照合する

❶テーマは「オフィス・デザイン」です。先読みの段階では、ワークシートから 27 は「オフィス・デザインの進化」を見出しとし、「当初、経営者は従業員の満足は、生産的であること 27 とは考えなかった」に入るものだと理解し、employee satisfaction や productive をキーワードとして考えておきましょう。選択肢も短いので一通り目を通しておきましょう。❷最初の In the early days of offices が聞こえた時に、こちらがワークシートの Initially に対応していると気づけるとよいでしょう。そして business owners didn't think of **employee satisfaction** when they designed their offices. **Being productive** was all that mattered. と続き、「雇用主はオフィスをデザインする際に従業員の満足について考えていなかったこと」と「生産性がすべてだったこと」が述べられています。選択肢からこの内容を表したものを探すと、④を入れれば「従業員の満足度と生産性には関わりがあるとは考えなかった」という講義と一致する意味にできるので、これが正解です。

問28-31 正解28⑥ ／ 29③ ／ 30③ ／ 31④ **問題レベル【やや難】 配点 2点×2**
※問28と問29が2問とも正解の場合のみ2点。問30と問31が2問とも正解の場合のみ2点。

選択肢

① appearance「外見」　② convenience「利便性」　③ cost「費用」
④ isolation「孤立」　⑤ quietness「静かさ」　⑥ flexibility「柔軟性」

❶聴き取りの型→❷表読の型

❶ワークシートから、問28と29は、オフィス・デザインのうち Action に関する内容で、Advantage「利点」と Weakness「欠点」が述べられることを確認しておきましょう。問30と31は、Cubicle に関する内容で、こちらも利点と欠点が述べられることを確認しておきましょう。選択肢にもザッと目を通しておきます。❷問28は、Action の「利点」に注意して聴くと、The action office was designed to be flexible so as to support different types of work という、選択肢にある flexibility「柔軟性」に対応する内容が聞こえてきます。ここでは「アクション・オフィスが、さまざまな仕事をサポートするために柔軟であること」が説明されてい

るため、 28 には⑥ **flexibility** が入ります。さらに問29の Action の「欠点」は、続く **but** it requires more space and can be **expensive** to set up で説明されています。ここでは、「よりスペースが必要であること」と、「設置にお金がかかること」が言われているので、 29 には **expensive の言い換え**となる③ **cost** が入ります。

問30は、Cubicle の「利点」に注意して聴きましょう。The cubicle office is **less expensive** than the action office and gives people more privacy than the open-plan office. という、選択肢にある cost に対応する内容が聞こえてきます。ここでは「キュービクル・オフィスはアクション・オフィスより費用がかからない」と述べられているため、それが利点であると考えられます。よって 30 には③ **cost** が入ります。問31の Cubicle の「欠点」は、**However,** the walls can make people feel **isolated** and **separated** from their colleagues. で「壁があるせいで孤独に感じる」と説明されています。よって**言い換え**となる④ **isolation** が正解です。

第5問

問32　設問　　音声スクリプト TRACK M42

Student A: Many businesses switched from cubicles to open-plan office designs.

Student B: Some people believe that working from home has fewer health risks than working in an office.

【訳】

学生 A：多くの会社がキュービクルからオープンプラン・オフィスのデザインに切り替えた。

学生 B：在宅勤務のほうがオフィスでの勤務よりも健康のリスクが少ないと考えている人もいる。

語句　switch 自 切り替える、移行する　work from home 熟 在宅勤務をする

問32　正解③　**問題レベル【やや難】　配点 4点**

選択肢

① A の発言のみ一致する

② B の発言のみ一致する

③ どちらの発言も一致する

④ どちらの発言も一致しない

❶聴き取りの型→❸言い換えの型

❶新形式の問題です。このタイプの場合は選択肢の先読みは不要です。❸ A、B それぞれの発言が講義の内容と一致するか確認しながら聴きましょう。A は Many businesses **switched from cubicles to open-plan office designs.** と言っています。「キュービクルからオープンプラン・オフィスに切り替えた」という内容は、講義の Interestingly, since the 2000s, **more and more offices around the world have been returning to an open-plan office design.** で述べられています。ここで「オープンプラン・オフィスに戻っている」と述べられているた

め、Aの発言は講義の内容に一致します。BはSome people believe that **working from home has fewer health risks than working in an office.** と言っています。「在宅勤務のほうがオフィスよりも健康リスクが少ないこと」については、講義でSince the coronavirus pandemic in 2020, however, **remote work has been gaining popularity due to health considerations.** とあります。「健康への配慮からリモートワークが人気になっている」と述べられているため、Bの発言も講義の内容に一致します。よって、③「どちらの発言も一致する」が正解となります。

問33　設問　　音声スクリプト　TRACK M44

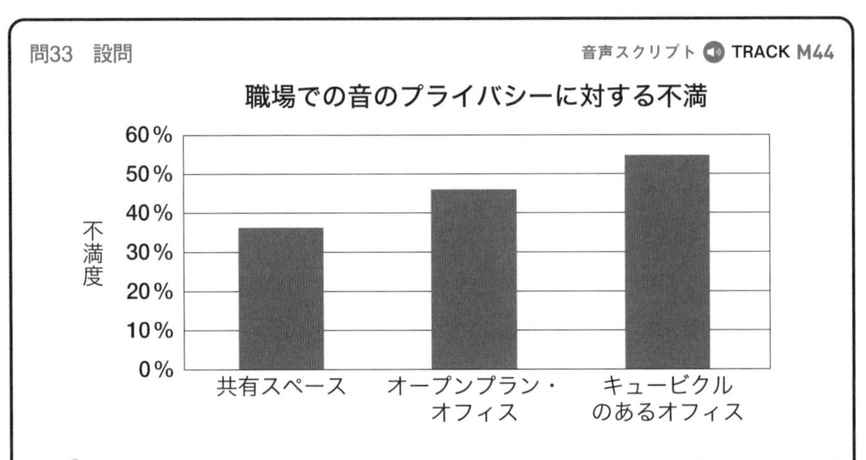

Ted①: Look at this graph. You can see how people in cubicles feel about sound privacy.

Ali①: It makes sense. They can't see who's listening to them.

Ted②: Right. I read that people in open-plan offices are more worried about visual privacy.

【訳】

テッド①：このグラフを見てよ。キュービクルの中の人たちが音のプライバシーについてどう感じているかがわかるよ。

アリ①：納得がいくわ。誰が自分の話を聴いているか見えないものね。

テッド②：そのとおり。オープンプラン・オフィスの人たちは視覚的なプライバシーのほうを心配していると読んだよ。

語句　make sense 熟 筋が通る、納得がいく　　visual 形 視覚の

問33 正解② **問題レベル【やや難】 配点 4点**

選択肢

① Cubicle workers are happier about their sound privacy because they can see what other people are doing in the office.
「キュービクルで働く人たちは、他の人がオフィスで何をしているか見えるので、音のプライバシーについての満足度が高い」

② Cubicle workers worry more about their sound privacy, while open-plan office workers are more concerned about their visual privacy.
「キュービクルで働く人たちは音のプライバシーを気にすることのほうが多い。その一方で、オープンプラン・オフィスで働く人たちは視覚的なプライバシーを気にすることのほうが多い」

③ Open-plan office workers are worried about making too much noise as well as their sound privacy.
「オープンプラン・オフィスで働く人たちは音のプライバシーだけでなく、うるさい音を立てることも気にしている」

④ Open-plan office workers worry about noise, but they are happier about their visual privacy than people in other office types.
「オープンプラン・オフィスで働く人たちは雑音を気にするが、視覚的なプライバシーについては他のタイプのオフィスにいる人たちよりも満足度が高い」

語句 be concerned about ～ 熟 ～を心配［気に］している

❶聴き取りの型→❹照合の型

❶問33の先読みは問32までを解き終えてからにしましょう。グラフのタイトルや項目がどのようなものになっているか確認しましょう。❹選択肢とグラフ・音声を照合していきます。①は、「キュービクルで働く人たちは、他の人がオフィスで何をしているか見えるので、音のプライバシーについての満足度が高い」という内容ですが、音声ではアリがThey can't see who's listening to them.「誰が話を聴いているか見えない」と述べているため一致しません。

②は、「キュービクルで働く人たちは音のプライバシーを気にすることのほうが多い。その一方で、オープンプラン・オフィスで働く人たちは視覚的なプライバシーを気にすることのほうが多い」という内容です。グラフを見ると、キュービクルの人たちは音のプライバシーに関する不満度が高くなっています。また、音声でテッドがpeople in open-plan offices are more worried about visual privacy「オープンプラン・オフィスの人たちは視覚的なプライバシーのほうを心配している」と言っているため、選択肢の後半にも一致します。よって②が正解です。

③は、「オープンプラン・オフィスで働く人たちは音のプライバシーだけでなく、うるさい音を立てることも気にしている」という内容ですが、こういった内容は音声にもグラフにもありません。

④は、「オープンプラン・オフィスで働く人たちは雑音を気にするが、視覚的なプライバシーについては他のタイプのオフィスにいる人たちよりも満足度が高い」という内容ですが、音声からもグラフからも視覚的なプライバシーに満足しているかどうかは読み取ることができません。

第6問A[解説]

音声スクリプト TRACK M46

Jack① : Your mother tells me that you want to go to the Wizzlers concert next month.

Dianne①: Yeah! A few of my friends want to go as well.

Jack② : I'm a bit worried about you taking the train late at night.

Dianne②: Mom told me that she saw her first concert with her friends when she was just 14 years old. She says it is one of her favorite memories.

Jack③ : I'm sure it is, but things were different then.

Dianne③: I want a fun memory like that to look back on.

Jack④ : I'm not against the concert itself. I'm just worried about safety. Could I come with you?

Dianne④: I don't want to feel like a little child. I don't think the other parents will be there.

Jack⑤ : Perhaps I should call them and discuss the plan.

Dianne⑤: You can❶. You know Maya and Paula's parents, don't you?

Jack⑥ : Of course. Will there only be three of you?

Dianne⑥: Yes, my other friends aren't fans of the Wizzlers.

Jack⑦ : In that case, I could drive you to the concert and wait❷ in the car for it to finish.

Dianne⑦: Would you? Thanks, Dad!

Jack⑧ : I don't mind at all❸. Good luck getting the tickets. I hear these shows sell out fast.

【訳】

ジャック①:お母さんによると、君は来月、ウィズラーズのコンサートに行きたいそうだね。

ダイアン①:うん! 友達も何人か行きたがってる。

ジャック②:君が夜遅く電車に乗るのはちょっと心配だな。

ダイアン②:お母さんは、まだ14歳の時に初めて友達と一緒にコンサートを見たって言ってた。大好きな思い出の一つだと言ってるわよ。

ジャック③:確かにそうだろうけど、あの頃は状況が違ったからなあ。

ダイアン③:後で思い起こすことのできる、そういう楽しい思い出を作りたいの。

ジャック④:コンサート自体には反対していないよ。ただ安全面が心配なだけなんだ。ぼくも一緒に行ってもいいかな?

ダイアン④:小さな子どもみたいな気分になりたくないなあ。他の家の親だって来ないと思うし。

ジャック⑤:親御さんに電話をして、どうするか話し合ったほうがいいかもしれないな。

ダイアン⑤:いいけど。マヤとポーラの親は知ってるよね?

ジャック⑥:もちろん。行くのは君たち3人だけなの?

ダイアン[6]：そう、ほかの友達はウィズラーズのファンじゃないから。
ジャック[7]：そういうことなら、君たちを車でコンサートに送っていって、車の中で終わるのを待ってもいいな。
ダイアン[7]：そうしてくれる？　ありがとう、お父さん！
ジャック[8]：全然かまわないよ。うまくチケットが取れるといいね。こういうショーはすぐに売り切れるそうだから。

音声のポイント

1 このcanは肯定だが、このように文末に来る時は弱形の「クン」ではなく、強形で「キャン」と発音される。否定のcan'tは[t]が脱落しほぼ同じ音になるため区別が難しい。わずかに[t]の音が残るため聴き分けは可能だが、文脈から判断したほうが無難。

2 waitの[t]は[d]に変化している。

3 at allは弱形・変化・連結により、短く一息で「アドール」のように発音されている。

語句 look back on ～ 熟 ～を振り返る、～を思い起こす　sell out 熟 売り切れる
in that case 熟 そういうことなら

問34 正解② **問題レベル【普通】 配点 3点**

問い

Which of the following statements would both speakers agree with?
「話者の両方が同意しそうな文は次のうちどれか」

選択肢

① Rock concerts are too dangerous for little children.
「ロック・コンサートは小さな子どもには危険過ぎる」

② Attending a concert is a memorable experience.
「コンサートに行くことは記憶に残る経験だ」

③ Riding the train late at night is safer now.
「現在のほうが、夜遅くに電車に乗るのが安全だ」

④ Parents should help children reserve concert tickets.
「親は子どもがコンサート・チケットの予約をするのを手伝うべきだ」

語句 memorable 形 記憶に残る　reserve ～ 他 ～を予約する

ここで使うのは、【会話：要点把握問題】を攻略する「照合の型」(Day 18)
❶状況、問い、選択肢を先読み→❷選択肢と照合する

❶「話者の両方が同意しそうな文」が問われています。**同意を表す表現**に注意して聴きましょう。選択肢は短いですが、共通点があまりないので全体に軽く目を通しておきましょう。同意を表す表現に注意して聴くと、ジャック（父親）の3回目の発言に**I'm sure it is**があります。この直前には、Mom told me that she **saw her first concert** with her friends when she was just 14 years old. She says it is **one of her favorite memories.** とあり、「コンサートに行くことが思い出になる」という点に同意していることがわかります。❷選択肢から言い換えを探すと、②で**saw her first concert**が**Attending a concert**に、**one of her favorite memories**が**a memorable experience**に**言い換え**られています。よって②が正解です。①は、

父親も娘もロック・コンサートが危険だとは言っていないため不正解です。③は、父親のI'm a bit worried about you taking the train late at night. や things were different then という発言に矛盾するため不正解です。④は、予約を親が手伝うという発言はなかったため不正解となります。

問35 正解① **問題レベル【普通】 配点 3点**

問い

Which statement best describes Jack's feeling about his daughter going to a concert with friends?

「娘が友達とコンサートに行くことについてのジャックの気持ちを最もよく表している文はどれか」

選択肢

① He is concerned about the risks of traveling at night.
「夜に移動する危険を心配している」

② He hopes a larger group of friends will join her.
「もっと大勢の友人が彼女と一緒に行くことを望んでいる」

③ He believes her parents should also attend the concert.
「彼女の両親もコンサートに行くべきだと思っている」

④ He thinks her mother should make the decision.
「彼女の母が決めるべきだと思っている」

語句 be concerned about ～ 熟 ～を心配している

❶問いに「娘が友達とコンサートに行くことについてのジャックの気持ち」とあるので、ジャック（父親）の気持ちや意見を表す表現に注意して聴きましょう。選択肢は共通点が捉えにくいのでキーワードになりそうなものを確認しておきましょう。気持ちを表す表現に注意して聴くと、父親の２回目と４回目の発言で **I'm a bit worried about you taking the train late at night.** や **I'm not against the concert itself. I'm just worried about safety.** とあり、「夜遅くに電車に乗ることの安全面について心配している」ことがわかります。❷選択肢から言い換えを探すと、**concerned about** や **the risks of traveling at night** が見つかり、①が正解だとわかります。②は、そのような内容の発言はないため不正解です。③は、Could I come with you? という発言がありますが、最終的に、I could drive you to the concert and wait in the car for it to finish. と言い、「父親が車で送って行くが外で待っている」とわかるため、attend the concert とは一致せず不正解です。④は、母親に意見を求める発言はないため不正解です。

音声スクリプト TRACK M49

Mr. Harper①: When I first came to Japan, everyone on the train was reading a book.

Rose①: When was that, Mr. Harper?

Mr. Harper②: About 20 years ago, Rose. These days, all the passengers are just staring at their smartphones.

Rose②: I think a lot of them are reading ebooks, don't you, Taku?

Taku①: Not really, Rose. I've tried reading ebooks on my smartphone before, but I don't think it's a good way to read.

Mr. Harper③: Well, these people don't look like they're reading. I think they're playing games.

Taku②: You're probably right, Mr. Harper. Book sales in Japan have decreased in the last 10 years.

Rose③: That's only printed books, Taku. Overall book sales haven't changed much.

Kim①: Right, Rose. One-third of book sales in Japan are now ebooks.

Mr. Harper④: That's surprising, Kim. It might mean that book sales have actually increased.

Taku③: Wow! I didn't realize ebooks were so popular. There are still some downsides.

Rose④: That's true, Taku. We can't sell them or borrow them from libraries. Personally, I don't think that's a big problem.

Kim②: Neither do I. Ebooks are better for the environment. They don't require us to produce any paper. I just bought a special ebook reader. Look.

Taku④: Wow, that's easy to read. I'm going to give ebooks another chance. How about you, Mr. Harper?

Mr. Harper⑤: Not me, Taku. I love having books on my shelf after I read them, and I don't want another device. Oh, here's our stop.

【訳】

ハーパー先生①：私が初めて日本に来た頃は、電車に乗っている人はみんな本を読んでいたよ。

ローズ①：それはいつのことですか、ハーパー先生？

ハーパー先生②：20年ぐらい前だよ、ローズ。最近は、乗客はみんなスマートフォンをただじっと見ているね。

ローズ②：電子書籍を読んでいる人が多いと思います。そう思わない、タク？

タク①：あまりそうは思わないな、ローズ。僕は以前スマホで電子書籍を読んでみたことがあるけれど、読書するのにいい方法だとは思わないな。

ハーパー先生③：うーん、電車に乗っている人たちは読書をしているようには見えないね。ゲームをしているんだと思うよ。

タク②：たぶんそのとおりですね、ハーパー先生。ここ10年の間に、日本での書籍の売り上げは減少していますから。

ローズ③：それは紙の書籍だけの話よ、タク。書籍全体の売り上げはそれほど変化していないのよ。

キム①：そうよね、ローズ。日本の書籍の売り上げの3分の1は今じゃ電子書籍なのよ。

ハーパー先生④：それは驚きだね、キム。書籍の売り上げは実際には増えているということなのかもしれない。

タク③：わあ！　電子書籍がそんなに人気があるとは知らなかったよ。それでも欠点はいくつかあるよ。

ローズ④：そのとおりね、タク。電子書籍は売ることができないし、図書館で借りることもできない。私としては、それは大きな問題だとは思わないけど。

キム②：私も大きな問題だとは思わない。電子書籍のほうが環境にいいわ。電子書籍だと紙を製造しなくていいし。私、電子書籍の専用リーダーを買ったところなの。見てよ。

タク④：わあ、読みやすいね。電子書籍にもう一度挽回のチャンスを与えるよ。ハーパー先生はどうですか？

ハーパー先生⑤：私はいいよ、タク。私は本を読んだ後に、本を本棚に置いておくのが大好きなんだ。それに他のデバイスは欲しくないしね。ああ、降りる駅に着いたよ。

音声のポイント

1 on は弱形で短く弱く発音されている。

2 can't は「カーント」のように発音されている（イギリス英語）。

語句

passenger	名	乗客
stare at ～	熟	～をじっと見る
sales	名	売り上げ、販売数
decrease	自	減少する
in the last ～ years	熟	ここ～年の間に
printed book	名	紙の書籍（直訳で「印刷された書籍」）
overall	形	全体の
downside	名	欠点
personally	副	個人的には、私としては
give ～ another chance	熟	～にもう一度（挽回の）チャンスを与える
device	名	装置、デバイス
stop	名	停車駅、停留所

問36 正解① **問題レベル【普通】 配点 4点**

選択肢 ① Mr. Harper ② Taku ③ Mr. Harper, Taku ④ Rose, Kim

ここで使うのは、【長めの会話：要点把握問題】を攻略する「照合の型」(Day 20)

❶状況、問い、選択肢を先読み→❷問36：状況と発言を照合する→❷問37：発言と図表を照合する

❶テーマは「ebook」です。問いでは「ebookを支持しない人」が問われています。**支持か不支持かを示す表現**に注意して、支持は○、不支持は×、曖昧な場合は△のようにメモを取りながら音声を聴きましょう。❷男性の発言でI've tried reading ebooks on my smartphone before, but **I don't think it's a good way to read.** とあり、その前の発言でTakuと呼び掛けられていることから、タクは、この段階では「ebookを不支持」であることがわかります。表に×を書き込んでおきましょう。

その後、女性（ローズ）の発言でWe can't sell them or borrow them from libraries. Personally, **I don't think that's a big problem.** とあります。不支持の意見のように思えますが、最終的にI don't think that's a big problemと言っていることから、明確な不支持の意見ではないため無視しましょう。その直後の別の女性（キム）の発言では **Neither do I.** と言っており、こちらも「大きな問題だとは思わない」という内容になり、不支持の意見ではないため無視してOKです。ローズとキムに△を書き込みましょう。

続いて、I just bought a special ebook reader. Look. という発言の後、Wow, that's easy to read. I'm going to **give ebooks another chance.** How about you, Mr. Harper? という「電子書籍を不支持だったが考え直す」という内容の発言があり、その後にTakuという呼び掛けがあるため、不支持であったタクが考え直すことがわかります。タクの×を△に変えましょう。

最後は直前の呼び掛けからハーパー先生の発言だとわかります。Not me, Taku. **I love having books on my shelf** after I read them, and **I don't want another device.** から、電子書籍を不支持であることがわかります。ハーパー先生に×を書き込みましょう。最終的に不支持（×）はハーパー先生のみなので、①が正解となります。

Mr. Harper	×
Rose	△
Taku	× → △
Kim	△

問37 正解② 問題レベル【普通】 配点 4点

選択肢

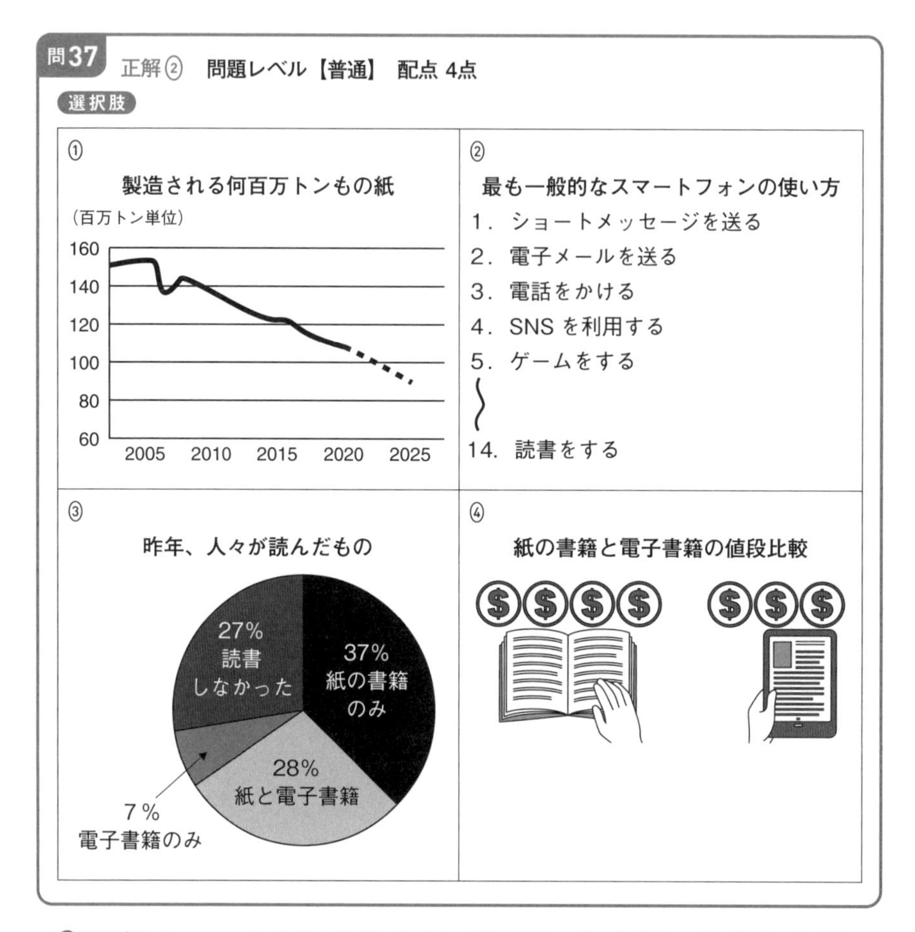

❶問題文から、ハーパー先生の発言に注意して聴きましょう。先読みでは、図表のタイトル・項目を確認しておきましょう。❷ハーパー先生の発言だとわかるもののうち、図表の内容に関係がありそうなのは、Well, these people don't look like they're reading. **I think they're playing games.** で、「スマホを読書ではなくゲームをするのに使っている」という内容です。②の図表では、「一般的なスマートフォンの使い方」が示され、14位にReadingが来ており、その他の使い方が多く書かれています。よってこちらが根拠になると考えられるので、②が正解となります。①は、They don't require us to produce any paper. という関連性のありそうな発言がありますが、ハーパー先生の発言ではないため不正解です。③は、One-third of book sales in Japan are now ebooks. という関連性のありそうな発言がありますが、キムの発言であることと、グラフは売り上げを示すものではないことから不正解です。④は、紙の書籍と電子書籍の価格を比べた発言はないため不正解です。

英語リスニング実戦模擬試験
解答用紙

※何度も使用する場合に備えて、コピーしておくことをお勧めします。

解答番号	解答欄					
	1	2	3	4	5	6
1	①	②	③	④	⑤	⑥
2	①	②	③	④	⑤	⑥
3	①	②	③	④	⑤	⑥
4	①	②	③	④	⑤	⑥
5	①	②	③	④	⑤	⑥
6	①	②	③	④	⑤	⑥
7	①	②	③	④	⑤	⑥
8	①	②	③	④	⑤	⑥
9	①	②	③	④	⑤	⑥
10	①	②	③	④	⑤	⑥
11	①	②	③	④	⑤	⑥
12	①	②	③	④	⑤	⑥
13	①	②	③	④	⑤	⑥
14	①	②	③	④	⑤	⑥
15	①	②	③	④	⑤	⑥
16	①	②	③	④	⑤	⑥
17	①	②	③	④	⑤	⑥
18	①	②	③	④	⑤	⑥
19	①	②	③	④	⑤	⑥
20	①	②	③	④	⑤	⑥

解答番号	解答欄					
	1	2	3	4	5	6
21	①	②	③	④	⑤	⑥
22	①	②	③	④	⑤	⑥
23	①	②	③	④	⑤	⑥
24	①	②	③	④	⑤	⑥
25	①	②	③	④	⑤	⑥
26	①	②	③	④	⑤	⑥
27	①	②	③	④	⑤	⑥
28	①	②	③	④	⑤	⑥
29	①	②	③	④	⑤	⑥
30	①	②	③	④	⑤	⑥
31	①	②	③	④	⑤	⑥
32	①	②	③	④	⑤	⑥
33	①	②	③	④	⑤	⑥
34	①	②	③	④	⑤	⑥
35	①	②	③	④	⑤	⑥
36	①	②	③	④	⑤	⑥
37	①	②	③	④	⑤	⑥

英語リスニング実戦模擬試験
解答用紙

※何度も使用する場合に備えて、コピーしておくことをお勧めします。

解答番号	解答欄					
	1	2	3	4	5	6
1	①	②	③	④	⑤	⑥
2	①	②	③	④	⑤	⑥
3	①	②	③	④	⑤	⑥
4	①	②	③	④	⑤	⑥
5	①	②	③	④	⑤	⑥
6	①	②	③	④	⑤	⑥
7	①	②	③	④	⑤	⑥
8	①	②	③	④	⑤	⑥
9	①	②	③	④	⑤	⑥
10	①	②	③	④	⑤	⑥
11	①	②	③	④	⑤	⑥
12	①	②	③	④	⑤	⑥
13	①	②	③	④	⑤	⑥
14	①	②	③	④	⑤	⑥
15	①	②	③	④	⑤	⑥
16	①	②	③	④	⑤	⑥
17	①	②	③	④	⑤	⑥
18	①	②	③	④	⑤	⑥
19	①	②	③	④	⑤	⑥
20	①	②	③	④	⑤	⑥

解答番号	解答欄					
	1	2	3	4	5	6
21	①	②	③	④	⑤	⑥
22	①	②	③	④	⑤	⑥
23	①	②	③	④	⑤	⑥
24	①	②	③	④	⑤	⑥
25	①	②	③	④	⑤	⑥
26	①	②	③	④	⑤	⑥
27	①	②	③	④	⑤	⑥
28	①	②	③	④	⑤	⑥
29	①	②	③	④	⑤	⑥
30	①	②	③	④	⑤	⑥
31	①	②	③	④	⑤	⑥
32	①	②	③	④	⑤	⑥
33	①	②	③	④	⑤	⑥
34	①	②	③	④	⑤	⑥
35	①	②	③	④	⑤	⑥
36	①	②	③	④	⑤	⑥
37	①	②	③	④	⑤	⑥

英語リスニング実戦模擬試験
解答一覧

問題番号（配点）	設問		解答番号	正解	配点
第1問（25）	A	1	1	4	4
		2	2	4	4
		3	3	1	4
		4	4	1	4
	B	5	5	1	3
		6	6	4	3
		7	7	3	3
第2問（16）	8		8	3	4
	9		9	3	4
	10		10	4	4
	11		11	3	4
第3問（18）	12		12	3	3
	13		13	4	3
	14		14	2	3
	15		15	2	3
	16		16	4	3
	17		17	2	3

問題番号（配点）	設問		解答番号	正解	配点
第4問（12）	A	18	18	1	4*
		19	19	3	
		20	20	4	
		21	21	2	
		22	22	6	1
		23	23	3	1
		24	24	3	1
		25	25	4	1
	B	26	26	3	4
第5問（15）	27		27	4	3
	28		28	6	2*
	29		29	3	
	30		30	3	2*
	31		31	4	
	32		32	3	4
	33		33	2	4
第6問（14）	A	34	34	2	3
		35	35	1	3
	B	36	36	1	4
		37	37	2	4

（注）
* は全部正解の場合のみ点を与える。

森田鉄也（もりた てつや）

武田塾英語課課長、武田塾高田馬場校、豊洲校、国立校、鷺沼校オーナー。YouTube チャンネル Morite2 English Channel とユーテラ授業チャンネルで、大学受験など英語試験をテーマにした動画を配信している。TOEIC® L&R テスト990点満点、英検1級、TEAP 満点、GTEC CBT 満点など多数の資格を持つ。「大学入学共通テストスパート模試英語」シリーズ（アルク）、『TOEIC® L&R TEST パート1・2特急Ⅱ 出る問 難問240』（朝日新聞出版）など著書多数。慶應大学文学部英米文学専攻卒。東京大学大学院言語学修士課程修了。

岡﨑修平（おかざき しゅうへい）

大手予備校講師を経て独立。東進ハイスクール特別講師。英検1級取得。YouTube チャンネル PHOTOGLISH は登録者数10万人を突破。映画、アニメなどリアルな英語を使った英語学習に関する動画を配信している。著書に『動画でわかる英文法［読解入門編］』（旺文社）、『最新トピック 英語長文 予想問題 自然・科学編』（旺文社）、『高校英文法14日間完成　効率特化型問題集 Agile 300』（かんき出版）、『完全理系専用 英語長文スペクトル』（技術評論社）などがある。

改訂第２版　１カ月で攻略！
大学入学共通テスト英語リスニング

発行日　2024年９月10日（初版）
　　　　2024年９月18日（第２刷）

監修	森田鉄也
著者	岡﨑修平
企画協力	斉藤健一
編集	株式会社アルク 出版編集部
編集協力	熊文堂／廣友詞子
模擬試験作成	Ross Tulloch
翻訳・語注作成	挙市玲子
校正	Peter Branscombe ／ Margaret Stalker ／原 弘子
ナレーション	Howard Colefield ／ Jennifer Okano ／ Marcus Pittman ／ Emma Howard Josh Keller ／ James House ／ Helen Morrison ／都 さゆり
AD・本文デザイン	二ノ宮 匡（nixinc）
著者写真	横関一浩（帯：監修者写真）
模試イラスト	関上絵美
DTP	朝日メディアインターナショナル株式会社
印刷・製本	日経印刷株式会社
録音・編集	一般財団法人 英語教育協議会（ELEC）／株式会社ルーキー
BGM 作成	矢代直輝（Yashirock Music）
発行者	天野智之
発行所	株式会社アルク 〒141-0001　東京都品川区北品川6-7-29 ガーデンシティ品川御殿山 Website：https://www.alc.co.jp/

落丁本、乱丁本は弊社にてお取り替えいたしております。
Web お問い合わせフォームにてご連絡ください。
https://www.alc.co.jp/inquiry/

PC：7024031　ISBN：978-4-7574-4212-2

地球人ネットワークを創る
アルクのシンボル
「地球人マーク」です。

共通テスト
英語リスニング
実戦模擬試験

TRACK M01－M50

この模擬試験は、2025年実施予定の大学入学共通テストを予想した出題項目・同等の難易度で作成されています。

リスニングの受験時間は30分間です。

解答用紙は本冊のp. 337に印刷されています。
正解と解説は本冊のp. 303に掲載されています。
解答一覧は本冊のp. 339に掲載されています。

英　語（リスニング）

（解答番号 1 〜 37 ）

第1問 （配点 25） 音声は2回流れます。

第1問はAとBの二つの部分に分かれています。

A 第1問Aは問1から問4までの4問です。英語を聞き，それぞれの内容と最もよく合っているものを，四つの選択肢（①〜④）のうちから一つずつ選びなさい。

問1 1

① The speaker is asking Helen to turn on the heater.
② The speaker is telling Helen to leave the room.
③ The speaker is asking Helen to help with an electricity bill.
④ The speaker is telling Helen to close the window.

問2 2

① The speaker is at the airport.
② The speaker flew in a plane.
③ The speaker is waiting for his flight.
④ The speaker visited the airport.

問 3 [3]

① The speaker took some photographs in New Zealand.

② The speaker would like to see some photographs of New Zealand.

③ The speaker plans to take some photographs of New Zealand.

④ The speaker is admiring some photographs of New Zealand.

問 4 [4]

① There are more than enough cookies for the class.

② There are not enough cookies for the class.

③ There are more than 24 students in the class.

④ There are too many students in the class.

これで第1問Aは終わりです。

B 第１問Bは問５から問７までの３問です。英語を聞き，それぞれの内容と最もよく合っている絵を，四つの選択肢（①～④）のうちから一つずつ選びなさい。

問５ [5]

①

②

③

④

問 6　[6]

①

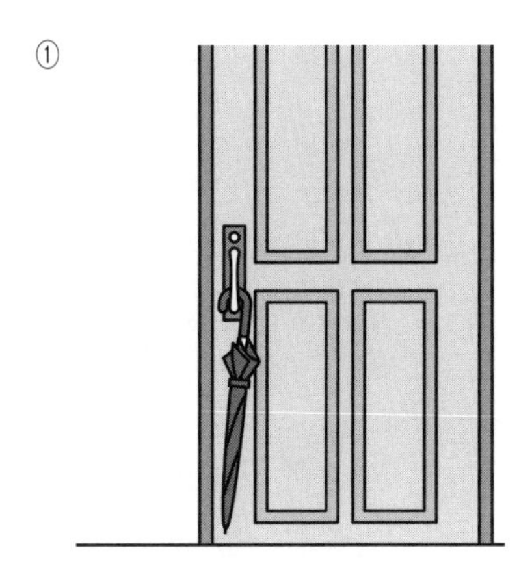

②

③

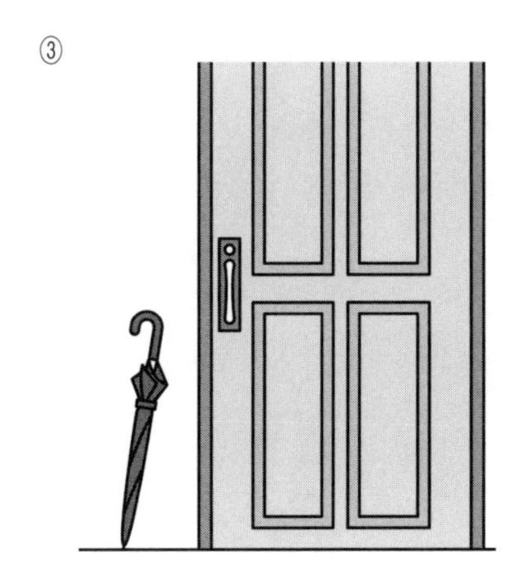

④

問 7　7

①

②

③

④

これで第 1 問 B は終わりです。

（下書き用紙）

英語（リスニング）の試験問題は次に続く。

第２問　（配点 16）　音声は2回流れます。

第２問は問８から問11までの４問です。それぞれの問いについて，対話の場面が日本語で書かれています。対話とそれについての問いを聞き，その答えとして最も適切なものを，四つの選択肢（①～④）のうちから一つずつ選びなさい。

問８　クッキーを作りながら話しています。　8

問９　男の子が，スキー旅行の準備をしています。　9

①

②

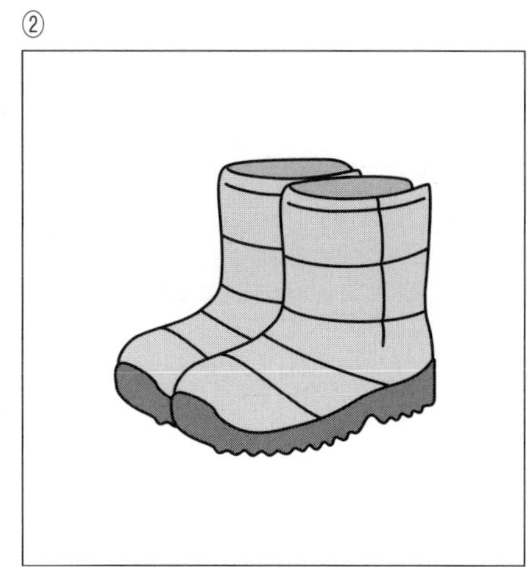

③

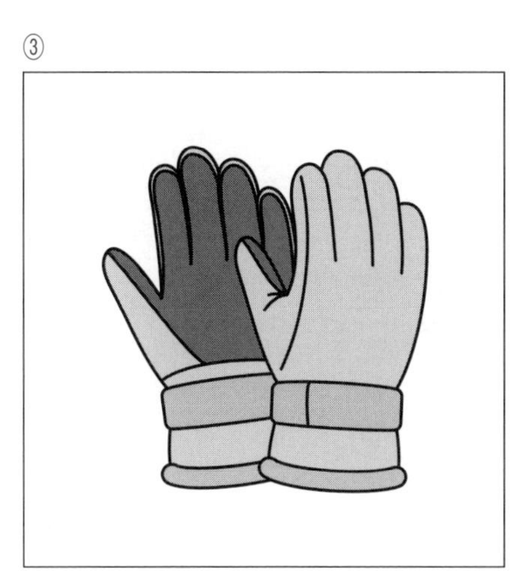

④

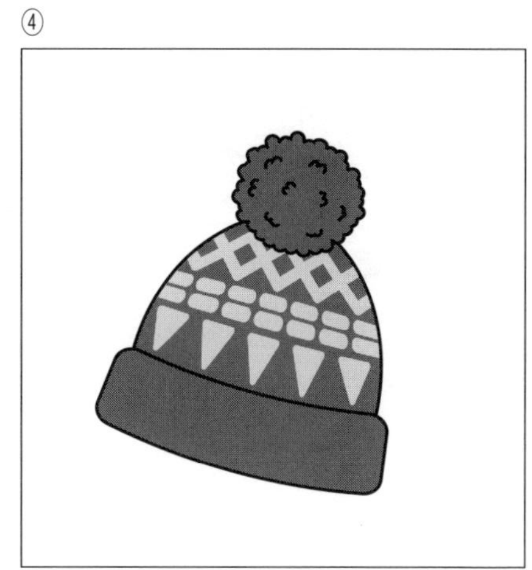

問10　家具店で，カップルが家具を選んでいます。　10

①　②

③

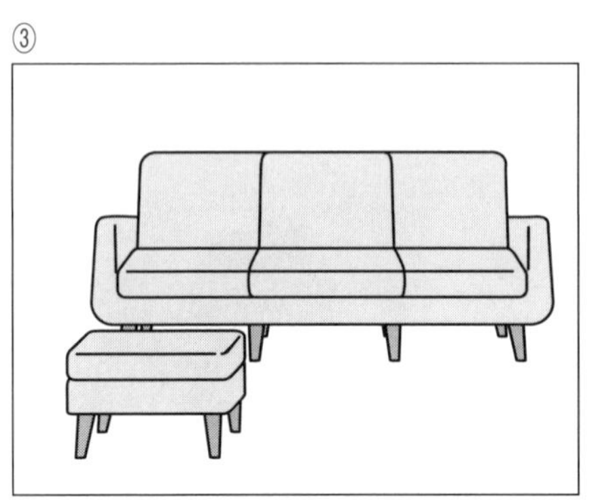

④

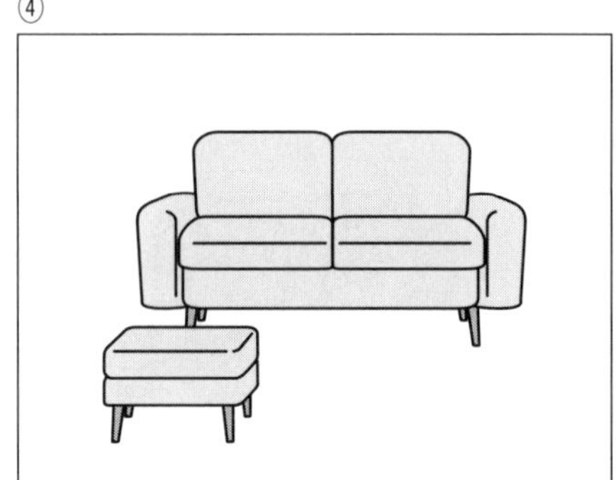

問11　どこで昼食を食べるか話しています。 11

①

②

③

④

これで第２問は終わりです。

第３問 （配点 18） 音声は1回流れます。

第３問は問12から問17までの６問です。それぞれの問いについて，対話の場面が日本語で書かれています。対話を聞き，問いの答えとして最も適切なものを，四つの選択肢（①～④）のうちから一つずつ選びなさい。（問いの英文は書かれています。）

問12 スーパーの果物売り場で，女性客が店員と話をしています。

How many apples will the woman probably buy? [12]

① Two apples
② Six apples
③ 10 apples
④ 12 apples

問13 母が息子と週末の計画について話しています。

What will they do together on the weekend? [13]

① They will make lunch at home.
② They will watch a movie.
③ They will go to an art gallery.
④ They will eat at a restaurant.

問14 バスの中で，高校生同士が話をしています。

What will the boy do tonight? [14]

① He will go to the library.
② He will play a sport.
③ He will discuss a homework project.
④ He will borrow the girl's phone.

問15 女の子が男の子に写真を見せています。

Who is the girl with in the photograph? 15

① One of her parents
② Her relatives
③ Her friends and family
④ Her mother's sister

問16 オフィスで，男女が話しています。

Why was the woman late for the appointment? 16

① Her bus was delayed.
② Her car was not running.
③ She forgot the start time.
④ She took the wrong bus.

問17 オフィスで，男性が新入社員と話しています。

What are the speakers going to do? 17

① Have lunch on the grass
② Exit the building
③ Learn to put out a fire
④ Meet with a manager

これで第３問は終わりです。

第４問 （配点 12） 音声は1回流れます。

第４問はAとBの二つの部分に分かれています。

A　第４問Aは問18から問25の８問です。話を聞き，それぞれの問いの答えとして最も適切なものを，選択肢から選びなさい。問題文と図表を読む時間が与えられた後，音声が流れます。

問18～21　あなたは留学先の大学の寮に住んでいます。これから，そこの寮生の夜の過ごし方についての調査結果を聞きます。次のグラフの空欄 18 ～ 21 に入れるのに最も適切なものを，四つの選択肢（①～④）のうちから一つずつ選びなさい。

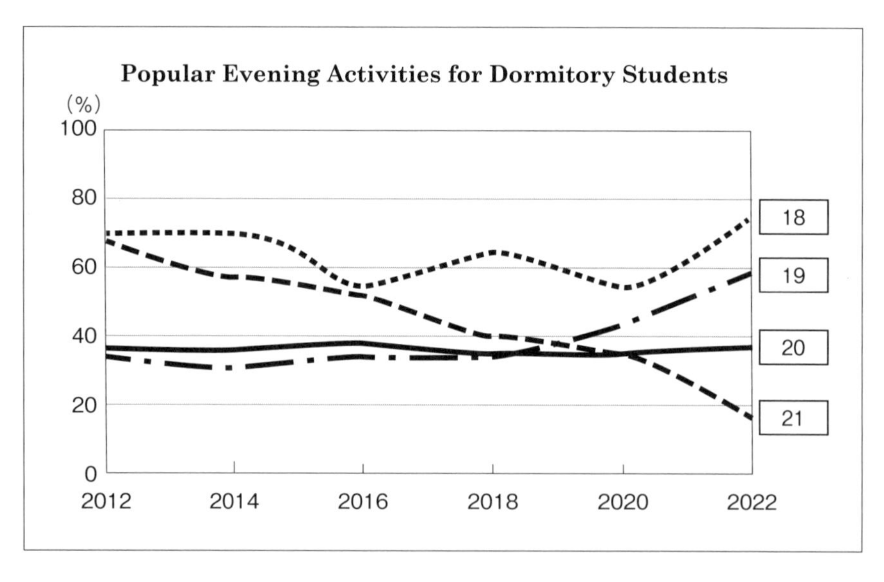

① Chatting with friends

② Doing part-time jobs

③ Playing video games

④ Reading books

問22〜25 あなたが所属するコーラス部はオンラインの国際合唱コンテストの決勝戦に参加しました。あなたは今，自宅のパソコンから，受賞チームの一覧表を見ながら賞品の説明を聞いています。次の表の四つの空欄 [22] 〜 [25] に入れるのに最も適切なものを，六つの選択肢（①〜⑥）のうちから一つずつ選びなさい。選択肢は2回以上使ってもかまいません。

Summary of Final Results – International Online Singing Contest

Top Four Teams	Danny Boy	A Cappella	Original Song	Prize
Astro Acoustic	1st	2nd	1st	[22]
Chorus Kings	4th	3rd	3rd	[23]
Music Masters	3rd	4th	2nd	[24]
Voice Force	2nd	1st	4th	[25]

① Concert tickets

② Trophy

③ Certificate

④ Certificate, Trophy

⑤ Certificate, Trophy, Invitation

⑥ Certificate, Concert tickets, Invitation

これで第４問Aは終わりです。

B 第４問Bは問26の１問です。話を聞き，示された条件に最も合うものを，四つの選択肢（①～④）のうちから一つ選びなさい。後の表を参考にしてメモを取ってもかまいません。状況と条件を読む時間が与えられた後，音声が流れます。

状況
あなたはカナダの高校に留学しています。入部するクラブを決めるために，四つのクラブの部長による説明を聞いています。

あなたの考えている条件
A. 午後5時までに終わること
B. 100ドル以上はクラブ活動の費用がかからないこと
C. メンバー間のコミュニケーションがたくさんあること

Club	Condition A	Condition B	Condition C
① Fencing			
② Photography			
③ Manga			
④ Running			

問26 [26] is the club you are most likely to choose.

① Fencing
② Photography
③ Manga
④ Running

これで第４問Bは終わりです。

（下書き用紙）

英語（リスニング）の試験問題は次に続く。

第５問 （配点 15） 音声は1回流れます。

第５問は問27から問33までの７問です。

最初に講義を聞き，問27から問32に答えなさい。次に続きを聞き，問33に答えなさい。状況，ワークシート，問い及び図表を読む時間が与えられた後，音声が流れます。

状況
あなたはアメリカの大学で，オフィス・デザインについての講義を，ワークシートにメモを取りながら聞いています。

ワークシート

○ **The Evolution of Office Design**
- Initially, employers failed to consider that employee satisfaction [27] being productive.
- Different office designs have been used over the years.

○ **Some examples**

	Advantage	Weakness
Open-plan	communication	noise
Action	28	29
Cubicle	30	31

問27 ワークシートの空欄 | 27 | に入れるのに最も適切なものを，四つの選択肢（①～④）のうちから一つ選びなさい。

① could cause delays in
② meant giving up on
③ relied heavily on
④ was related to

問28～31 ワークシートの空欄 | 28 | ～ | 31 | に入れるのに最も適切なものを，六つの選択肢（①～⑥）のうちから一つずつ選びなさい。選択肢は２回以上使ってもかまいません。

① appearance　② convenience　③ cost
④ isolation　⑤ quietness　⑥ flexibility

問32 講義後に，あなたは要約を書くために，グループのメンバーＡ，Ｂと，講義内容を口頭で確認しています。それぞれの発言が講義の内容と一致するかどうかについて，最も適切なものを四つの選択肢（①～④）のうちから一つ選びなさい。 | 32 |

① Ａの発言のみ一致する
② Ｂの発言のみ一致する
③ どちらの発言も一致する
④ どちらの発言も一致しない

第５問はさらに続きます。

問33 講義の後で，TedとAliが下の図表を見ながらディスカッションをしています。ディスカッションの内容及び講義の内容からどのようなことが言えるか，最も適切なものを，四つの選択肢（①〜④）のうちから一つ選びなさい。 33

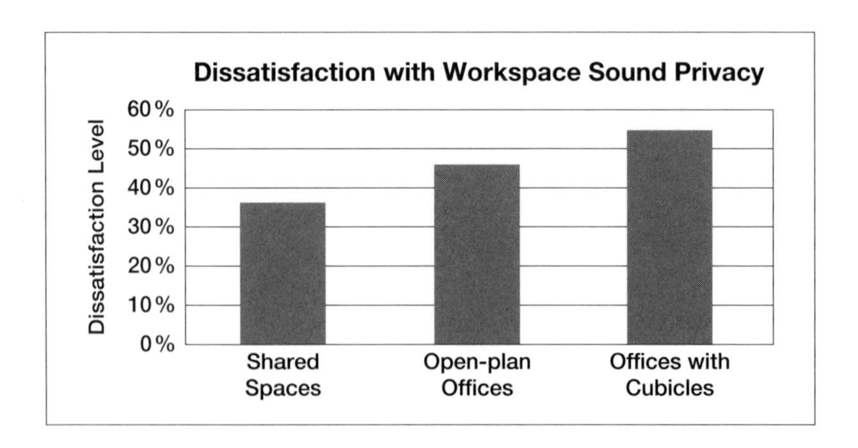

① Cubicle workers are happier about their sound privacy because they can see what other people are doing in the office.

② Cubicle workers worry more about their sound privacy, while open-plan office workers are more concerned about their visual privacy.

③ Open-plan office workers are worried about making too much noise as well as their sound privacy.

④ Open-plan office workers worry about noise, but they are happier about their visual privacy than people in other office types.

これで第５問は終わりです。

第６問 （配点 14） 音声は１回流れます。

第６問はAとBの二つの部分に分かれています。

A 第６問Aは問34・問35の２問です。二人の対話を聞き，それぞれの問いの答えとして最も適切なものを，四つの選択肢（①～④）のうちから一つずつ選びなさい。（問いの英文は書かれています。）状況と問いを読む時間が与えられた後，音声が流れます。

状況
Jackと娘のDianneが，今度あるコンサートについて話をしています。

問34 **Which of the following statements would both speakers agree with?** [34]

① Rock concerts are too dangerous for little children.
② Attending a concert is a memorable experience.
③ Riding the train late at night is safer now.
④ Parents should help children reserve concert tickets.

問35 **Which statement best describes Jack's feeling about his daughter going to a concert with friends?** [35]

① He is concerned about the risks of traveling at night.
② He hopes a larger group of friends will join her.
③ He believes her parents should also attend the concert.
④ He thinks her mother should make the decision.

これで第６問Aは終わりです。

B 第６問Bは問36・問37の2問です。会話を聞き，それぞれの問いの答えとして最も適切なものを，選択肢のうちから一つずつ選びなさい。後の表を参考にしてメモを取ってもかまいません。状況と問いを読む時間が与えられた後，音声が流れます。

状況
英語教師（Mr. Harper）が，3人の生徒（Rose, Taku, Kim）と一緒に日本の電車に乗っています。

Mr. Harper	
Rose	
Taku	
Kim	

問36 会話が終わった時点で，ebookを支持しない人を，四つの選択肢（①～④）のうちから一つ選びなさい 。 36

① Mr. Harper
② Taku
③ Mr. Harper, Taku
④ Rose, Kim

問37　会話を踏まえて，Mr. Harper の考えの根拠となる図表を，四つの選択肢（①〜④）のうちから一つ選びなさい。 37

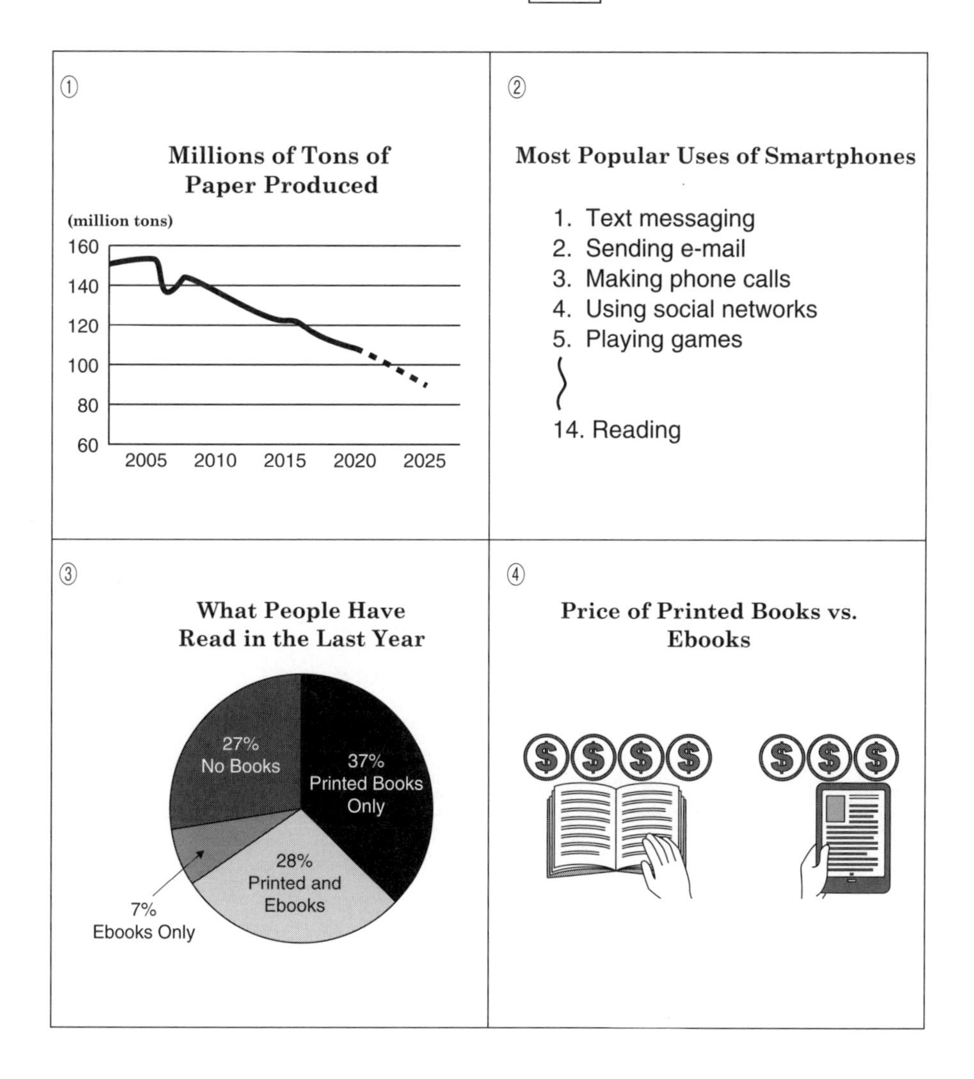

これで第6問Bは終わりです。

PC: 7024031
『改訂第2版　1カ月で攻略！　大学入学共通テスト英語リスニング』別冊
発行：株式会社アルク